KRÅKFLICKAN

KRÅKFLICKAN

Victoria Bergmans Svaghet

Första delen

Jerker Eriksson &
Håkan Axlander Sundquist

Pocketförlaget

Till minnet av en syster

www.pocketforlaget.se
info@pocketforlaget.se

Svensk pocketutgåva enligt
avtal med Ordupplaget.

Omslag: Sven Ljung, efter grafisk form av Johannes Molin
Författarfoto: Örjan Gran

Tryck: UAB PRINT IT 2011

ISBN: 978-91-86675-06-6

Dunkelt är vårt liv. Stor vår medfödda besvikelse — vilken gör att så många sagor överhuvud blomma i Skandinaviens skogar — dystert kolnar vårt hjärtas hungereld. Många bli kolvaktare vid sitt eget hjärtas mila; lägga i fördrömmelsens krymplingskap örat till och höra hur det susande förbrinner.

Ur *Nässlorna blomma* av Harry Martinson

Huset

var över hundra år gammalt och de gedigna stenväggarna var metertjocka, vilket betydde att hon antagligen inte behövde isolera dem, men hon ville vara på den säkra sidan.

Till vänster om vardagsrummet låg ett litet hörnrum som hon använt som kombinerat arbets- och gästrum.

En tillhörande toalett samt en rymlig klädkammare.

Rummet var helt perfekt med sitt enda fönster och den oanvända råvinden ovanför.

Det var slut med nonchalans och ta för givet.

Ingenting fick lämnas åt slumpen. Tillfälligheten var en farligt förrädisk följeslagare. Ibland en vän, lika ofta en oberäknelig fiende.

matsalsmöbeln
sköt hon mot den ena väggen och frilade en stor yta mitt på vardagsrumsgolvet.

Sedan var det bara att vänta.

Den första frigoliten kom som avtalat klockan tio och bars in av fyra män. Tre av dem var i femtioårsåldern, den fjärde knappt fyllda tjugo. Han hade rakat huvud och en svart T-tröja med två korslagda svenska fanor mitt på bröstet under texten Mitt Fädernesland. På armbågarna hade han låtit tatuera in ett spindelvävsmönster och på handlederna något stenåldersmotiv.

När hon blev ensam igen slog hon sig ner i soffan och planerade sitt arbete. Hon bestämde sig för att börja med golvet, eftersom det var det enda som skulle kunna bli ett problem. Det gamla paret som bodde under var visserligen nästan döva och själv hade hon genom åren aldrig hört ett ljud från dem, men det var likväl en viktig detalj.

Hon gick in i sovrummet.

Den lille pojken sov fortfarande djupt.

Så märkligt det hade varit när hon mött honom på pendeltåget. Han hade bara tagit henne i handen, rest sig och snällt följt med henne utan att hon ens behövt säga något.

Det var som förutbestämt att det skulle bli han.

En omedelbar självklarhet, som när en kvinna föder ett barn och förstår att det bara är hennes.

Hon hade fått den elev hon sökt och det barn hon aldrig kunnat få.

Hon la handen på hans panna, kände att febern gått ner och tog sedan pulsen på honom.

Allt var som det skulle.

Hon hade hittat rätt dos morfin.

arbetsrummet
hade en tjock, vit heltäckningsmatta som hon alltid tyckt varit ful och ohygienisk, men samtidigt skön att gå på. Nu skulle den ytterligare tjäna hennes syften.

Med en vass förskärare kapade hon frigoliten och limmade fast bitarna med ett tjockt lager golvlim.

Ganska snart blev hon yr av den starka lukten och var tvungen att öppna fönstret ut mot gatan. Det var ett treglasfönster som dessutom hade ett extra ljudisolerande glas fäst på utsidan.

Slumpen som vän.

Hon log.

Arbetet med golvet tog hela dagen och med jämna mellanrum gick hon in och tittade till pojken.

När hela golvet var klart täckte hon över alla skarvarna med silvertejp.

De följande tre dagarna kom nytt byggmaterial och hon tog itu med de fyra väggarna. På fredagen var det bara taket kvar och det tog lite längre tid eftersom hon var tvungen att först limma frigoliten och sen staga upp skivan mot taket med hjälp av plankor.

Under tiden som limmet torkade spikade hon upp några gamla filtar istället för de dörrar som hon tidigare tagit bort. Dörren till vardagsrummet limmade hon med fyra lager frigolit vilket fyllde upp den drygt halvmeterdjupa dörrkarmen.

Hon tog ett gammalt lakan och hängde över det enda fönstret. Fönsternischen fick för säkerhets skull ett dubbelt lager isolering. När rummet var klart, klädde hon golvet och väggarna med en vattenavstötande presenning.

Det fanns någonting meditativt i arbetet och när hon sedan satte sig ner och betraktade vad hon åstadkommit kände hon sig stolt.

rummet

förfinades under veckan som följde. Hon köpte fyra små gummihjul, en hasp, tio meter elkabel, några meter trälist, en enkel lamparmatur och en kartong glödlampor. Hon beställde hemkörning av en uppsättning hantlar, en skivstång och en enkel träningscykel.

Hon lyfte ut alla böcker från en av bokhyllorna i vardagsrummet, ställde den på sidan och skruvade fast hjulen, ett i varje hörn. På framsidan fäste hon en trälist som skulle dölja rullkonstruktionen och ställde hyllan framför dörren till det dolda rummet.

Hon skruvade fast bokhyllan i dörren och provade att öppna.

Dörren gled ljudlöst på de små hjulen och allt fungerade perfekt.

Hon monterade dit haspen, reglade dörren och placerade en golvlampa som skulle dölja den enkla låsanordningen.

Avslutningsvis ställde hon tillbaka alla böcker och hämtade sedan en tunn bäddmadrass från den ena av de två sängarna i sovrummet.

På kvällen bar hon in den sovande pojken till det som skulle bli hans nya hem.

Gamla Enskede

Det konstiga med den unga pojken var inte att han var död, utan snarare att han hade levt så länge. Omfattningen av hans skador och skadornas karaktär vittnade om att han borde ha varit död långt tidigare än det preliminärt fastställda dödsögonblicket. Men någonting hade hållit honom vid liv när en normal människa för länge sedan hade gett upp.

Om detta visste kriminalkommissarie Jeanette Kihlberg ingenting när hon backade ut bilen ur garaget. Hon var dessutom helt omedveten om att fallet skulle vara den första av en rad händelser som skulle få ett avgörande inflytande över hennes liv.

Hon såg Åke i köksfönstret och vinkade, men han var upptagen med att prata i telefon och såg henne inte. Förmiddagen skulle han använda till att tvätta veckans ranson av svettiga tröjor, grusiga strumpor och smutsiga underkläder. Med en fru och en son som närde ett brinnande intresse för fotboll, var det ett återkommande inslag i vardagsrutinerna att minst fem gånger i veckan hetsa den gamla tvättmaskinen till bristningsgränsen.

Under tiden han väntade på att maskinen skulle bli färdig visste hon att han skulle gå upp till den lilla ateljé de inrett på vinden och fortsätta med en av alla de ofullbordade oljemålningar han ständigt höll på med. Han var romantiker, en drömmare som hade svårt att avsluta det han påbörjat och flera gånger hade Jeanette tjatat på honom att ta kontakt med någon av de gallerister som faktiskt hade visat intresse för hans arbeten. Men han hade alltid viftat bort det med att han inte var riktigt klar. Inte riktigt än, men snart.

Och då skulle allt förändras.

NUTID

Han skulle slå igenom och pengarna skulle börja strömma in och de kunde äntligen göra allt de drömt om. Från att fixa huset till att resa vart de ville.

Efter nästan tjugo år hade hon börjat tvivla på att det någonsin skulle inträffa.

När hon svängde ut på Nynäsvägen hörde hon ett oroväckande skrammel vid vänster framdäck. Trots att hon var teknisk idiot förstod hon att något inte stod rätt till med den gamla Audin och att hon skulle tvingas lämna in den på verkstad igen. Vis av erfarenhet visste hon också att det inte skulle vara gratis att få den lagad, även om serben vid Bolidenplan var både duktig och billig.

Dagen innan hade hon tömt sparkontot för att betala den senaste i raden av amorteringar på huset som med sadistisk punktlighet kom en gång i kvartalet, och hon hoppades att hon denna gång skulle kunna få bilen lagad på kredit. Det hade fungerat tidigare.

Ett kraftigt vibrerande i jackfickan och Beethovens nionde symfoni fick Jeanette att nästan köra av vägen och upp på trottoaren.

”Japp, Kihlberg här.”

”Tjena Janne, vi har en grej vid Thorildsplan.”

Hon hörde kollegan Jens Hurtigs röst.

”Vi måste dit nu på en gång. Var är du?” Det tjöt i telefonen och hon fick hålla den en decimeter från örat för att inte förstöra sin hörsel.

Hon hatade att bli kallad Janne och kände irritationen växa. Smeknamnet hade kommit till som ett skämt på en personalfest tre år tidigare, men hade med tiden spridit sig i hela polishuset på Kungsholmen.

”Jag är vid Årsta och svänger just nu upp på Essingeleden. Vad är det som har hänt?”

”De har hittat en död kille i ett buskage vid tunnelbanan nära Lärarhögskolan och Billing vill att du åker dit så fort som möjligt. Han lät jävligt upphetsad. Det mesta tyder visst på mord.”

Jeanette Kihlberg hörde hur skramlandet tilltog och undrade

om hon skulle bli tvungen att köra in till kanten, ringa efter bärgning och sen efter skjuts.

”Om den här jäkla bilen bara håller ihop är jag framme om fem, tio minuter och jag vill att även du kommer dit.” Bilen krängde till och Jeanette la sig för säkerhets skull i högerfilen.

”Självklart. Jag sticker på en gång och är nog där före dig.”

Hurtig la på luren och Jeanette stoppade telefonen i jackfickan.

En död kille slängd i ett buskage lät i Jeanettes öron mer som en misshandel som urartat och skulle följaktligen rubriceras som dråp.

Mord, tänkte hon samtidigt som det ryckte till i ratten, är en kvinna som mördats i hemmet av sin svartsjuke man efter att hon meddelat att hon vill skilja sig.

Åtminstone i vanliga fall.

Men faktum var att tiderna förändrats och det hon en gång lärt sig på polishögskolan var nu inte bara inaktuellt utan dessutom felaktigt. Arbetsmetoderna var reformerade och polisarbetet i många avseenden mycket svårare idag än för tjugo år sen.

Jeanette mindes sin första tid som patrullerande och närheten till vanligt folk. Hur allmänheten hjälpte till och dessutom hade förtroende för polisen. Enda anledningen till att någon anmäler ett inbrott idag, tänkte hon, är att försäkringsbolagen kräver det. Inte för att man har någon förhoppning om att brottet ska klaras upp.

Vad hade hon väntat sig när hon hoppade av socionomutbildningen och bestämde sig för att bli polis? Att kunna förändra? Att hjälpa? Det var i varje fall det hon hade sagt till sin pappa den där dagen då hon stolt visat upp sitt antagningsbesked. Ja, så var det. Hon ville utgöra skillnaden mellan att fara illa och att göra illa.

Hon ville vara en riktig människa.

Och att vara polis innebar det.

Under hela sin barndom hade hon andäktigt suttit och lyssnat när pappa och farfar pratat polisjobb. Oavsett om det varit midsommarafton eller långfredag hade samtalsämnena kring middagsbordet kretsat kring hänsynslösa bankrånare, sympatiska baxare och förslagna bedragare. Anekdoter och minnen från den mörka sidan av tillvaron.

På samma sätt som doften av griljerad julskinka skapat ett rum av förväntningar utgjorde bakgrundssorlet från männen i vardagsrummet en fond av trygghet.

Hon log åt minnet av farfars ointresse och skepsis för nya tekniska hjälpmedel. Numera hade handfängslet ersatts med buntband för att förenkla arbetet. En gång hade han sagt att DNA-analys var en fluga som skulle vara övergående.

Polisyrket handlar om att göra skillnad, tänkte hon. Inte om att förenkla. Arbetet måste anpassas efter de förändrade samhälleliga förutsättningarna.

Att vara polis handlar om att vilja hjälpa till, att bry sig om. Det var inte att sitta bakom tonade rutor i en bepansrad piket och hjälplöst stirra ut.

Thorildsplan

Ivo Andrić var specialiserad på just sådana här udda och extrema dödsfall. Han var ursprungligen från Bosnien och hade varit läkare i Sarajevo under den nästan fyra år långa serbiska belägringen, vilket gett honom en så gedigen erfarenhet av döda barn att han emellanåt önskade att han aldrig blivit rättsläkare.

I Sarajevo hade nästan tvåtusen barn under fjorton år dödats, varav två varit hans egna döttrar. Han brukade fundera över hur hans liv hade sett ut om han stannat kvar i byn utanför Prozor. Men det var för sent att tänka i sådana banor nu. Serberna hade bränt ner gården och mördat hans föräldrar och tre bröder.

Stockholmspolisen hade kallat in honom tidigt på morgonen och eftersom man inte ville spärra av området kring tunnelbanestationen längre än nödvändigt var han tvungen att bli klar så fort som möjligt.

Han lutade sig närmare och granskade den döde pojken och noterade att han hade ett utländskt utseende. Arabiskt, palestinskt eller kanske rentav indiskt eller pakistanskt.

Att han var svårt misshandlad rådde det ingen som helst tvekan om, men det märkliga var att de vanligen förekommande avvärjningsskadorna saknades. Alla blåmärken och blodutgjutelser påminde mer om en boxares. En boxare som inte förmått försvara sig, men ändå gått tolv ronder och fått så mycket stryk att han till slut slagits medvetslös.

Vad som ytterligare försvårade brottsplatsundersökningen var att döden inte inträffat på fyndplatsen utan någon annanstans, långt tidigare. Kroppen låg relativt synlig i ett buskage bara några meter från tunnelbanenedgången vid Thorildsplan på

Kungsholmen och hade därför inte kunnat förbli oupptäckt särskilt länge.

Flygplatsen

hade varit lika grå och kall som vintermorgonen. Han kom med Air China till ett land han aldrig tidigare hade hört talas om. Han visste att flera hundra barn före honom gjort samma resa och i likhet med dem hade han en väl inrepeterad historia att berätta för poliserna vid passkontrollen. Utan att tveka på en enda stavelse hade han framfört den berättelse som han i månader hade fått rabbla tills han kunde den utantill.

Under bygget av en av de stora OS-arenorna hade han fått arbeta med att bära tegelstenar och murbruk. Hans farbror, en fattig arbetare, ordnade med bostad, men när farbrodern sedan skadat sig svårt och hamnat på sjukhus hade han inte längre någon som kunde ta hand om honom. Hans föräldrar var döda och han hade inga syskon eller andra anhöriga att ty sig till.

I förhöret hos passpolisen berättade han hur han och farbrodern behandlats som slavar under förhållanden som bara gick att jämföra med apartheid. Hur han hade arbetat på bygget i fem månader men aldrig räknat med att någonsin få bli fullvärdig medborgare i staden.

Enligt det gamla hukousystemet var han mantalsskriven i sin hemby långt från staden och var därför nästan rättslös där han bodde och arbetade.

Det var därför han varit tvungen att ta sig till Sverige där hans enda kvarvarande släkt fanns. Han visste inte var de bodde, men enligt hans farbror hade de lovat att ta kontakt med honom så fort han anlänt.

Han kom till det nya landet utan andra ägodelar än de kläder han hade på sig, en mobiltelefon och femtio amerikanska dollar.

Telefonen var tom på nummer och där fanns heller inga sms eller bilder som kunde avslöja någonting om honom.

Faktum var att den var alldeles ny och oanvänd.

Vad han inte avslöjade för polisen var det telefonnummer han hade nedskrivet på en papperslapp som han gömt i sin vänstra sko. Ett nummer han skulle ringa när han lyckats fly från förläggningen.

landet

han kommit till liknade inte Kina. Allt var så rent och tomt. När förhöret var över och han i sällskap med två polismän gick genom flygplatsens öde korridorer, undrade han om det var så här Europa såg ut.

Mannen som skapat hans bakgrund, gett honom telefonnumret och utrustat honom med pengar och telefon, hade berättat att han under de senaste fyra åren med framgång skickat över sjuttio barn till olika delar av Europa.

Han hade sagt att de flesta kontakterna fanns i ett land som hette Belgien, där man kunde tjäna stora pengar. Arbetsuppgifterna bestod i att betjäna rika människor och var man diskret och plikttrogen, kunde man bli rik själv. Men Belgien var riskabelt och man fick inte synas för mycket.

Aldrig visa sig utomhus.

Sverige var säkrare. Där arbetade man oftast på restaurang och kunde röra sig mer fritt. Det var inte lika bra betalt, men hade man tur kunde man även där tjäna mycket pengar, beroende på vilka tjänster som för tillfället efterfrågades.

Det fanns människor i Sverige som ville ha samma sak som människorna i Belgien.

förläggningen

låg inte särskilt långt från flygplatsen och han kördes dit med en civil polisbil. Han stannade över natten och fick dela rum med en svart pojke som varken kunde kinesiska eller engelska.

Madrassen han sov på var ren, men den luktade instängt.

Redan den andra dagen ringde han numret på lappen och en

kvinnoröst förklarade hur han skulle ta sig till stationen för att ta tåget in till Stockholm. Väl där skulle han ringa igen och få vidare instruktioner.

tåget

var varmt och behagligt. Snabbt och nästan ljudlöst förde det honom genom en stad där allt var vitt av snö. Men om det nu var slumpen eller ödet som ville annorlunda, så kom han aldrig fram till Stockholms central.

Efter några stationer satte sig en vacker, blond kvinna ner på sätet mittemot. Hon såg länge på honom och han förstod att hon visste att han var ensam. Inte bara ensam på tåget, utan ensam i hela världen.

Nästa gång tåget stannade reste sig den blonda kvinnan och tog honom i handen. Hon nickade mot utgången och han protesterade inte.

Det var som om en ängel rörde vid honom och han följde henne som i trans.

De tog en taxi och åkte genom staden. Han såg att den var omgiven av vatten och han tyckte att den var vacker. Det var inte så mycket trafik som där hemma. Renare och antagligen lättare att andas.

Han tänkte på ödet och på slumpen och han undrade för ett ögonblick varför han satt där med henne. Men när hon vände sig mot honom och log undrade han inte längre.

Där hemma brukade alla fråga vad han var bra på, klämma på hans armar för att känna efter om han var stark nog. Ställa frågor han låtsades förstå.

De tvivlade alltid. Sedan kanske de valde honom.

Men hon hade valt honom utan att han gjort något för henne och det hade ingen annan gjort tidigare.

rummet

hon förde in honom i var vitt och där stod en stor och bred säng. Hon bäddade ner honom och gav honom något varmt att dricka. Det smakade nästan som teet hemma och han somnade redan innan koppen var tom.

När han vaknade visste han inte hur länge han sovit, men han såg att han var i ett annat rum. Det nya rummet saknade fönster och var helt täckt av plast.

När han reste sig för att gå fram till dörren upptäckte han att golvet var mjukt och sviktande. Han kände på dörrhandtaget, men dörren var låst.

Kläderna liksom telefonen var borta.

Naken la han sig ner på madrassen och somnade om.

Detta var det rum som skulle bli hans nya värld.

Thorildsplan

Jeanette kände hur ratten ville dra åt höger och hur hela bilen liksom gick på tvären över körfältet. Den sista kilometern kröp hon fram i sextio och när hon svängde ner på Drottningholmsvägen, bort mot tunnelbanestationen, anade hon att den femton år gamla bilen antagligen hade gjort sitt.

Hon parkerade och gick bort mot avspärrningen där hon fick syn på Hurtig. Ett huvud längre än alla andra, skandinaviskt blond och kraftig utan att vara fet.

Efter att ha jobbat tillsammans i närmare fyra år hade Jeanette lärt sig att tyda hans kroppsspråk och hon noterade att han såg bekymrad ut.

Nästan plågad.

Men när han fick syn på henne sken han upp, kom henne till mötes och höll upp avspärrningstejpen.

”Bilen höll ser jag.” Han flinade. ”Jag fattar inte hur du orkar hålla på med den där gamla skorven.”

”Inte jag heller och kan du fixa löneförhöjning åt mig så ska jag skaffa mig en liten Mercedes cabriolet och glida omkring i.”

Om bara Åke kunde skaffa sig ett anständigt jobb, med en anständig lön så skulle hon kunna skaffa sig en anständig bil, tänkte hon medan hon följde Hurtig in på det avspärrade området.

”Finns det några däckavtryck?” frågade hon en av de två kvinnliga kriminaltekniker som satt på huk på grusgången.

”Ja, ett antal olika”, svarade den ena och såg upp på Jeanette. ”Jag tror att vissa är från nån av städbilarna som åker här och tömmer papperskorgarna. Men några spår är från smalare hjul.”

Jeanette var nu, sedan hon anlänt till brottsplatsen, högsta befäl och formellt ansvarig för undersökningen.

Under kvällen skulle hon rapportera till sin chef, polismästare Dennis Billing, som i sin tur skulle informera åklagare von Kwist. Tillsammans skulle de två männen besluta om vad som borde göras oavsett vad hon tyckte. Det var så befälsordningen såg ut.

Jeanette vände sig mot Hurtig.

”Okej, låt höra. Vem hittade honom?”

Hurtig ryckte på axlarna. ”Det vet vi inte.”

”Vad då vet inte?”

”Larmcentralen fick ett anonymt telefonsamtal för...” Han såg på sitt armbandsur, ”... Drygt tre timmar sen och mannen som ringde sa att det låg en död pojke här vid tunnelbanenedgången. Det var allt.”

”Men samtalet finns på band?”

”Javisst.”

”Och varför tog det sån tid innan vi underrättades?” Jeanette kände ett stick av irritation.

”På larmcentralen trodde de först att det var ett skämt eftersom personen som ringde lät påverkad. Sluddrade och, ja vad sa de? Inte lät trovärdig.”

”Har de spårat samtalet?”

Hurtig himlade med ögonen. ”Oregistrerat kontantkort.”

”Skit också.”

”Men vi kommer snart att få veta varifrån samtalet kopplades.”

”Bra, bra. Vi får lyssna på bandet när vi kommer tillbaka.”

Jeanette gick runt bland poliserna och tog reda på vad man visste och om man hittat något av intresse.

”Vittnen då? Är det nån som har sett eller hört något?” Hon såg sig uppfordrande omkring, men de underordnade poliserna skakade bara huvudena.

”Nån måste ju ha kört killen hit”, fortsatte Jeanette med en allt större uppgivenhet. Hon visste att arbetet skulle försvåras om de inte fick fram några ledtrådar inom de närmsta timmarna. ”Man tar väl knappast tunnelbanan med ett lik, men jag vill ändå ha kopior på banden från övervakningskamerorna.”

Hurtig kom upp bredvid henne.
”Jag har redan satt en kille på att ta fram dem, så vi har dem ikväll.”
”Bra. Eftersom kroppen antagligen har forslats hit med bil vill jag ha listor på alla bilar som passerat vägtullarna de senaste dagarna.”
”Självklart”, svarade Hurtig i det att han tog upp mobilen och började gå därifrån. ”Jag ordnar så vi får dem så fort som möjligt.”
”Lugna dig lite. Jag är inte klar än. Det finns ju förstås en möjlighet att kroppen har burits hit, eller tagits hit på en cykelkärra eller nåt liknande. Hör med skolan om de har kamerabevakning.”
Hurtig nickade och lommade iväg.
Jeanette suckade och vände sig till en av kriminalteknikerna som undersökte gräset vid buskarna.
”Inget ovanligt?”
Kvinnan skakade på huvudet. ”Inte än. Det finns förstås fotspår, och vi får säkra några av de bästa avtrycken. Men hoppas inte för mycket.”
Jeanette närmade sig sakta det buskage där man hittat liket inlindat i en svart sopsäck. Pojken var naken och hade stelnat i en sittande ställning med armarna om knäna. Händerna var sammanbundna med silvertejp. Hans ansiktshud hade fått en gulbrun färg och en läderartad struktur som påminde om pergament.
Hans händer var däremot nästan svarta.
”Några tecken på sexuellt våld?” Hon vände sig mot Ivo Andrić som satt på huk framför henne.
”Det kan jag inte avgöra än. Men det går inte att utesluta. Jag vill inte dra några förhastade slutsatser, men av erfarenhet är det ovanligt att man ser den här typen av extrema skador utan att det också har förekommit sexuellt våld.”
Jeanette nickade.
Polisen hade så gott det gick försökt skärma av platsen med byggstaket och presenningar, men terrängen var mycket kuperad

vilket gjorde det möjligt att se in på brottsplatsen ovanifrån om man stod en bit bort. Några fotografer med stora teleobjektiv rörde sig i området utanför avspärrningen och Jeanette tyckte nästan synd om dem. Tjugofyra timmar om dygnet levde de med polisradion, lyssnade och väntade på att något spektakulärt skulle inträffa.

Däremot såg hon inga journalister. Tidningarna hade väl inte längre resurser att skicka folk.

”Ja du”, sa en av poliserna och skakade på huvudet inför anblicken. ”Hur fan kan det bli så här?” Han riktade frågan till Ivo Andrić.

Kroppen var i stort sett helt mumifierad, vilket för Ivo Andrić betydde att den hade förvarats på ett mycket torrt ställe under lång tid och alltså inte legat utomhus under en slaskig Stockholmsvinter.

”Ja, du Schwarz ”, svarade han och såg upp. ”Det är det vi ska försöka ta reda på.”

”Ja, men grabben är ju för fan mumifierad. Som nån jävla farao. Det är ju inget man blir på en kafferast precis! Såg på Discovery hur man undersökte den där snubben man hittade uppe i Alperna. Ötzi tror jag han hette.”

Ivo Andrić nickade bekräftande.

”Eller han den där som man hittade i ett träsk nånstans söderut.”

”Du tänker på Bockstensmannen”, svarade Ivo Andrić som började tröttna på Schwarz pladdrande. ”Nu får du nog låta mig arbeta lite så att vi kan komma vidare”, sa han sedan, men ångrade genast att han hade låtit avfärdande.

”Kan bli nog så svårt”, sa Schwarz.”Du vet en sån här rabatt är ju bara full av hundskit och skräp. Och även om nåt av skräpet är från förövaren, så hur i helvete ska man veta vilket? Samma sak med alla fotspår.” Han skakade bekymrat på huvudet och såg fundersam ut.

Även om Ivo Andrić var en luttrad man som bevittnat många ohyggliga saker, hade han under hela sin långa och brokiga yrkeskarriär aldrig sett något liknande det han nu hade framför sig.

På armarna och över bålen hade pojken ett hundratal märken, hårdare än den omgivande vävnaden, vilket sammantaget betydde att han hade utsatts för en oerhörd mängd slag medan han levde. Av pojkens intryckta knogar kunde man anta att han inte bara tagit emot utan också utdelat ett ansenligt antal slag.

Så långt var allt klart.

Men på den mumifierade pojkens rygg fanns också ett stort antal djupa sår som efter en piska.

Ivo Andrić försökte för sitt inre föreställa sig vad som skett. En pojke slogs för sitt liv och när han inte längre ville slå hade någon piskat honom. Han visste att olagliga hundhetsningar förekom i invandrartäta förorter. Det här skulle kunna vara något liknande, med den avgörande skillnaden att det inte var hundar som slogs för sina liv utan unga pojkar.

Ja, åtminstone hade en av dem varit en ung pojke.

Vem som varit hans motståndare kunde man bara spekulera i.

Så till det faktum att han inte avlidit när han egentligen borde ha gjort det. Obduktionen skulle förhoppningsvis ge information om rester av droger eller kemikalier, Rohypnol, kanske Fencyklidin. Ivo Andrić ansåg att hans egentliga arbete kunde börja först när kroppen befann sig på patologen på Karolinska sjukhuset i Solna.

Nu tänkte han gå och äta lunch.

Vid tolvtiden kunde man lägga kroppen i en grå plastsäck och lyfta in den i likbilen för vidare transport till Solna. Jeanette Kihlbergs jobb här var klart och nu skulle hon fortsätta inåt Kungsholmen. När hon gick mot parkeringsplatsen började det falla ett stilla regn.

”Helvete!” svor hon högt för sig själv, och Åhlund, en av de yngre kollegorna, vände sig om och såg frågande på henne.

”Ja, det är min bil. Jag hade glömt det, men den rasade på vägen hit och nu står jag här. Måste väl ringa bärgning.”

”Var står den?” sa kollegan.

”Där borta.” Hon pekade på den röda, rostiga och smutsiga

Audin tjugo meter framför dem. "Vad då? Kan du nåt om bilar?"

"En liten hobby jag har. Finns inte en bil som jag inte kan få fart på. Ge mig nycklarna, så ska jag nog kunna ta reda på vad det är för fel."

Hon gav honom bilnycklarna och ställde sig på trottoaren. Regnet tilltog och hon började huttra.

Åhlund startade och svängde ut på gatan. Knarrandet och gnisslandet lät ännu högre utifrån och hon antog att hon skulle bli tvungen att ringa sin pappa och be om ett litet lån. Han skulle först säga nej med motiveringen att hon redan var skyldig honom alldeles för mycket, sedan skulle han höra med mamma, som skulle säga ja.

Avslutningsvis skulle han fråga om Åke börjat arbeta och hon skulle förklara att det inte var lätt att vara arbetslös konstnär. Men att det nog snart skulle bli ändring.

Varje gång var det samma sak. Hon fick krypa till korset och agera skyddsnät för Åke.

Så enkelt det skulle kunna vara, tänkte hon. Om han bara kunde svälja sin stolthet och ta ett tillfälligt jobb. Om inte annat för att visa att han brydde sig om henne och förstod hur orolig hon var över ekonomin. För att han märkt hur hon ibland hade svårt att somna dagarna innan räkningarna var betalda.

Efter en kort tur runt kvarteret hoppade den unga kollegan ur bilen och log triumferande.

"Spindelleden, styraxeln eller båda två. Kan jag ta den nu så fixar jag det ikväll. Du har den om några dagar och du får stå för delarna samt en panna whisky. Är det okej?"

"Du är en ängel, Åhlund. Ta den och gör vad fan du vill med den. Kan du få ihop den så får du två helrör och ett gott ord den dagen du vill avancera."

Jeanette Kihlberg gick bort mot piketen.

Kåranda, tänkte hon.

Kvarteret Kronoberg

Under det första mötet delegerade Jeanette arbetsuppgifterna. En grupp nyutexaminerade poliser hade under eftermiddagen knackat dörr i området och Jeanette hyste vissa förhoppningar.

Schwarz fick den otacksamma uppgiften att gå igenom listorna med bilar som passerat vägtullarna, nästan åttahundratusen passager, medan Åhlund granskade de övervakningsfilmer man fått till handa från Lärarhögskolan och tunnelbanestationen.

Jeanette saknade knappast tiden som adept och monotonin i den typen av undersökningsarbete som oftast föll på de oerfarna polisernas lott.

Högsta prioritet var att fastställa pojkens identitet och Hurtig tilldelades uppgiften att kontakta flyktingförläggningarna i Stockholmsområdet. Själv skulle Jeanette tala med Ivo Andrić.

Efter mötet gick hon tillbaka in på sitt rum och ringde hem. Klockan hade hunnit bli över sex och det var hennes dag att ansvara för matlagningen.

”Hej! Hur har du haft det idag?” Hon ansträngde sig för att låta glad trots att hon var stressad och trött.

Visst var de på många sätt jämställda. De hade delat upp vardagssysslorna sinsemellan så att han stod för tvätten och hon för dammsugningen. Matlagningen utfördes efter ett rullande schema där också Johan hjälpte till. Men trots allt var det hon som drog det tyngsta lasset när det gällde ekonomin.

”Blev klar med tvätten för en timme sen. Annars bara bra. Johan kom nyss hem och säger att du lovat skjutsa honom till matchen ikväll. Hinner du det?”

”Nej, det går inte”, suckade Jeanette. ”Bilen pajade på vägen in till stan. Johan får cykla, det är ju inte så jäkla långt." Jeanette lät blicken svepa över familjeporträttet hon hade häftat upp på sin anslagstavla. Johan såg så liten ut på fotot och sig själv ville hon knappt se på.

"Jag måste vara kvar några timmar till och sen får jag ta tunnelbanan hem om jag inte kan få skjuts av nån. Du får ringa och beställa pizza. Har du pengar?"

"Ja, ja." Åke suckade. "Annars finns det väl i burken."

Jeanette tänkte efter. "Ja, det ska det göra. Jag la i en femhundring igår. Vi ses senare."

Åke svarade inte så hon la på luren och lutade sig tillbaka.

Fem minuters vila.

Hon slöt ögonen.

Patologiska institutionen

Den döda pojken låg på obduktionsbordet av rostfritt stål och Ivo Andrić såg att förutom ett hundratal små förhårdnader var pojkens armar fulla av nålstick efter en injektionsspruta. Hade hålen varit samlade i armvecken hade han kanske antagit att pojken, trots sin unga ålder, varit narkoman. Men nu satt nålsticken på båda armarna och dessutom slumpvis, som om pojken gjort motstånd. Något som styrktes av att han funnit en avbruten nål instucken i vänster hand.

Men det mest uppseendeväckande var att pojkens genitalier var avlägsnade.

Ivo Andrić noterade att de hade skurits bort med en mycket vass kniv.

Kanske en skalpell eller ett rakblad.

Efter den första undersökningen på Patologiska institutionen i Solna stod det otvetydigt klart för Ivo Andrić att han skulle behöva hjälp av kollegorna på SRL, Statens Rättskemiska Laboratorium.

Kroppen var antagligen svårt förgiftad och han förstod att det skulle bli en lång natt.

Kvarteret Kronoberg

Hurtig kom in på Jeanettes rum med larmcentralens inspelning av morgonens mystiska samtal. Han räckte fram CD-skivan och satte sig ner.

Jeanette gnuggade sig nyvaket i ögonen. ”Har du pratat med dem som hittade pojken?”

”Javisst. Det var två kollegor och enligt rapporten var de på plats ett par timmar efter att telefonsamtalet kommit till larmcentralen. Larmcentralen dröjde med sitt anrop eftersom de misstänkte att det var ett skämt.”

Jeanette tog ut CD-skivan ur fodralet och stoppade in den i datorn.

Samtalet varade i tjugo sekunder.

”112, vad gäller det?”

Det sprakade till, men man kunde inte höra någon röst.

”Hallå! 112, vad gäller det?” Telefonisten avvaktade och nu kunde man höra någon som andades ansträngt.

”Jag vill bara berätta att det ligger en död kille i rabatten vid Thorildsplan.”

Mannen sluddrade och Jeanette uppfattade att han lät berusad. Påverkad av alkohol eller droger.

”Vad heter du?” frågade telefonisten.

”Det spelar ingen roll. Men fattar du vad jag säger?”

”Ja, jag har uppfattat att du säger att det ligger en död man vid Bolidenplan.”

”Thorildsplan, sa jag.” Mannen lät irriterad. ”En död i rabatten vid Thorildsplans tunnelbanenedgång.”

Det blev tyst.

Bara telefonistens tvekande ”Hallå?”

Jeanette rynkade pannan. ”Man behöver inte vara Einstein för att anta att samtalet ringdes från en plats nära tunnelbanan, eller hur?”

”Nej, visst. Men ifall…”

”Ifall, vad då?” Hon hörde själv hur irriterad hon lät, men hon hade hoppats att det bandade samtalet skulle besvara åtminstone någon fråga. Förse henne med någonting att kasta i käftarna på polischefen och åklagaren.

”Förlåt”, sa hon, men Hurtig bara ryckte på axlarna.

”Vi tar det i morgon.” Han reste på sig och gick mot dörren. ”Åk hem till Johan och Åke istället.”

Jeanette log tacksamt. ”God natt, vi ses imorgon.”

När Hurtig stängt dörren slog hon numret till sin överordnade, polismästare Dennis Billing.

Chefen för utredningssroteln svarade efter fyra signaler.

Jeanette berättade om den döde, mumifierade pojken, om det anonyma telefonsamtalet och vad som övrigt framkommit under eftermiddagen och kvällen.

Med andra ord hade hon ingenting av vikt att säga.

”Vi får se vad dörrknackningen kan ge och sen väntar jag på vad Ivo Andrić har kommit fram till. Hurtig snackar med våldet och ja, du vet, det vanliga.”

”Det bästa är ju, som du säkert förstår, att vi löser det här så fort som möjligt. Både för dig och för mig.”

Trots att han var hennes chef hade Jeanette svårt för hans överlägsna attityd som hon visste enbart berodde på det enkla faktum att hon var kvinna.

Dennis Billing hade varit en av de som inte tyckt att Jeanette skulle få tjänsten som kommissarie. Han hade med inofficiellt stöd av åklagare von Kwist förespråkat ett annat namn och självklart hade det varit en man.

Trots hans uttalade motstånd hade hon fått tjänsten, men hans avoga inställning till henne hade sedan dess präglat deras relation.

NUTID

”Självklart ska vi göra allt och jag återkommer imorgon när vi vet mer.”
Dennis Billing harklade sig.
”Ja, sen var det en sak jag behövde tala med dig om.”
”Jaha?”
”Ja, det här är egentligen konfidentiellt, men jag får väl tumma lite på reglerna. Jag kommer att behöva låna din grupp.”
”Nej, det går inte. Det förstår du väl?”
”Från och med i morgon kväll och ett dygn framåt. Sen får du tillbaka dem. Trots den uppkomna situationen är det nödvändigt, tyvärr.”
Jeanette kände sig maktlös och alldeles för trött för att protestera.
Dennis Billing fortsatte. ”Det är Mikkelsen som behöver assistans. I övermorgon ska de göra husrannsakan hos ett antal personer som är misstänkta för barnpornografibrott och han behöver hjälp. Jag har redan pratat med Hurtig, Åhlund och Schwarz. De jobbar som vanligt i morgon och ansluter sen till Mikkelsen. Då vet du.”
Jeanette insåg att det inte fanns något mer att säga.
Att hon inte hade något att säga till om.
De la på.
Klockan halv tio klev Jeanette ut från polishuset och började gå bort mot tunnelbanan. Vid Fridhemsplan såg hon bort mot DN-skrapan och hon insåg att personen hon letade efter just nu, skulle kunna befinna sig i närheten.
Vad var det för en människa som var kapabel att utföra det hon sett?
Vid Sockenplan klev hon av och började gå hemåt och när hon skymtade den gula villan kände hon en regndroppe mot pannan.

Tvålpalatset

Under det blodiga sjuttonhundratalet gav kung Adolf Fredrik sitt namn till det som idag är Mariatorget, på villkoret att man aldrig fick använda platsen för avrättningar. Sedan dess har inte mindre än etthundrafyrtioåtta personer mist livet där under mer eller mindre avrättningsliknande förhållanden. I sammanhanget spelade det ingen roll om platsen kallades Adolf Fredriks torg eller Mariatorget.

Åtskilliga av de etthundrafyrtioåtta morden hade inträffat mindre än ett tjugotal meter från huset där Sofia Zetterlund hade sin privata psykoterapimottagning, på översta våningen i ett äldre hus på S:t Paulsgatan, strax intill Tvålpalatset. Våningsplanets tre bostadslägenheter hade byggts om till kontor och var nu uthyrda till två privatpraktiserande tandläkare, en plastikkirurg, en advokat och ytterligare en psykoterapeut.

Interiören i väntrummet var svalt modern och man hade anlitat en inredningsarkitekt som köpt in ett par stora målningar av Adam Diesel-Frank vilka gick i samma gråa nyans som soffan och de två fåtöljerna.

I ena hörnet stod en skulptur i brons av den Tysklandsfödda konstnärinnan Nadya Ushakova som föreställde en stor vas med rosor där några var på väg att vissna. Runt en av stjälkarna satt det ett litet, gjutet kort med inskriptionen DIE MYTHEN SIND GREIFBAR.

Vid invigningen hade man diskuterat betydelsen av citatet, utan att någon hade kunnat komma med en trovärdig förklaring.

Myterna är materiella.

De ljusa väggarna, den dyra mattan och de exklusiva konstverken gjorde att allt sammantaget andades diskretion och pengar.

Efter flera anställningsintervjuer hade man anställt före detta läkarsekreteraren Ann-Britt Eriksson som gemensam receptionist med arbetsuppgift att boka tider och viss annan administration.

"Har det hänt nåt som jag måste veta?" frågade Sofia Zetterlund när hon kom på morgonen, som vanligt prick klockan åtta.

Ann-Britt såg upp från tidningen hon brett ut framför sig.

"Ja, Huddinge ringde och ville tidigarelägga mötet med Tyra Mäkelä till klockan elva. Jag sa att du skulle ringa tillbaka och bekräfta."

"Ja, jag ringer på en gång." Sofia började gå mot sitt rum. "Inget annat?"

"Jo", svarade Ann-Britt. "Mikael ringde nyss och sa att han antagligen inte hinner med flyget i eftermiddag, utan kommer till Arlanda först i morgon bitti. Han lät hälsa att han skulle tycka att det var trevligt om du sov i hans lägenhet inatt. Ja, så ni skulle hinna träffas lite i morgon."

Sofia stannade upp och lät handen vila mot dörrkarmen.

"Mmm, när har jag första mötet idag?" Hon kände sig irriterad över att behöva ändra sina planer. Hon hade tänkt överraska Mikael med en middag på Gondolen, men nu hade han, som alltid, rubbat hennes cirklar.

"Klockan nio och sen har du ytterligare två i eftermiddag."

"Vem kommer först?"

"Carolina Glanz. Enligt tidningen har hon fått ett programledarjobb och ska resa runt i världen och intervjua kändisar. Är det inte märkligt?"

Ann-Britt skakade på huvudet och suckade djupt.

Carolina Glanz hade slagit igenom med dunder och brak i ett av alla de talangprogram som fyller tv:s tablåer. Visserligen hade hon ingen vidare bra sångröst, men enligt juryn ägde hon den nödvändiga starqualityn. Under vintern och våren hade hon rest runt på små nattklubbar och mimat till en låt som en mindre vacker, men desto röststarkare tjej hade sjungit in. Carolina exponerades hårt i kvällstidningarna och skandalerna hade avlöst varandra.

När sedan medias intresse riktades åt ett nytt håll hade hon börjat ifrågasätta sig själv och sitt karriärval.

Sofia ogillade att coacha pseudokändisar och hade svårt att motivera sig under dessa samtal, även om de var betydelsefulla för henne rent ekonomiskt. Hon upplevde att hon ägnade sin tid åt fel sak, eftersom hon visste att hennes kompetens kom till bättre nytta för klienter som verkligen var i behov av hjälp.

Hon ville ha med riktiga människor att göra.

Sofia satte sig ner vid skrivbordet och ringde genast till Huddinge. Flytten av mötet gjorde att Sofia bara hade en knapp timme att förbereda sig och efter telefonsamtalet tog hon fram det material hon hade om Tyra Mäkelä.

Hon bläddrade i mapparna. Läkarutlåtanden, polisförhör och den rättspsykiatriska undersökningen, till vilken hon anlitats för att ge ett kompletterande utlåtande. Allt som allt nästan femhundra sidor, en pappersbunt hon visste skulle växa med minst det dubbla innan ärendet var avslutat.

Hon hade läst utredningen två gånger från pärm till pärm och koncentrerade sig nu på de centrala delarna.

Tyra Mäkeläs psykiska tillstånd.

Utredningsgruppen var splittrad. Psykiatern, som ledde undersökningen, yrkade på fängelse, liksom kuratorerna och en av psykologerna. Men två psykologer motsatte sig detta och förordade rättspsykiatrisk vård.

Sofias uppdrag bestod i att få gruppen att enas kring ett slutgiltigt beslut men hon förstod att det inte skulle bli lätt.

Tyra Mäkelä hade tillsammans med sin make dömts för mord på sin elvaårige adoptivson. En pojke med diagnosen fragile x-syndrom, en utvecklingsstörning som innebär fysiska likväl som psykiska symptom. Pojken var ett hjälplöst offer och Sofia kände en stor sorg vid blotta tanken på fallet.

Familjen hade levt isolerat i ett hus ute på landet. Den tekniska bevisningen talade sitt tydliga språk om den grymhet pojken utsatts för. Spår av avföring i lungor och magsäck, brännmärken från cigaretter, misshandel med en dammsugarslang.

Liket hade hittats i ett skogsparti inte långt från huset.

Fallet var mycket uppmärksammat i media, inte minst därför att mamman varit inblandad. En i stort sett enad allmänhet ledd av några högröstade och inflytelserika politiker och journalister, krävde lagens hårdaste straff. Tyra Mäkelä skulle sättas på Hinseberg för så lång tid som det bara var möjligt.

Sofia visste att rättspsykiatrisk vård tvärtom betydde att den dömde oftast isolerades under en längre period än vid ett fängelsestraff.

Var Tyra Mäkelä psykisk tillräknelig under perioden för övergreppen? Materialet fastslog att det handlade om minst tre år av tortyr.

Riktiga människors problem, tänkte Sofia.

Hon gjorde en punktvis sammanställning av de frågor som hon ville diskutera med den morddömda kvinnan och rycktes ur sina funderingar när Carolina Glanz gled in i rummet i ett par lårhöga, röda stövlar, en kort, röd kjol i lack och en svart skinnjacka.

Huddinge sjukhus

Sofia anlände till Huddinge strax efter halv elva och parkerade bilen framför det stora komplexet.

Hela huset var klätt med grå och blå plattor och stod i skarp kontrast mot de kringliggande husen som var målade i en mängd olika färgglada nyanser. Hon hade hört att det under andra världskriget skulle försvåra eventuella flygbombningar av sjukhuset. Avsikten skulle ha varit att det från luften såg ut som om sjukhuset var en sjö och husen runt omkring skulle skapa illusionen av åkrar och ängar.

Hon stannade till i kafeterian och köpte kaffe, en smörgås och morgontidningarna innan hon fortsatte bort till entrén.

Hon låste in sina värdesaker i ett av skåpen i slussen, gick igenom metalldetektorn och fortsatte genom den långa korridoren. Först passerade hon avdelning 113 och som vanligt hörde hon hur man bråkade och slogs där inne. Där satt de svårplacerade, tungt medicinerade och väntade på vidare transport till Säter, Karsudden, Skogome, eller någon annan vårdinrättning ute i landet.

Hon fortsatte rakt fram, svängde höger in på 112:an och bort till det gemensamma samtalsrummet som psykologerna använde. Hon kastade ett öga på klockan och konstaterade att hon var en kvart för tidig.

Hon stängde dörren, satte sig ner vid bordet och jämförde tidningarnas förstasidor.

MAKABERT FYND I CENTRALA STOCKHOLM, respektive MUMIE HITTAD I BUSKAGE!

Hon tog en tugga av smörgåsen och läppjade på det heta kaffet. Ett mumifierat lik av en ung pojke hade hittats vid Thorildsplan.

Döda barn, tänkte hon.

I artikeln drogs paralleller till fallet Mäkelä och Sofia kände en stor tyngd i bröstet.

Smörgåsen var uppäten och kaffet urdrucket när det knackade på dörren.

"Kom in", sa hon och dörren öppnades av en storvuxen mentalskötare.

"Tjena, Sofia."

"Hej KG. Allt okej?"

"Ja, bortsett från att de nyss larmade från rökrummet och vi fick brotta ner en pajsare som kastade stolar omkring sig. En elak jävel med mycket skit både i blodet och på samvetet."

"Ja, jag gick förbi och hörde att det var stökigt."

"Jag har en här utanför som du visst ska snacka med." Han pekade över axeln.

Hon tyckte inte om jargongen bland skötarna. Även om det handlade om grova brottslingar så fanns det ingen anledning att vara kränkande eller nedlåtande.

"Visa in henne och sen kan du lämna oss ensamma."

Tvålpalatset

Klockan två var Sofia Zetterlund tillbaka på mottagningen inne i stan. Det återstod två besök innan arbetsdagen var avklarad och hon insåg att det skulle bli svårt att återfå fokus efter besöket i Huddinge.

Sofia satte sig ner vid skrivbordet för att formulera en motivering som rekommenderade rättspsykiatrisk vård av Tyra Mäkelä. Den uppföljande konferensen med utredningsgruppen hade resulterat i att psykiatern till viss del omprövat sin inställning till straffet och Sofia hyste en förhoppning om att ett slutgiltigt beslut snart skulle kunna tas.

Om inte annat för Tyra Mäkeläs skull.

Kvinnan behövde vård.

Sofia hade redovisat en sammanställning av kvinnans historia och karaktärsdrag. Tyra Mäkelä hade två självmordsförsök i bagaget, redan som fjortonåring hade hon avsiktligt överdoserat mediciner, och när hon fyllt tjugo hade hon förtidspensionerats på grund av återkommande depressioner. Hennes femton år tillsammans med sadisten Harri Mäkelä hade resulterat i ytterligare ett självmordsförsök och sedan mordet på deras adoptivson.

Sofia trodde att tiden tillsammans med maken, vilken för övrigt befunnits frisk nog att dömas till fängelse, hade fördjupat kvinnans sjukdomstillstånd.

Sofias slutsats var att Tyra Mäkelä sannolikt lidit av upprepade psykoser under åren för övergreppen. Det fanns två dokumenterade besöksperioder på en psykiatrisk mottagning det senaste året, som stödde hennes tes. I båda fallen hade kvinnan hittats irrande ute i samhället och tvångsomhändertagits

NUTID

under några dagar innan hon kunnat skrivas ut.

Sofia såg ytterligare oklarheter kring Tyra Mäkeläs delaktighet i brotten mot pojken. Kvinnan hade en intelligenskvot som var så låg att den motiverade att hon inte kunde ställas ansvarig för mordet, något rätten mer eller mindre förbisett. Sofia såg en kvinna som idealiserade sin mans idéer under konstant inflytande av alkohol. Hon var i sin passivitet möjligen att betrakta som medskyldig till övergreppen, men samtidigt var hon oförmögen att ingripa på grund av sitt psykiska tillstånd.

Domen var fastställd i högsta instans och det som återstod var straffet.

Tyra Mäkelä behövde vård. Hennes brott skulle aldrig kunna göras ogjort, men en fängelsedom skulle inte hjälpa någon.

Grymheterna i fallet fick inte överskugga deras beslut.

Under eftermiddagen färdigställde Sofia sitt utlåtande om Tyra Mäkelä och avklarade de inbokade besöken klockan tre och klockan fyra. En utbränd företagsledare och en åldrande skådespelerska som inte längre fick några roller och därför befann sig i en djup depression.

Vid femtiden när hon var på väg hem hejdade Ann-Britt henne ute vid receptionen.

”Du kommer väl ihåg att du ska till Göteborg nästa lördag? Jag har tågbiljetten här och du bor på hotell Scandic.”

Ann-Britt la en mapp på disken.

”Ja självklart”, sa Sofia.

Hon skulle träffa ett bokförlag som skulle ge ut en nyöversättning av den före detta barnsoldaten Ishmael Beahs *A Long Way Gone*. Förlaget ville att Sofia med sina erfarenheter om traumatiserade barn skulle bistå dem med faktagranskning.

”När åker jag?”

”Tidigt. Avgångstiden står på biljetten.”

”05.12?”

Sofia suckade och gick tillbaka in på sitt rum för att leta reda på den rapport hon sju år tidigare skrivit för UNICEF.

När hon satte sig ner vid skrivbordet igen och plockade fram dokumentet undrade hon om hon egentligen var redo för att

släppa fram minnena från den tiden.
Sju år, tänkte hon.
Var det verkligen så länge sedan?

NUTID

Dåtid

Plåtstaden sträcker sig två kilometer från norr till söder längs sluttningarna mellan havet och landsvägen. Jeepen kör i nästan nittio kilometer i timmen längs den ojämna jordvägen och det röda dammet från lateritbeläggningen yr i ögonen på henne.

Ser han överhuvudtaget vägen? tänker hon och sneglar på den unge mannen som kör. Han är en av de drygt femtontusen före detta barnsoldater som köpts över till regeringsstyrkornas sida.

Hon ser ut genom fönstret på skjulen nedanför och håller sig hårt i dörrhandtaget.

Hon har nu varit här i nästan två månader. Först som frivilligarbetare för Human Rights Watch och sedan snart sex veckor på ett inofficiellt uppdrag för UNICEF.

Ja, officiellt eller inofficiellt? Egentligen vet hon inte.

Allt här nere har varit kaos.

Vägarna har förstörts av de milisgrupper som ännu är aktiva, och är de inte förstörda är de fulla av vägspärrar som upprättats av road workers, pojkar i tioårsåldern som kräver betalning för vidarepassering.

Rapporten hon ska överlämna är kraftigt försenad.

Två veckor tidigare hade hon, tillsammans med en nigeriansk hjälparbetare, försökt nå lägret, men gett upp ungefär halvvägs då de passerat nästan tjugo vägspärrar på bara tre kilometer.

Den här gången verkar det gå lättare.

”We're here, lady!” säger den unge mannen i förarsätet.

Han stannar jeepen vid en rostig bensinpump och vänder sig leende mot henne.

”Road stops here. Can’t go any further.”

”Dollar?”

”Yes, five dollars fine!”

När han sträcker fram handen ser hon ett ärr efter en tatuering. RUF, Revolutionära enade fronten. Hon minns att hon hört att man ofta använder brinnande krut för att ta bort tatueringen. En annan, minst lika smärtsam metod, är att karva bort den med hjälp av en vass glasbit. Hur som helst kommer den för alltid att påminna honom om vem han en gång varit.

En mördare.

Ett barn med makt över de vuxna.

”Ain’t got some petrol among that bags?” frågar han och pekar på hennes bagage.

Hon vet att en flaska bensin ofta är mer värd än några ynka dollar.

”No, I’m sorry.” Hon ger honom ytterligare två skrynkliga sedlar.

”Good luck lady, whatever you’re up to!”

Hon tackar för skjutsen, tar sina tillhörigheter och lämnar jeepen. Hon har en stor ryggsäck och två mindre väskor som hon hänger runt halsen. I kombination med värmen kommer väskorna att göra det outhärdligt att gå mer än bara någon kilometer.

Hon vandrar sakta längs den röda, dammiga vägen. Till höger har hon en fantastisk utsikt över kusten och de vidsträckta kritvita stränderna. Vore det inte för det inferno som råder bland plåtskjulen nedanför kunde utsikten varit som hämtad från en turistbroschyr.

Åttiotusen döda civila, två miljoner flyktingar och en medellivslängd på knappt trettiofem år. Och ändå, ett land som skulle kunna vara världens rikaste. Ett land som har en av världens största diamantfyndigheter, men som plundrats av giriga grannstater och diamanthandlare i Västeuropa.

Ett land av mördare, smugglare, stympade barn och våldtagna kvinnor.

Hon vet att hon ibland tenderar att vara en smula politiskt naiv, men samtidigt förstår hon att de verkliga förbrytarna inte är bödlarna eller soldaterna. Det är de som sitter i den andra änden av produktionsledet. Bankdirektörerna, maffians diamantkungar och kvinnor som inte kan få nog av glitter, men som inte ägnar en tanke åt varifrån det kommer.

Vissa får händerna och halsarna avskurna för att ni ska kunna smycka era, tänker hon.

Det provisoriska lägret i Lakka utanför Freetown sattes upp på bara några dagar i början av juni under översyn av de västafrikanska fredsstyrkorna.

En röd smog ligger över plåtbyggnaderna när hon viker in på huvudstråket som myllrar av flyktingar och soldater. Ett stycke bort kan hon se en illa medfaren flagga som tillhör Röda Korset, men i övrigt saknas tecken på var hjälporganisationerna håller till.

Hon stannar till vid en vit, smutsig lastbil på vilken det står *Cold Water* med blå sprayfärg. Hon betalar en armlös pojke några mynt för en plastpåse med ljummet vatten som han håller mellan tänderna.

Hon minns berättelserna hon hört av barnsoldaterna i Port Loko. När rebellerna från RUF gjorde raider i byarna på landsbygden och i Freetowns förorter, höga på kokain, heroin eller alkohol, brukade de låta sina offer välja mellan kortärmat och långärmat.

Kortärmat betydde att man fick armarna kapade ovanför armbågen.

Långärmat att de slogs av vid handleden.

I skuggan bakom lastbilen sitter en pojke i en liten dockvagn. Hans midja slutar i en filt som ligger i trävagnen tillsammans med några tomflaskor och hon förstår att han saknar ben.

Hon ser på den armlöse och den benlöse vid lastbilen.

Hur mycket lidande kan en människa utsätta andra för innan hon själv upphör att vara människa och blir ett monster? tänker hon.

Ljudet från ett signalhorn får henne att rycka till och när hon vänder sig om ser hon hur en militärbuss kommer åkande längs huvudstråket ett femtiotal meter längre fram. På taket står en lång, muskulös man och vrålar i en megafon. Mannen är insvept i Sierra Leones blå, vita och gröna flagga och han skriker något på mendespråket som hon inte förstår, trots att hon i vanliga fall kan tala språket nästan flytande.

Panik uppstår i folkvimlet och när någon kastar en stor sten som krossar bussens vindruta lutar sig några män ut och skjuter, utan förvarning, rakt in i folkmassan.

Hon hör hur kulorna viner omkring sig, kastar sig ner på marken och kryper snabbt in under lastbilen för att ta skydd. Den armlöse pojken hukar bredvid henne och den benlöse ligger orörlig på marken, träffad av flera kulor.

Militärbussen fortsätter inåt lägret och nu besvaras elden av en grupp soldater som står i skydd bakom ett av skjulen på andra sidan vägen. Mannen på taket faller handlöst bakåt ner på marken och flaggan han är insvept i färgas av blod. Bussen fortsätter framåt, brakar rakt in i ett av skjulen, motorn dör och skjutandet upphör.

Allt blir plötsligt väldigt stilla.

Det röda dammet färgar luften och hon hör snyftanden från flera håll. Vägen är öde, förutom en man som ligger död några meter från militärbussen. Han har träffats i ansiktet och den vänstra kinden är bortskjuten.

Även om Lakkalägret borde vara mycket säkrare än de flesta andra platser hon varit på, är det första gången hon upplevt ett väpnat överfall med dödlig utgång,

Hon försöker resa sig, men någonting tar emot. Hon måste ha skadat benet när hon kastade sig ner på marken.

En skottskadad man haltar därifrån medan några hönor promenerar omkring som om ingenting har hänt.

DÅTID

Genom dammet ser hon en handfull soldater söka igenom bussen. Order skriks ut och en bit bort släpar man iväg mannen med flaggan. Han är fortfarande vid liv men gör inget motstånd.

Hon försöker resa sig igen men smärtan i benet är plötsligt oerhörd och hon inser att det förmodligen är brutet.

Fan! tänker hon.

Den armlöse pojken ser leende på henne.

”Think you need help. You wait here so nobody steal water. I still have my legs left so I run for help.”

”How about your friend?” Hon nickar mot den benlöse som fortfarande ligger orörlig bara någon meter ifrån henne.

”Dead. Not my friend. No problem. But you have pain. No good so I run for help, okay?”

Hon tackar pojken som genast springer iväg.

Efter tio minuter kommer han tillbaka med två läkare som presenterar sig på knagglig engelska. Efter att snabbt ha undersökt hennes ben bär de henne sedan mellan sig bort till Röda Korsets läger.

Innan de lämnar den armlöse pojken tackar hon honom igen.

Han verkar helt obekymrad och ger henne en lätt kyss på kinden.

”No problem, ma'am.”

Kvarteret Kronoberg

Dagen därpå läste kriminalkommissarie Jeanette Kihlberg systematiskt igenom de dokument polisassistent Jens Hurtig hade tagit fram åt henne. Förhörsprotokoll, utredningar och domar vilka alla gällde misshandel eller mord med inslag av sadistiskt våld och Jeanette konstaterade att i alla fall utom ett var förövaren en man.

Undantaget hette Tyra Mäkelä och hade nyligen dömts tillsammans med sin man för mordet på deras adoptivson.

Ingenting av det hon sett på brottsplatsen vid Thorildsplan påminde om någonting hon tidigare varit med om och hon kände att hon behövde hjälp.

Hon tog telefonen och ringde upp Lars Mikkelsen på Rikskrim som hade hand om vålds- och sexualbrott mot barn. Hon bestämde sig för att göra beskrivningen så kortfattad som möjligt. Var det så att Mikkelsen kunde hjälpa henne skulle hon vara mer detaljerad.

Vilket jävla grisgöra, tänkte hon medan hon väntade på att han skulle svara.

Förhöra och utreda pedofiler. Hur stark måste man vara om man ska orka se igenom tusentals timmar inspelade övergrepp och flera miljoner fotografier på utnyttjade barn? Hon antog att det måste kännas hopplöst.

Kunde man ha egna barn?

Efter samtalet med Mikkelsen kallade Jeanette Kihlberg utredningsgruppen till ett nytt möte där man försökte sammanfoga de fakta man hade till en större helhet. Det var ingen enkel uppgift eftersom man i dagsläget inte hade så många spår att gå vidare på.

”Samtalet till larmcentralen kom från ett område i närheten av DN-skrapan.” Åhlund höll upp ett papper i luften. ”Jag fick det nyss och snart vet vi mer exakt.”

Jeanette nickade. ”Hur exakt?”

”Teknikerna sa plus minus tio meter. I sämsta fall...” Åhlund tystnade.

”Och i bästa fall?” Schwarz flinade. ”Jag menar...”

”Det räcker för oss”, avbröt Jeanette. ”Det räcker gott och väl.”

Hon avvaktade för att fånga deras uppmärksamhet, ställde sig upp och gick fram till whiteboardtavlan där ett tiotal fotografier av den döde pojken var uppsatta.

”Så vad vet vi?” Hon vände sig till Hurtig.

”På gräsmattan och i rabatten vid fyndplatsen har vi säkrat hjulspår från en barnvagn samt från en mindre bil. Bilspåret kommer från en städbil och vi har talat med städaren så det kan vi avskriva.”

”Nån kan alltså ha använt sig av en vagn för att forsla dit liket.”

”Ja, absolut.”

”Kan pojken ha burits dit?” frågade Åhlund.

”Om man är stark nog är det absolut möjligt. Pojken vägde knappt fyrtiofem kilo.”

Det blev tyst i rummet och Jeanette antog att de andra, precis som hon, föreställde sig hur någon bar omkring på en död pojke inpackad i en svart sopsäck.

Det var Åhlund som bröt tystnaden. ”När jag såg hur misshandlad pojken var så tänkte jag genast på Harri Mäkelä och hade det inte varit för att jag vet att han sitter på Kumla så...”

”Så vad då?” avbröt Schwarz och log.

”Ja, så hade jag trott att det var honom vi letade efter.”

”Det säger du? Och du tror inte att vi andra redan har tänkt den tanken?”

”Sluta tjafsa!” Jeanette läste i sina papper. ”Glöm Mäkelä. Däremot har jag fått uppgifter av Lars Mikkelsen på Rikskrim som gäller en Jimmie Furugård.”

”Vem är Furugård?” frågade Hurtig.

”Han är före detta FN-soldat. Först två år i Kosovo och sedan ett år i Afghanistan. Han slutade för tre år sen med blandade vitsord.”

”Varför är han intressant för oss?” Hurtig öppnade sitt anteckningsblock och letade upp ett oskrivet blad.

”Jimmie Furugård har flera domar för våldtäkt och misshandel bakom sig. I de flesta av misshandelsfallen är offren invandrare eller homosexuella män, men Furugård tycks även ha en vana att ge sig på sina flickvänner. Tre fall av våldtäkt. Dömd två gånger, friad en gång.”

Hurtig, Schwarz och Åhlund såg på varandra och nickade i samförstånd.

De är intresserade, tänkte Jeanette, men knappast övertygade.

”Jaha, och varför slutade stridspitten som FN-soldat?” frågade Åhlund. Schwarz blängde på honom.

”Enligt vad jag kan se så var det i samband med att han fick en reprimand sedan han vid flera tillfällen utnyttjat prostituerade i Kabul. Men inga detaljer.”

”Han sitter alltså inte inne?” frågade Schwarz.

”Nej, han muckade från Hall i slutet av september förra året.”

”Men är det verkligen en våldtäktsman vi söker?” invände Hurtig. ”Och hur kan det komma sig att Mikkelsen nämnde honom? Jag menar, han jobbar ju med brott mot barn.

”Lugna dig”, fortsatte Jeanette. ”Alla typer av sexuellt våld kan vara av intresse för vår utredning. Den här Jimmie Furugård verkar vara en osnygg typ som inte tycks tveka att ge sig på barn heller. Vid åtminstone ett tillfälle har han varit misstänkt för misshandel och våldtäktsförsök mot en ung pojke.

Hurtig vände sig mot Jeanette. ”Var är han nu?”

”Enligt Mikkelsen är han spårlöst försvunnen och jag har mejlat von Kwist om att lysa honom men han har inte svarat ännu. Förmodligen vill han ha mer på fötterna.”

”Tråkigt nog har vi inte mycket att gå på vad gäller Thorildsplan och von Kwist är inte den skarpaste vi har...”, suckade Hurtig.

NUTID

”Tills vidare”, avbröt Jeanette, ”kör vi de vanliga rutinerna medan rättsteknikerna jobbar. Vi arbetar metodiskt och förutsättningslöst. Några frågor?”

Alla skakade på huvudena.

”Bra. Då går var och en till sitt.”

Hon funderade en stund medan hon knackade med pennskaftet på bordsskivan.

Jimmie Furugård, tänkte hon. Förmodligen en dubbelnatur. Ser sig antagligen inte som homosexuell och brottas med sina begär. Anklagar sig själv och känner skuld.

Det var något som inte stämde.

Hon slog upp den ena av de båda kvällstidningar hon köpt på väg till jobbet, men inte haft tid att läsa. Hon hade redan sett att båda tidningarna hade i stort sett samma framsida, med undantag för rubrikerna.

Hon slöt ögonen och satt helt stilla medan hon räknade till hundra, så tog hon upp telefonen och ringde åklagare von Kwist.

”Hej. Har du läst mitt mail?” började hon.

”Ja, tyvärr har jag det och jag sitter fortfarande och försöker förstå hur du tänker.”

”Vad menar du?”

”Jag menar ingenting annat än att det verkar som om du fullkomligt har tappat omdömet!”

Jeanette hörde hur upprörd han var.

”Jag förstår inte...”

”Jimmie Furugård är inte din man. Det är allt du behöver veta!”

”Så ...?” Jeanette började ilskna till.

”Jimmie Furugård är en duktig och omtyckt FN-soldat. Han har fått flera utmärkelser och...”

”Jag är också läskunnig”, avbröt Jeanette. ”Men killen är nazist och dömd flera gånger för våldtäkt och misshandel. Han har besökt prostituerade i Afghanistan och ...”

Jeanette avbröt sig. Hon insåg att hon inte skulle få något gehör för sina åsikter hos åklagaren. Hur fel hon än tyckte att han hade.

”Jag måste sluta nu.” Jeanette återfick kontrollen över rösten. ”Vi får leta på annat håll helt enkelt. Tack för att du tog dig tid. Hej.”

Hon la på luren, placerade händerna på skrivbordet och slöt ögonen.

Genom åren hade hon fått lära sig att människor kan våldtas, misshandlas, förnedras och mördas på ett oändligt antal sätt. Med händerna knutna framför sig insåg hon att det fanns lika många sätt att missköta en utredning och att en åklagare kunde obstruera utredningsarbetet av grumliga anledningar.

Hon reste sig och gick ut i korridoren bort till Hurtigs rum. Han pratade i telefon och gestikulerade att hon skulle sätta sig ner. Hon såg sig om.

Hurtigs kontor var antitesen till hennes eget. Numrerade pärmar i bokhyllan och mappar i prydliga högar på skrivbordet. Till och med blommorna i fönstret såg välskötta ut.

Hurtig avslutade samtalet och la ifrån sig telefonen.

”Vad sa von Kwist?”

”Att Furugård inte är vår man.” Jeanette satte sig ner.

”Han kanske har rätt.”

Jeanette svarade inte och Hurtig sköt ifrån sig pappersluntan innan han fortsatte.

”Du vet att vi blir lite sena imorgon?”

Jeanette tyckte Hurtig såg skamsen ut. ”Ta det lugnt. Ni ska bara hjälpa till att ta hand om några datorer med barnporr, sen är ni tillbaka.”

Hurtig log.

NUTID

Gamla Enskede

Jeanette Kihlberg lämnade polishuset strax efter åtta på kvällen dagen efter fyndet av kroppen vid Thorildsplan.

Hurtig hade erbjudit henne skjuts hem, men hon hade tackat nej under förevändningen att hon ville ta en promenad ner till Centralen innan hon tog tunnelbanan ut till Enskede.

Hon behövde vara ensam en stund.

Femton minuters promenad. Inga tankar på arbete eller ekonomi. Bara låta tankarna sväva fritt en stund, släppa kraven.

Hon hann inte långt förrän hon blev avbruten.

När hon gick ner för trapporna till Kungsbro strand signalerade telefonen för ett sms. Det var från hennes pappa.

”Hej”, skrev han. ”Har du det bra?”

Han hade stora svårigheter att hantera en mobiltelefon och att han valt att överhuvudtaget kontakta henne med ett sms, gjorde henne förvånad. Han brukade alltid ringa. Nu hade han skrivit två meningar, korta visserligen, men fullt begripliga.

Otroligt, tänkte hon.

”Bara bra”, skrev hon tillbaka. ”Fullt upp. I häcken på buset.”

Hon log åt formuleringen. Den var hans egen, något han hade brukat säga hemkommen efter ett arbetspass.

När hon närmade sig Klarabergsviadukten var hennes tankar åter på arbetet.

En familj av tre generationer poliser. Farfar, pappa och till sist hon. Farmor och mamma hade varit hemmafruar.

Och Åke, tänkte hon. Konstnär. Och hemmafru.

Sedan hennes pappa insett att hon funderade på att gå i hans fotspår hade hon fått höra åtskilliga historier ämnade att avskräcka henne.

Trasiga människor. Knarkare och alkoholister. Meningslös misshandel. Att man förr inte sparkade på den som låg ner var en myt. Det hade man alltid gjort och skulle alltid fortsätta att göra.

Men det var särskilt en del av arbetet han avskydde.

Stationerad i en förort söder om Stockholm, i närheten av både tunnelbana och pendeltåg, hade han åtminstone en gång om året tvingats ner till något av spåren för att samla ihop resterna av en människa.

Ett huvud.

En arm.

Ett ben.

En bröstkorg.

Han hade varit förtvivlad varje gång det skett.

Han ville inte att hon skulle behöva se allt det han fått se och hans budskap kunde sammanfattas i en mening.

"Vad du än blir, så bli inte polis."

Men inget av det han sagt hade fått henne att ändra sig. Tvärtom hade hans historier hjälpt henne att motivera sig ytterligare.

Första hindret för att bli antagen på Polishögskolan hade bestått i ett synfel hon haft på vänster öga. Operationen hade kostat henne alla hennes besparingar och hon hade dessutom arbetat extra i stort sett varje dag under ett halvår för att få råd till den.

Andra motgången hade kommit när hon fått veta att hon helt enkelt var för kort.

En kiropraktor hade blivit lösningen och efter tolv veckors behandling av hennes rygg lyckades han öka hennes kroppslängd med de två centimeter som fattades.

Hon hade legat ner i bilen på väg till antagningsproven, eftersom hon visste att kroppen kunde sjunka ihop om man satt ner under längre perioder.

Vad händer om jag förlorar motivationen? tänkte hon.

Försommarkvällen var kylig och hon gick in på Cityterminalen istället för att ta Vasagatan till tunnelbanan.

Det får inte ske, konstaterade hon när hon kom in i värmen. Det är bara att köra på.

NUTID

Hon gick genom busstationen bort till Centralen, vidare ner för rulltrapporna och genom trängseln i gången mellan pendeln och tunnelbanan.

Tiggarna och försäljarna där nere fick henne att tänka på pengar.

Hon öppnade plånboken. Två skrynkliga hundralappar kvar, varav trettio kronor skulle gå till biljetten hem. Hon hoppades att Åke hade kvar något av pengarna han fått till hushållsutgifterna i början på veckan. Även om Åhlund kunde fixa bilen skulle det säkert gå på ett par tusen, antog hon.

Arbete och ekonomi, tänkte hon.

Hur fan kan man slippa undan det?

När Johan gått till sängs satt Jeanette och Åke i vardagsrummet med varsin kopp te. Det var snart dags för EM-slutspelet i fotboll och tv-sporten gjorde en grundlig genomgång av landslagets chanser. Som vanligt pratades det om minst kvartsfinal, förhoppningsvis semifinal och kanske till och med guldmedalj.

”Din pappa ringde, förresten”, sa Åke utan att släppa tv:n med blicken.

”Var det nåt speciellt?”

”Det vanliga. Hur du mådde och om Johan och skolan. Mig frågade han om jag hittat nån försörjning än.”

Jeanette visste att hennes pappa hade svårt för Åke. En lallare, hade han kallat honom vid ett tillfälle. Dagdrivare vid ett annat. Slashas. Soffliggare. Listan på negativa epitet var lika varierande som omfångsrik. Det hände också att han använde dem rakt ut till Åke, i hela familjens närvaro.

För det mesta tyckte hon synd om Åke då och tog genast hans parti, men allt oftare kom hon på sig själv med att instämma i kritiken.

Det händer ju för fan ingenting här hemma, tänkte hon.

Han sa ofta att han trivdes med att vara hennes hemmafru, men strikt sett var hon lika mycket hemmafru åt honom. Det skulle väl vara okej så länge han verkligen fick något gjort med sina målningar, men där hände det ärligt talat inte mycket.

”Åke...”

Han hörde henne inte. På tv:n visades ett reportage om Sveriges förbundskaptener vilket han var djupt försjunken i.

”Ekonomin är rent ut sagt åt helvete”, sa hon. ”Jag skäms över att behöva ringa pappa igen.”

Han svarade inte.

Ignorerade han henne?

”Åke?” försökte hon. ”Lyssnar du, eller?”

Han suckade igen. ”Ja, ja”, sa han, fortfarande upptagen med tv:n. ”Men nu har du ju en anledning att ringa upp.”

”Vad menar du?”

”Ja, Bosse ringde ju tidigare.” Åke lät irriterad. ”Han förväntar sig väl att du ringer tillbaka?”

Så jävla omöjlig, tänkte Jeanette.

Hon kände vreden komma, ville undvika ett gräl och reste sig därför ur soffan och gick ut i köket.

Ett berg av disk. Åke och Johan hade ätit pannkakor och det syntes mer än väl.

Nej, hon tänkte inte diska. Det fick ligga där tills han tog hand om det. Hon satte sig vid köksbordet och slog numret till sina föräldrar.

Det här är fan sista gången, tänkte hon.

Efter samtalet gick Jeanette tillbaka in i vardagsrummet, satte sig i soffan igen och väntade tålmodigt på att programmet skulle ta slut. Hon tyckte mycket om fotboll, förmodligen mer än vad Åke gjorde, men den här typen av program intresserade henne inte. Det var för mycket tomt prat.

”Jag har ringt pappa”, sa hon när eftertexterna började rulla. ”Han sätter in femtusen på mitt konto så vi klarar oss resten av månaden.”

Åke nickade frånvarande.

”Men det kommer inte att hända igen”, fortsatte hon. ”Jag menar det den här gången. Fattar du det?”

Han skruvade på sig. ”Ja, ja. Jag fattar.”

Vi får väl se, tänkte Jeanette.

NUTID

Vita bergen

Lägenheten hade Sofia och hennes före detta man, Lasse, fått genom ett komplicerat triangelbyte där Sofias lilla tvåa på Lundagatan samt Lasses trea vid Mosebacke hade gjort att hon nu hade en rymlig femrummare uppe på Åsöberget i närheten av Nytorget och Vitabergsparken.

Hon klev in i hallen, hängde av sig kappan och gick in i vardagsrummet. Påsen med indisk hämtmat ställde hon ifrån sig på bordet och gick sedan ut i köket för att hämta bestick och ett glas vatten.

Hon slog på teven, satte sig ner i soffan och började äta.

Hon hade sällan ro till att bara ägna sig åt maten och såg alltid till att ha något till hands under tiden. En bok, en tidning, eller som nu, teven. Åtminstone någon form av sällskap.

Bränsle, tänkte hon.

Kroppen måste tankas för att den ska fungera.

Att äta middag ensam gjorde henne deprimerad och hon åt fort medan hon zappade mellan kanalerna. Barnprogram, en amerikansk komediserie, reklaminslag och utbildningsradion.

Hon såg på klockan att nyheterna strax skulle börja och la ifrån sig fjärrkontrollen samtidigt som telefonen pep till.

Det var ett sms från Mikael.

”Hur är det? Längtar...” skrev han.

Hon svalde den sista tuggan av maten och svarade honom.

”Uttråkad. Ska nog jobba lite hemma ikväll. Kram.”

Arbetet fungerade som en flykt från den leda hon ibland kände, och sedan en tid tillbaka hade en personlighet upptagit mer och mer av hennes intresse.

Sofia hade tagit för vana att varje kväll ta fram någon av sina noteringar och varje gång hoppades hon att hon skulle se något nytt eller avgörande.

Hon bestämde sig för att tillbringa någon timme i arbetsrummet efter nyheterna.

Sofia reste sig, gick ut i köket och tömde matresterna i soporna. Hon hörde vinjetten från nyhetssändningen inifrån vardagsrummet och att huvudnyheten för andra dagen i rad var mordet vid Thorildsplan.

Nyhetsuppläsaren berättade att polisen offentliggjort ett telefonsamtal som inkommit till larmcentralen under föregående morgon.

Sofia tyckte att den som ringt lät märkbart berusad.

Hon tog upp USB-minnet ur väskan, anslöt det till datorn och öppnade mappen om Victoria Bergman.

Det var som om det saknades flera bitar i Victoria Bergmans personlighet. Under deras samtal hade det framkommit att det i Victorias barndom och uppväxt fanns många traumatiska upplevelser som hon behövde bearbeta. Flera möten hade utvecklats till långa monologer som i egentlig mening inte kunde kallas för samtal.

Ofta hade Sofia till och med varit nära att somna av Victorias entoniga och malande röst. Hennes monologer fungerade som ett slags självhypnos som framkallade minnesluckor och sömnighet även hos Sofia och hon hade svårt att minnas alla detaljer i Victorias berättelser. När hon nämnt det för sin kollega på kontoret hade han påmint henne om inspelningsmöjligheten och lånat henne sin lilla fickbandspelare i utbyte mot en flaska gott vin.

Hon hade märkt kassetterna med tid och datum och nu hade hon tjugofem små band inlåsta i journalskåpet på jobbet. De avsnitt hon fann särskilt intressanta hade hon renskrivit och arkiverat på USB-minnet.

Sofia öppnade mappen hon döpt till VB och som innehöll ett antal sparade textfiler.

NUTID

Hon dubbelklickade på en av filerna, och läste på skärmen:
Vissa dagar var bättre än andra. Det var som om min mage i förväg kunde tala om för mig när de skulle börja bråka.
Sofia såg på sina anteckningar att samtalet handlade om Victorias barndomssomrar i Dalarna. Nästan varje helg satte sig familjen Bergman och åkte de tjugofem milen upp till det lilla torpet i Dala-Floda och Victoria hade berättat att de under semestern oftast var där fyra veckor i sträck.
Hon fortsatte läsa:
Min mage hade aldrig fel och flera timmar innan skrikandet började hade jag redan tagit skydd i mitt hemliga klubbrum.
Jag brukade göra mig några smörgåsar och blanda en flaska saft eftersom jag aldrig kunde veta hur länge de skulle bråka och när mamma fick tid att laga mat.
En gång såg jag genom de glesa plankorna hur han jagade henne över åkern. Mamma sprang för livet men han var snabbare och fällde henne med ett slag över nacken. När de senare kom tillbaka upp på gårdsplanen hade hon ett stort sår över ögat och han grät förtvivlat.
Mamma tyckte synd om honom.
Det var hans orättvisa öde att tvingas utföra det svåra arbetet med att uppfostra sina två kvinnor.
Om bara mamma och jag hade lyssnat på honom och inte varit så motsträviga.
Sofia gjorde några anteckningar om vad som borde följas upp och stängde dokumentet.
På måfå öppnade hon en av de andra avskrifterna och förstod genast att det varit ett av de möten då Victoria försvunnit in i sig själv.
Samtalet hade börjat som vanligt, Sofia ställde en fråga och Victoria svarade.
För varje fråga blev svaret längre och längre, mer och mer osammanhängande. Victoria berättade om en sak vilket fick henne att associera till något helt annat och så vidare i ett allt snabbare tempo.

Sofia letade fram inspelningen av samtalet, stoppade in det i bandspelaren, tryckte på play, lutade sig tillbaka i stolen och slöt ögonen.

Victoria Bergmans röst.

Så då åt jag för att få tyst på deras jävla kacklande och dom tystnade ju direkt när dom såg vad jag var beredd att göra för att bli deras kompis. Utan att för den skull slicka dom i röven. Låtsas tycka om dom. Få dom att respektera mig. Få dom att förstå att jag faktiskt hade en hjärna och kunde tänka även om det inte alltid verkade vara på det viset när jag promenerade för mig själv.

Sofia öppnade ögonen, läste på kassettfodralet och såg att samtalet var inspelat ett par månader tidigare. Victoria hade berättat om tiden på internatskolan i Sigtuna och en utstuderat pennalistisk händelse.

Rösten fortsatte.

Victoria bytte samtalsämne.

När trädkojan var färdigbyggd tyckte jag inte längre att det var roligt, jag hade ingen lust att ligga därinne med honom och läsa serietidningar, så när han somnade lämnade jag kojan, gick ner till ekan, hämtade en av trädurkarna, lutade den mot öppningen och slog i några spikar tills han vaknade därinne och undrade vad jag höll på med. Ligg du kvar där, sa jag och spikade tills asken var tom …

Rösten försvann och Sofia märkte att hon var på väg att somna.

… och fönstret var för litet att krypa ut genom, så medan han grät därinne hämtade jag mer brädor och spikade igen det. Kanske skulle jag släppa ut honom sen, kanske inte, men i mörkret skulle han kunna tänka på hur mycket han tyckte om mig…

Sofia slog av bandspelaren, reste sig upp ur stolen och såg på klockan.

En timme?

Nej, det kan inte stämma, tänkte hon. Jag måste ha slumrat till.

NUTID

Monumentet

Vid niotiden bestämde sig Sofia för att göra som Mikael velat och gå hem till hans lägenhet på Ölandsgatan i kvarteret Monumentet. På vägen passade hon på att handla frukost eftersom hon visste att hans kylskåp skulle vara tomt.

Väl i Mikaels lägenhet somnade hon utslagen i hans soffa och vaknade av att han kysste henne på pannan.

”Hej, älskling. Surprise”, sa han tyst.

Hon såg sig förvirrat omkring och kliade sig där hans sträva, svarta skägg hade kittlat henne.

”Hej, vad gör du här? Vad är klockan?”

”Halv ett. Jag hann med sista flighten.”

Han la en stor bukett med röda rosor på bordet och gick in i köket. Hon såg på blommorna med avsmak, reste sig upp, gick över det stora vardagsrumsgolvet och följde efter honom. Han hade öppnat kylskåpet och tagit fram smör, bröd och ost.

”Vill du också ha?” frågade han. ”En kopp te och en macka?”

Sofia nickade och satte sig ner vid köksbordet.

”Hur har din vecka varit?” fortsatte han. ”Min har varit för jävlig! Nån journalist har fått för sig att ett av våra preparat har farliga biverkningar och det har slagits upp stort i både tidningar och teve. Har det stått nåt här hemma?”

Han ställde ner två tallrikar med smörgåsar och gick bort till spisen där tevattnet kokade för fullt.

”Inte vad jag vet. Men det är möjligt.” Hon var fortfarande dåsig och överrumplad av hans oväntade uppdykande.

”Själv har jag idag tvingats lyssna till en kvinna som känt sig misshandlad av massmedia...”

”Jag förstår. Låter inget vidare”, avbröt han och räckte henne en kopp rykande blåbärste. ”Men det går väl över. Vi har fått reda på att journalisten varit nån form av miljöaktivist som deltagit i en aktion mot en minkfarm. När det kommer ut så...” Han skrattade och drog handen över halsen för att visa hur det skulle gå för den som vågade sätta sig upp mot det stora läkemedelsföretaget.

Sofia tyckte inte om hans överlägsenhet, men hon orkade inte ge sig in i någon diskussion. Det var alldeles för sent för det. Hon reste sig, dukade av och sköljde ur deras koppar innan hon gick in på toaletten för att borsta tänderna.

Mikael somnade bredvid henne för första gången på över en vecka och Sofia märkte hur mycket hon trots allt hade saknat honom.

Han var lång och senig även om han den senaste tiden lagt på sig några extra kilon. Stor, hårig och varm och hon borrade in näsan i hans nacke.

Han påminde henne om Lasse.

Sofia vaknade av att strålkastarna från en bil passerade över taket. Först visste hon inte var hon befann sig, men när hon satte sig upp i sängen kände hon igen Mikaels sovrum och hon såg på klockradion att hon inte sovit mer än en knapp timme.

Hon stängde försiktigt dörren till sovrummet och gick in i vardagsrummet. Det kändes som om det var något hon hade glömt.

Hon öppnade ett fönster och tände en cigarett. En ljum vind blåste in i rummet och röken försvann in i mörkret bakom henne. Medan hon rökte betraktade hon en vit plastpåse som vandrade med vinden längs gatan nedanför och strandade i en vattenpöl på trottoaren mittemot.

Jag måste börja om från början med Victoria Bergman, tänkte hon. Det är något som jag har förbisett.

Väskan stod vid soffan och hon satte sig ner, tog upp laptopen och placerade den framför sig på bordet.

Hon öppnade dokumentet där hon punktvis hade ställt samman en kortfattad översikt om Victoria Bergmans person.

NUTID

Född 1970.
Ogift. Inga barn.
Samtalskontakt med fokus på traumatiska upplevelser i barndomen.
Barndom: Enda barnet till Bengt Bergman, utredare på Sida med mera, och Birgitta Bergman, hemmafru. Tidigaste minnena är doften av faderns transpiration, samt somrar i Dalarna.
Förpubertet: Uppvuxen i Grisslinge, på Värmdö. Sommarställe i Dala-Floda, Dalarna. Mycket god begåvning. Privatundervisning från nio års ålder. Började skolan ett år för tidigt och i högstadiet uppflyttad från årskurs åtta till nio. Reste mycket tillsammans med föräldrarna. Utsatt för sexuella övergrepp sedan tidig förpubertet (fadern? andra män?). Minnen fragmentariska, berättas i osammanhängande associationer.
Ungdomsår: Uppvisar extremt risktagande, självmordstankar (sedan 14–15 årsåldern?). Tidiga tonåren beskrivs som ”svaga”. Även här återberättas minnen fragmentariskt. Gymnasiet på Sigtuna internat. Återkommande självdestruktiva handlingar.
Sofia förstod att gymnasietiden utgjort en konfliktfylld period för Victoria Bergman. När hon börjat på gymnasiet hade hon varit två år yngre än sina klasskamrater och både känslomässigt och kroppsligt hade hon varit betydligt mindre utvecklad än de andra.
Sofia visste av egen erfarenhet hur elaka tonårstjejer kunde vara i omklädningsrummet efter gymnastiklektionerna. Dessutom hade hon varit helt utlämnad åt det som kallades elevfostran.
Men det var något som saknades.
Vuxenliv: Yrkesframgångar beskrivs som ”oviktiga”. Begränsat umgängesliv. Få intressen.
Centrala teman/frågor: Trauman. Vad har Victoria Bergman varit med om? Förhållandet till fadern? Fragmentariska minnesbilder. Dissociativ problematik?
Sofia insåg att det fanns ytterligare en central fråga att arbeta med och hon infogade en ny anteckning.
”Vad innebär Det Svaga?” skrev hon i kanten på papperet.

Hon såg en stor ångest och en djup skuld hos Victoria Bergman.

Tillsammans skulle de kanske med tiden kunna gräva sig inåt och få möjlighet att lösa upp några av knutarna.

Men det var långt ifrån säkert.

Mycket pekade på att Victoria Bergman led av en dissociativ problematik och Sofia visste att problemen i dessa fall till nittionio procent berodde på sexuella övergrepp eller liknande återkommande trauman. Sofia hade tidigare mött många människor med traumatiska upplevelser som till synes var helt oförmögna att minnas dessa. Vid vissa tillfällen berättade Victoria Bergman om hemska övergrepp medan hon vid andra inte tycktes ha några som helst minnen av upplevelserna.

Egentligen är det en fullt logisk reaktion, tänkte Sofia. Psyket skyddar sig från det som upplevs som omskakande och för att fungera i vardagen tränger Victoria Bergman bort intrycken av händelserna och skapar alternativa minnen.

Men vad innebar det som Victoria Bergman kallade sin svaghet?

Var det personen som utsatts för övergreppen som varit svag?

Hon stängde dokumentet och slog av datorn.

Sofia tänkte på sitt eget agerande under samtalen. Vid ett tillfälle hade hon gett Victoria Bergman en av sina egna askar med Paroxetin, trots att det översteg hennes befogenheter. Det var inte bara olagligt, det var oetiskt och oprofessionellt. Ändå hade hon resonerat sig fram till att frångå föreskrifterna. Men medicinen hade inte gjort skada. Tvärtom hade Victoria Bergman mått mycket bättre under en period, och Sofia beslöt sig för att det hon gjort ändå var okej. Victoria behövde medicinen, det var trots allt huvudsaken.

Vid sidan av de dissociativa dragen, fanns inslag av tvångsmässigt beteende och Sofia hade till och med noterat något som tydde på Savant syndrom. Vid ett tillfälle hade Victoria Bergman kommenterat Sofias rökvanor.

”Du har snart rökt två paket”, hade hon sagt och pekat på askkoppen. ”Trettionio fimpar.”

NUTID

När Sofia blev ensam hade hon naturligtvis kontrollräknat och funnit att Victoria haft rätt. Men det kunde ju ha varit en tillfällighet.

Allt sammantaget gjorde att Victoria Bergmans personlighet var den exempellöst mest komplicerade Sofia haft under sina tio år som privatpraktiserande terapeut.

Sofia vaknade först, sträckte på sig och drog fingrarna genom Mikaels hår och ner genom hans skägg. Hon såg att det började bli grått och hon log för sig själv.

Klockradion visade på halv sju. Mikael rörde sig och vände sig mot henne, la armen över hennes bröst och tog hennes hand.

Förmiddagen var obokad, så hon bestämde sig för att bli sen.

Mikael var på ett strålande humör och berättade hur han under veckan, vid sidan om arbetet med att ta fram ofördelaktiga fakta om journalisten, hade ordnat ett fett konto med ett stort sjukhus i Berlin. Bonusen han förväntades få skulle finansiera en lyxresa vart hon ville.

Sofia funderade men kunde inte komma på ett enda ställe som hon längtade till.

”Vad säger du om New York? Shoppa lite på alla stora varuhus. Breakfast at Tiffany's och allt det där, du vet? Jag har kollat upp några riktigt dyra hotell på Manhattan. Vi kan köra hela paketet med massage och ansiktsbehandling.”

New York, tänkte hon och rös vid minnet. Varför föreslog han just det? Visste han nåt? Nej, det måste bara vara en slump.

Hon och Lasse hade besökt New York mindre än en månad innan allt föll samman.

Det skulle vara för svårt för henne att riva upp de gamla såren.

”Eller vill du hellre åka på solsemester? En charterresa?”

Hon märkte hur ivrig han var, men hur hon än försökte ville hans entusiasm inte spilla över på henne. Hon kände sig tung som en sten.

Plötsligt såg hon Victoria Bergmans ansikte framför sig.

Hur Victoria under deras samtal ibland gick in i ett apatiskt tillstånd liknande en heroinists och att hon vid dessa tillfällen inte uppvisade ringaste tecken på känslomässig reaktion. Hon kände just nu likadant och tänkte att hon måste be sin läkare öka dosen Paroxetin nästa gång hon träffade honom.

”Jag vet inte vad det är för fel på mig, vännen.” Hon kysste honom på munnen. ”Jag vill så gärna, men det är som om jag inte orkar nånting just nu. Kanske är det för att jag har så mycket att tänka på på jobbet.”

”Ja, men då skulle det väl vara perfekt med en semester. Vi behöver ju inte stanna borta så länge. En weekend, eller så?”

Han rullade runt och vände sig mot henne samtidigt som han lät sin hand glida upp över hennes mage.

”Jag älskar dig”, sa han.

Sofia var någon helt annanstans och svarade inte, men märkte hans irritation när han plötsligt drog av sig täcket och klev upp. Hon hängde inte med. Han reagerade så fort och impulsivt.

”Förlåt, älskling. Bli inte arg.”

Mikael suckade, tog på sig kalsongerna och gick ut i köket.

Varför kände hon skuld? Skulle det vara så, och varför skulle hon ha dåligt samvete för honom? Vad gav honom den rätten? Skuld måste vara det vidrigaste av alla mänskliga påfund, tänkte Sofia.

Hon svalde sin ilska och gick efter honom. Han stod och laddade kaffebryggaren och blängde surt mot henne över axeln. Då överfölls hon plötsligt av ömhet för honom. Det var ju inte hans fel att han var som han var.

Hon gled upp bakom honom, kysste hans nacke och lät morgonrocken falla ner på köksgolvet. Han fick ta henne mot diskbänken innan hon gick in i duschen.

Det är väl inte hela världen, tänkte hon.

NUTID

Tvålpalatset

När Sofia Zetterlund var färdig för dagen och hade gjort sig klar för att åka hem ringde telefonen.

”Hej, mitt namn är Rose-Marie Bjöörn och jag ringer från socialkontoret i Hässelby. Har du tid ett ögonblick?”

Sofia såg på klockan att den snart var halv fem och hade egentligen ingen lust att prata, men sa att det var okej om det inte tog för lång tid.

”Nej, det ska det inte behöva göra.” Kvinnan lät vänlig. ”Jag undrar bara om det stämmer att du har erfarenhet av barn med krigstrauma?”

Sofia harklade sig. ”Ja, det stämmer. Vad vill du veta?”

”Jo, det är så att vi har en familj här ute i Hässelby och sonen i familjen skulle behöva komma i kontakt med nån som kan ha djupare insikter i hans erfarenheter. Och när jag på omvägar fick höra talas om dig så tänkte jag att jag skulle ta kontakt med dig.”

Sofia kände hur trött hon var och ville helst av allt bara avsluta samtalet.

”Jag är i och för sig ganska fullbokad. Hur gammal är han?”

”Han är sexton år och heter Samuel. Samuel Bai. Från Sierra Leone.”

Sofia överlade kort med sig själv.

Lustigt sammanträffande, tänkte hon. Har inte tänkt på Sierra Leone på flera år och plötsligt har jag två erbjudanden om åtaganden med anknytning dit.

”Det skulle kanske kunna fungera ändå”, sa hon till sist. ”Hur snart vill du att jag ska träffa honom?”

De bestämde att han en vecka senare skulle komma på ett

första bedömningssamtal, och efter att socialsekreteraren lovat delge Sofia utredningen om pojken avslutade de samtalet.

Innan hon lämnade mottagningen för dagen bytte hon till ett par röda skor från Jimmy Choo och hon visste att hennes sår på hälen skulle börja blöda redan innan hon klev in i hissen.

NUTID

Dåtid

Hon andas i påsen som hon har fyllt med kontaktlim. Först börjar det snurra i huvudet, sedan dubbleras alla ljud runt omkring. Till slut ser Kråkflickan sig själv uppifrån.

Utanför Bålsta svänger han av motorvägen. Hela morgonen har hon fruktat för stunden då han ska stanna vid dikesrenen och slå av motorn. Hon blundar och försöker låta bli att tänka medan han tar hennes hand, lägger den där på stället och hon märker att han redan är hård.

”Du vet ju att jag har mina behov, Victoria”, säger han. ”Det är inget konstigt med det. Alla män har det och det är bara naturligt att du hjälper mig att slappna av så vi kan åka vidare sen.”

Hon svarar inte utan fortsätter att blunda när han med den ena handen smeker henne över kinden samtidigt som han med den andra öppnar gylfen.

”Hjälp till nu och se inte så tvär ut. Det tar ingen tid.”

Hans kropp luktar svett och andedräkten sur mjölk.

Hon gör som han lärt henne.

Med tiden har hon blivit allt skickligare, och när han berömt henne har hon nästan känt sig stolt. Att hon kunde något och var bra på det.

När han är färdig tar hon pappersrullen bredvid växelspaken och torkar av sina kladdiga händer.
”Vad skulle du säga om vi svängde in på stormarknaden i Enköping och köper nåt fint åt dig?” säger han leende och tittar kärleksfullt på henne.
”Ja, det kan vi väl”, mumlar hon för det är alltid med mummel hon besvarar hans förslag. Hon vet aldrig vad de egentligen innebär.
De är på väg mot torpet i Dala-Floda.
En hel helg ska de vara för sig själva.
Hon och han.
Hon ville inte följa med.
Vid frukosten hade hon sagt att hon inte hade lust att åka med honom utan istället ville vara kvar hemma. Då hade han rest sig från bordet, öppnat kylskåpet och tagit fram ett oöppnat paket mjölk.
Han hade ställt sig bakom henne och öppnat förpackningen, varpå han sakta hällt den kylskåpskalla vätskan över henne. Det rann utefter hennes huvud, genom håret, över ansiktet och ner i hennes knä. På golvet hade det bildats en stor, vit pöl.
Mamma hade inte sagt någonting utan istället tittat bort och han hade tigande gått ut i garaget för att packa Volvon.
Nu sitter hon här, på väg genom ett sommargrönt Västerdalarna, med en stor svart oro i sig.

Han rör henne inte på hela helgen.
Visst har han tittat på henne när hon bytt om till nattlinne, men han har inte krupit ner till henne.
När hon ligger sömnlös och lyssnar efter hans steg låtsas hon att hon är en klocka. Hon lägger sig på magen i sängen och då är klockan sex, sedan vrider hon sig medurs så hon ligger på vänster sida och då är klockan nio.
Ett kvarts varv till ligger hon på rygg och då slår den tolv.
Sedan på höger sida och klockan tre.
På mage igen och klockan blir sex.

På vänster sida nio och på rygg midnatt.

Om hon kan styra klockan blir han lurad av tiden och kommer inte in till henne.

Hon vet inte om det beror på det, men han håller sig borta från henne.

På söndagsmorgonen när de ska åka tillbaka till Värmdö kokar han gröt medan hon presenterar sin idé. Hon har sommarlov och tycker att det skulle vara skönt att få vara kvar ett tag till, säger hon.

Först tycker han att hon är för liten för att klara sig själv en hel vecka. Hon berättar att hon redan frågat tant Elsa i grannhuset om hon får bo hos henne, och att Elsa hade blivit jätteglad.

När hon sätter sig vid köksbordet är gröten iskall. Hon får kväljningar av tanken på den där gråa massan som ska växa i munnen och som om den från början inte varit söt nog så har han rört ner en deciliter strösocker.

För att lindra smaken av de uppblötta, sönderfallande och kalla havregrynen tar hon en klunk mjölk och försöker svälja. Men det är svårt, gröten vill hela tiden komma upp.

Han stirrar på henne över bordet.

De väntar ut varandra, hon och han.

”Okej. Då vi säger så. Du stannar. Du vet att du ändå alltid kommer att vara pappas lilla flicka”, säger han och rufsar om hennes hår.

Hon förstår att han aldrig kommer att låta henne bli stor. Hon ska för alltid vara hans.

Han lovar att åka in till affären och handla så att det inte ska gå någon nöd på henne.

När han kommer tillbaka packar de in varorna hos tant Elsa innan han kör henne de femtio metrarna tillbaka till torpet för att hämta hennes lilla väska med kläder och när han stannar vid grinden skyndar hon sig att ge honom en puss på hans orakade kind innan hon snabbt hoppar ur. Hon har sett hur hans händer varit på väg mot henne och hon vill förekomma honom.

Han kanske nöjer sig med en puss.

”Sköt om dig nu”, säger han innan han drar igen bildörren.

I säkert två minuter sitter han bara där i bilen. Hon tar väskan och slår sig ner på den lilla trappan upp till huset. Först då vänder han bort blicken och bilen börjar rulla.

Svalorna dyker över gårdstunet och Tupp-Anders mjölkkor betar borta i hagen bakom det rödmålade uthuset.

Hon ser hur han åker ut på stora vägen och vidare genom skogen och hon vet att han strax ska komma tillbaka under förevändning att han har glömt något.

Hon vet också med samma ofelbara säkerhet vad han vill att hon ska göra.

Allt är så förutsägbart och det hela ska upprepa sig minst två gånger innan han kommer iväg på riktigt. Kanske behöver han återvända tre gånger innan han känner sig lugn.

Hon biter ihop och kikar bort mot skogsbrynet där man kan skymta sjön mellan träden. Efter tre minuter ser hon den vita Volvon komma och hon går tillbaka in i köket.

Den här gången är det över på tio minuter. Efteråt sätter han sig tungt i bilen, tar avsked och vrider om startnyckeln.

Victoria ser återigen hur Volvon försvinner bakom träden. Motorljuden blir alltmer avlägsna, men hon sitter kvar och väntar med klumpen intakt i magen för att inte ta ut segern i förskott. Hon vet hur hård besvikelsen blir då.

Men han kommer inte tillbaka igen.

När hon inser det går hon bort till brunnen för att tvätta av sig. Hon vevar med möda upp en hink av det iskalla vattnet och huttrande skrubbar hon sig ren innan hon går till tant Elsa för att äta lunch och spela lite kort.

Nu kan hon börja andas.

Efter maten bestämmer hon sig för att gå ner till sjön och bada. Stigen är smal och täckt av barr. Den känns mjuk under hennes nakna fötter. Inifrån skogen hör hon ett intensivt pipande och hon förstår att det är några hungriga fågelungar som väsnas i väntan på att föräldrarna ska komma med något ätbart. Pipandet är alldeles nära och hon stannar till och söker med blicken.

Ett litet hål, knappt två meter upp på en gammal tall avslöjar fågelboet.

När hon kommer ner till sjön lägger hon sig på rygg i ekan och stirrar upp i himlen.

Det är i mitten av juni och ännu ganska kyligt i luften.

Kallt vatten rinner fram och tillbaka mot hennes rygg i takt med vågskvalpen. Himlen är som smutsig mjölk med ett stänk av eld och en storlom klagar i skogsbrynet.

Hon funderar på att låta vågorna föra henne ut i älven, ut mot det fria, öppna och bort från alltihop. Hon är sömnig, men innerst inne har hon för länge sedan insett att hon aldrig kan somna tillräckligt djupt för att komma undan. Hennes huvud är som en lampa som glömts tänd i ett tyst, mörkt hus. Runt det kalla elektriska ljuset fladdrar alltid nattfjärilarna med de torra vingarna i hennes ögon.

Som vanligt simmar hon fyra längder mellan bryggan och den stora stenen femtio meter ut i sjön, innan hon brer ut sin filt och lägger sig i gräset en bit från den lilla remsan med vit sand. Fiskarna har börjat vaka och myggorna inar över vattnet tillsammans med trollsländor och skräddare.

Hon blundar och njuter av ensamheten som ingen kan störa när hon plötsligt hör röster inifrån skogen.

En man och en kvinna kommer gående längs stigen och framför dem springer en liten pojke med långa, ljusa lockar.

De hejar på henne och frågar om det är en privat strand. Hon svarar att hon inte är helt säker, men så vitt hon vet får vem som helst vara här. Hon har i alla fall alltid badat här.

”Jaha, du har bott här länge hör jag”, säger mannen och ler.

Den lille pojken springer ivrigt ner till strandkanten och kvinnan skyndar efter.

”Är det ert hus man ser därborta?” frågar mannen och pekar. Torpet skymtar mellan träden ett stycke bort.

”Ja, precis. Mamma och pappa är hemma i stan och jobbar så jag ska vara själv här hela veckan.”

Hon ljuger för hon vill se hur han ska reagera. Hon har ett eget facit vars giltighet hon vill kontrollera.

”Jaså, du är en självständig flicka?” säger mannen.

Hon ser att kvinnan håller på att hjälpa den lille pojken av med kläderna nere vid stranden.

”Ganska så”, svarar hon och vänder sig mot mannen.

Han ser road ut.

”Hur gammal är du, då?”

”Tio.”

Han ler och börjar ta av sig skjortan.

”Tio år och ensam hela veckan. Precis som Pippi Långstrump.”

Hon lutar sig tillbaka och drar fingrarna genom håret. Sedan ser hon honom rakt i ögonen.

”Ja, vad är det med det, då?”

Mannen ser till hennes besvikelse inte alls förvånad ut. Han svarar inte utan vänder istället blicken mot sin familj.

Pojken är på väg ut i vattnet och kvinnan följer efter med jeansen uppdragna till knäna.

”Bravo, Martin!” ropar han stolt.

Så tar han av sig skorna och börjar knäppa upp byxorna. Under sina jeans har han ett par åtsittande badshorts mönstrade som den amerikanska flaggan. Han är solbränd över hela kroppen och hon tycker att han är snygg. Inte som pappa som har kulmage och alltid är kritvit.

Han mönstrar henne med blicken.

”Du ser ut att vara en liten tjej med mycket skinn på näsan.”

Hon svarar inte, men för en sekund ser hon något i mannens blick som hon tycker att hon känner igen. Nånting hon inte tycker om.

”Nej, nu är det dags att doppa sig”, säger han och vänder henne ryggen.

Han går ner till stranden och känner på vattnet. Victoria

reser sig upp och plockar ihop sina saker.

”Vi kanske ses nån dag”, säger mannen och vinkar åt henne. ”Hej då!”

”Hej då”, svarar hon och känner att ensamheten plötsligt besvärar henne.

När hon går på stigen som leder in i skogen bort mot torpet försöker hon räkna ut hur lång tid det ska ta innan han kommer och hälsar på.

Han kommer nog redan i morgon, tänker hon, och han vill låna gräsklipparen.

Tryggheten är borta.

Gamla Enskede

Stockholm är otrogen som en sköka. Sedan tolvhundratalet har hon vilat i det bräckta vattnet och frestat med sina öar och holmar, med sitt oskuldsfulla yttre. Hon är lika vacker som svekfull och hennes historia är färgad av blodbad, bränder och bannlysningar.

Och brustna drömmar.

När Jeanette på morgonen promenerade till Enskede Gård och tunnelbanestationen, låg det ett kyligt dis i luften, nästan som dimma, och gräsmattorna runt villorna var täckta av nattdagg.

Svensk försommar, tänkte hon. Långa, ljusa nätter och grönska, nyckfulla växlingar mellan värme och kyla. Egentligen tyckte hon om årstiden, men just nu gjorde den att hon kände sig ensam. Det fanns ett kollektivt krav på att ta vara på den korta perioden. Vara glad, leva ut och passa på. Det man glömde var att kraven medförde stress.

Försommaren i den här stan är förrädisk, tänkte hon.

Det var morgonrusning och tåget var nästan fullt. Trafikbegränsningar på grund av spårarbete och ett tekniskt fel som innebar förseningar. Hon fick stå och trängde sig in i ett hörn vid en av dörrarna.

Tekniskt fel? Hon antog att det innebar att någon hade hoppat framför ett tåg.

Hon såg sig omkring.

Ovanligt många leenden. Antagligen eftersom det bara var några veckor kvar till semestern.

Hon tänkte på hur hon uppfattades av kollegorna på jobbet. Ibland som ett riktig surkart, antog hon. Bufflig. Dominant, kanske. Stundtals hetlevrad.

Egentligen var hon inte annorlunda än många av de andra chefsutredarna. Arbetet krävde en viss auktoritet och beslutsamhet och ansvaret medförde att man ibland krävde för mycket av de underordnade. Tappade både humör och tålamod. Var hon omtyckt av dem hon jobbade med?

Jens Hurtig tyckte om henne, det visste hon. Och Åhlund respekterade henne. Schwarz varken eller. Med de andra var det förmodligen både och.

Men det var en sak som störde henne.

De flesta av dem kallade henne för Janne och hon var helt säker på att alla visste att hon inte tyckte om det.

Det tydde på en viss brist på respekt.

De kunde delas upp i två läger. I Jannelägret var Schwarz i spetsen, följd av en lång rad kollegor. Jeanettelägret bestod av Hurtig och Åhlund, trots att de försade sig ibland, och resten var en handfull kollegor eller nyutexaminerade som bara sett hennes namn på ett papper.

Varför åtnjöt hon inte samma respekt som de andra cheferna? Hon hade betydligt bättre meriter och högre kvot av uppklarade fall än de flesta av dem. Varje år, när det var lönerevision, fick hon svart på vitt att hon fortfarande låg under medianlönen för hennes chefskategori. Tio års erfarenhet glömdes bort när nyrekryterade chefer med höga lönekrav tillsattes och andra avancerade.

Var det så enkelt att bristen på respekt i grunden var rent sexistisk och berodde på att hon var kvinna?

Tåget stannade till vid Gullmarsplan. Många gick av och hon satte sig på ett ledigt säte längst bak i vagnen medan den fylldes på av nya passagerare.

Hon var en kvinna i en position dominerad av män och hon kallades, inte sällan nedlåtande, för Janne.

Hon visste att många ansåg henne vara manhaftig. Kvinnor var inte chefer inom polisen. De tog inte kommandot, varken på en arbetsplats eller på en fotbollsplan. De var inte som hon, styrande, buffliga eller dominanta, vilket man nu föredrog.

Tåget skakade till, lämnade Gullmarsplan och gled ut över Skanstullsbron.

Janne, tänkte hon. En av grabbarna.

NUTID

Patologiska institutionen

Arbetet med att identifiera offret gick långsamt. Pojken hade ett utländskt utseende. Alla tänderna var utdragna och därför var det ingen idé att kalla in rättsodontologen för en tandkortsidentifikation.

På patologen i Solna tog Ivo Andrić ner en sliten och vältummad FASS ur bokhyllan.

De preliminära analyserna visade att den döde pojken vid Thorildsplan hade stora mängder Xylocain adrenalin i kroppen och han läste att preparatet är ett lokalbedövningsmedel med de aktiva substanserna Lidokain och Adrenalin. Det är ett av de vanligaste bedövningsmedlen som används av tandläkare i Sverige och är populärt då adrenalinet gör att bedövningens verkningstid förlängs.

En tandläkare, tänkte han. Ja, varför inte? Allt var tänkbart. Men varför i hela friden pumpade man en ung pojke full med lokalbedövningsmedel?

Svaret var givetvis att han inte skulle ha ont.

Ivo Andrić erinrade sig tanken på hundslagsmål och en obeskrivligt skrämmande bild vaxte fram i hans huvud. En föraning om mer än ondska.

Det han såg hade ett syfte.

Kvarteret Kronoberg

På den tredje dagen efter fyndet på Kungsholmen hade fortfarande inget nytt kommit fram som kunde leda utredningen vidare och Jeanette var frustrerad. Åklagare von Kwist hade inte ändrat sin inställning gällande Jimmie Furugård och en efterlysning var det än så länge inte tal om.

När Jeanette hade ringt och kollat med registret över försvunna barn fanns det ingen som, åtminstone vid en första kontroll, överensstämde med den döde pojken. Givetvis fanns det ett hundratal, kanske tusental papperslösa barn i Sverige, men inofficiella kontakter inom kyrkan och Frälsningsarmén uppgav att de inte kände till någon som skulle kunna överensstämma med deras offer.

Inte heller Stadsmissionen i Gamla stan kunde bistå med information. Däremot hade en av dem som arbetade inom Stadsmissionens Nattjour berättat att det brukade uppehålla sig ett antal barn under Centralbron.

”De är oerhört skygga, de där ungarna”, sa den manlige hjälparbetaren bekymrat. ”När vi är där kommer de fram och nappar åt sig en smörgås och en kopp buljong innan de drar sig undan. De visar hur tydligt som helst att de egentligen inte vill ha med oss att göra.”

”Finns det inget socialen kan göra?” frågade Jeanette trots att hon redan visste svaret.

”Mycket tveksamt. Jag vet att de var där nere för någon månad sen och då stack alla ungarna och kom inte tillbaka på flera veckor.”

Jeanette Kihlberg tackade för informationen och tänkte att ett besök under bron kanske kunde ge något bara hon lyckades få någon av dem att tala med henne

Operation dörrknackning i området runt Lärarhögskolan hade varit fullkomligt fruktlös, och det tidskrävande arbetet med att kontakta flyktingförläggningarna hade nu utökats till att omfatta hela Mellansverige.

Ingenstans saknades det ett barn som kunde stämma in på den pojke man hittat mumifierad i buskarna endast något tiotal meter från tunnelbanenedgången. Timmar av övervakningsfilmer från stationen och den intilliggande Lärarhögskolan hade granskats av Åhlund, men inget ovanligt hade upptäckts.

Klockan halv elva ringde hon upp Ivo Andrić ute på rättsläkarstationen i Solna.

”Säg att du har nåt åt mig! Vi sitter helt fast här.”

”Nja.” Andrić tog ett djupt andetag. ”Det är så här. För det första så är ju kroppen helt uttorkad, ja mumifierad...”

Han tystnade och Jeanette inväntade fortsättningen.

”Jag börjar om. Hur vill du att jag ska lägga fram det? Ska jag ta det på fackspråk eller på ett mer begripligt sätt?”

”Du kan ta det på det sätt som du tycker är bäst. Är det nåt jag inte förstår så frågar jag och du får förtydliga.”

”Okej. Det är så här, att om en död kropp befinner sig i en torr miljö med hög temperatur och med relativt snabb luftväxling, så torkar den tämligen fort. Alltså sker det ingen förruttnelse. Vid omfattande intorkning – som det ju handlar om i det här fallet – så är det svårt, för att inte säga omöjligt, att avlägsna huden, särskilt på huvudsvålen. Ansiktshuden har torkat in och går helt enkelt inte att ta bort från underliggande...”

”Förlåt om jag avbryter”, sa Jeanette otåligt. ”Jag vill inte verka otrevlig, men jag är framförallt intresserad av hur han har dött och när det kan ha skett. Att han var intorkad kunde till och med jag se.”

”Javisst. Jag kanske gled iväg lite. Du måste förstå att det är nästan omöjligt att säga när döden inträffat, men jag kan säga så mycket att han inte har varit död längre än ett halvår. Mumifieringsprocessen tar också sin tid, så jag gissar att han dog nån gång mellan november och januari.”

”Ja, men det är trots allt en ganska lång tidsperiod. Eller hur? Har ni fått fram nån DNA?”

”Ja, vi har säkrat DNA från offret, samt från urin på plastsäcken.”

”Va? Menar du att nån har kissat på säcken?”

”Ja, men inte nödvändigtvis mördaren, eller hur?”

”Nej, det är sant.”

”Men det tar ytterligare kanske en vecka innan vi har mångfaldigat DNA-informationen och fått fram en större profil. Det är lite knepigt.”

”Okej. Har du nån idé om var kroppen kan ha förvarats?”

”Ja, du. Som sagt... nånstans där det är torrt.”

Det blev tyst i luren ett tag och Jeanette tänkte efter innan hon fortsatte.

”I princip var som helst, alltså? Skulle jag själv kunna ha gjort det hemma?”

Hon såg den vidriga och fullkomligt absurda bilden framför sig. En död pojke hemma i villan i Enskede som för varje vecka blev mer och mer intorkad och mumifierad.

”Jag vet inte hur just du bor, men till och med en vanlig lägenhet skulle kunna fungera. Kanske skulle det lukta lite i början, men om du hade tillgång till en liten varmluftsfläkt och placerade liket i ett slutet utrymme så skulle det absolut gå att genomföra utan att några grannar skulle börja klaga.”

”En garderob, menar du?”

”Behöver kanske inte vara så litet. En klädkammare, ett badrum eller nåt liknande.”

”Det var ju inte så mycket att gå på.” Hon kände frustrationen växa.

”Nej, jag inser det. Men nu kommer jag till det som kanske kan hjälpa dig lite.”

Jeanette lystrade.

”Den preliminära kemiska analysen visar att kroppen är full av kemikalier.”

Äntligen något, tänkte hon.

NUTID

”Till att börja med finns amfetamin. Vi har hittat spår i magsäcken och i venerna. Han har alltså både ätit eller druckit det, men mycket tyder dessutom på att han har fått det injicerat.”

”En knarkare?” Hon hoppades att han skulle svara ja eftersom allt skulle bli så mycket enklare om det var frågan om en narkotikamissbrukare som dött i någon pundarkvart och med tiden torkat ut fullständigt. Man skulle kunna avskriva ärendet och dra slutsatsen att det varit någon av den unge pojkens neddrogade kamrater som i ett tillstånd av förvirring gjort sig av med kroppen genom att lägga den i buskaget.

”Nej, jag tror inte det. Han har förmodligen injicerats mot sin vilja. Nålsticken sitter lite överallt och de flesta har inte ens träffat någon ven.”

”Åh, fy fan!”

”Ja, det kan man lugnt säga.”

”Och du är helt säker på att han inte skjutit i sig knarket själv?”

”Så säker man kan vara. Men amfetaminet är inte det intressanta, vad som är märkligt är det faktum att han också har bedövningsmedel i kroppen. Närmare bestämt ett ämne som heter Xylocain adrenalin och är en svensk uppfinning från fyrtiotalet. Från början sålde Astra Zeneca Xylocain som en lyxmedicin och påven Pius XII behandlades med den mot sin hicka och president Eisenhower för sin inbillningssjuka. Idag är medlet standard som smärtstillare och är samma preparat du får i tandköttet när du är hos tandläkaren och ber om bedövning”

”Men ... Nu fattar jag inte.”

”Ja, den här pojken har det ju inte i munnen förstås utan i hela kroppen. Väldigt konstigt om du frågar mig.”

”Och så var han ju rejält misshandlad, eller hur?”

”Ja, han har fått mycket stryk, men bedövningsmedlet har hållit honom uppe. Till slut, efter flera timmars lidande, har drogerna förlamat hans hjärta och lungor. En långsam och förbannat plågsam död. Stackars jävel...”

Jeanette kände hur det svindlade.

”Men varför?” frågade hon i en lam förhoppning om att Ivo

satt inne med en rimlig förklaring.

”Om du tillåter mig att spekulera...”

”Ja, absolut.”

”Rent instinktivt var arrangerade hundslagsmål det första jag kom att tänka på. Du vet två pitbullterrier som slåss tills den ena dör. Sånt som de ibland håller på med ute i förorterna.”

”Det låter ju jävligt långsökt”, sa Jeanette reflexmässigt inför den makabra tanken. Men hon var inte riktigt säker på att det verkligen var det. Genom åren hade hon lärt sig att inte avfärda ens det mest osannolika. Många gånger hade det, när sanningen kommit fram, visat sig att dikten överträffats av den brutala verkligheten. Hon tänkte på den tyska kannibalen som via nätet kommit i kontakt med en man som frivilligt låtit sig ätas upp.

”Ja, men jag spekulerar bara”, fortsatte Ivo Andrić. ”Ett annat alternativ är kanske det mer troliga.”

”Vad då?”

”Ja, att han blivit slagen till oigenkännlighet av nån som inte slutat trots att pojken var döende. Som gett honom en massa preparat och sen fortsatt misshandeln.”

Jeanette kände att det brände till av en minnesbild.

”Kommer du ihåg den där hockeyspelaren i Västerås som blev knivhuggen närmare hundra gånger?”

”Nej det kan jag inte säga. Det kanske var innan jag kom till Sverige.”

”Ja, det var ett tag sen. I mitten av nittiotalet. Det var en skinnskalle som gick på Rohypnol. Hockeyspelaren var öppet homosexuell och nazisten hatade bögar. Skinnskallen hade fortsatt hugga i den döda kroppen trots att han för länge sen borde ha fått kramp i armen.”

”Ja, det var nåt sånt jag menade. En hämningslös galning full av hat och, ja... Rohypnol eller anabola steroider, kanske.”

Jeanette kände sig inte helt nöjd, men nu hade hon i alla fall lite mer att gå på.

”Tack Ivo. Hör av dig om du så bara har en liten fundering eller idé.”

”Givetvis. Jag hör av mig om det dyker upp nåt nytt och när

jag fått mer exakta resultat från den kemiska analysen. Lycka till."

Jeanette la på luren. Hon kände sig hungrig och såg på klockan. Hon beslöt sig för att unna sig en lång lunch nere i polishusets restaurang. Hon skulle välja båset längst in i lokalen så att hon fick vara i fred så länge som möjligt. Restaurangen skulle vara fylld med folk om en timme, och hon ville vara ensam.

Innan hon satte sig ner med sin matbricka snappade hon åt sig en kvarglömd kvällstidning. Vanligtvis brukade hon undvika att läsa vad tidningarna skrev om de fall hon själv var inblandad i, eftersom hon antog att det skulle kunna påverka hennes arbete, även om spekulationerna för det mesta var skrattretande långsökta.

Nästan omedelbart förstod hon att poliskällan var någon i hennes närhet eftersom delar av artikeln byggde på fakta som bara någon med stor insyn i utredningen kunde ha och då hon var övertygad om att Hurtig var oskyldig återstod bara Åhlund eller Schwarz.

"Så det är här du sitter och trycker?"

Jeanette såg upp från tidningen.

Hurtig stod bredvid henne och flinade.

"Är det okej om jag sätter mig?" Han nickade åt den lediga platsen mitt emot.

"Är du redan tillbaka?" Jeanette visade med en gest att han skulle slå sig ner.

"Ja, vi blev klara för nån timme sen. Danderyd. En höjdare i byggbranschen med hårddisken full av barnporr. Jävligt ledsamt." Hurtig gick runt bordet, ställde ner sin bricka och satte sig ner. "Frun var i upplösningstillstånd och en dotter i fjortonårsåldern bara stod och såg på när vi grep honom."

"Usch." Jeanette skakade på huvudet. "Åhlund och Schwarz då? Är de också tillbaka?"

"Javisst, de skulle också slänga i sig lite käk."

Hurtig började äta och Jeanette noterade att han såg lite trött ut. Hur många timmars sömn hade han fått?

Antagligen högst ett par.

”Annars? Är allt okej?” frågade hon.

”Morsan ringde nu på morgonen”, sa han mellan tuggorna. ”Farsan hade visst gjort sig illa och ligger på sjukhuset inne i Gällivare.”

Jeanette la ifrån sig besticken och såg på honom. ”Är det allvarligt?”

Hurtig skakade på huvudet. ”Mest osannolikt. Han har tydligen fått in högerhanden i vedkapen och morsan sa att de kunde rädda de flesta fingrarna. Hon hade tagit rätt på dem och stoppat dem i en påse med isbitar.”

”Åh, herregud.”

”Men tummen kunde hon inte hitta.” Hurtig flinade. ”Så den tog väl katten. Men det är lugnt, högerhanden är rätt hand för farsan. Han gillar att snickra och att spela fiol och i båda fallen är ju vänsterhanden viktigare.”

Jeanette tänkte på vad hon egentligen visste om sin kollega och hon erkände för sig själv att det inte var särskilt mycket.

Hurtig var uppvuxen i Kvikkjokk, hade gått i skola i Jokkmokk och gymnasium i Boden. Sedan hade han visst arbetat några år, men hon mindes inte med vad, och när Umeå universitet hade börjat utbilda poliser ingick han i den första årskullen. Efter sin praktik hos polisen i Luleå hade han sökt sig till Stockholm. Bara fakta, tänkte hon, ingenting personligare än att han bodde ensam i en lägenhet på Söder. Flickvän? Ja, kanske.

”Men varför sjukhuset i Gällivare?” sa hon. ”De bor väl kvar i Kvikkjokk, eller hur?”

Han slutade tugga och såg på henne. ”Men tror du att man har ett sjukhus där, i en by där det knappt bor femtio personer?”

”Är det så litet? Då förstår jag. Så då fick din morsa alltså skjutsa din farsa in till Gällivare? Det måste ju vara flera mil.”

”Tjugo mil är det in till sjukhuset i Gällivare och det brukar ta lite drygt fyra timmar med bil.”

”Där ser man”, sa Jeanette och skämdes över sina bristande geografikunskaper.

”Äh... Det är inte så lätt. Lapphelvetet är stort. Jävligt stort.

Hurtig satt tyst en stund innan han fortsatte.

”Är den god tror du?”

”Vad då god?” Jeanette såg frågande på honom.

”Farsans tumme”, flinade han. ”Tror du att katten uppskattar den? Men det kan väl inte vara så mycket kött på en gammal lappjävels valkiga tumme? Eller vad tror du?”

Same, tänkte hon, ännu en sak jag inte hade en aning om. Hon bestämde sig för att tacka ja nästa gång han frågade om hon ville följa med ut på en öl. Skulle hon vara en bra chef och inte bara låtsas vara en, så var det dags att hon lärde känna sina underordnade.

Jeanette reste sig, tog sin bricka och gick för att hämta två koppar kaffe. Hon tog några kakor och gick tillbaka. ”Nått nytt om telefonsamtalet?”

Hurtig svalde. ”Ja, jag fick en rapport strax innan jag gick ner hit.”

”Och?” Jeanette sörplade på det heta kaffet.

Hurtig la ner sina bestick. ”Som vi trodde. Samtalet kom från området runt DN-skrapan. Ja, närmare bestämt från Rålambsvägen. Du då?” Hurtig tog en kaka och doppade i kaffemuggen. ”Vad har du gjort på förmiddagen?”

”Jag har haft ett givande samtal med Ivo Andrić. Pojken tycks vara fullpumpad med kemikalier.”

”Va?” Hurtig såg frågande ut.

”Stora mängder bedövningsmedel. Injicerat.” Jeanette drog efter andan. ”Antagligen mot hans vilja.”

”Fy satan.”

Under eftermiddagen försökte hon nå åklagare von Kwist, men hans sekreterare upplyste henne om att åklagaren för tillfället befann sig nere i Göteborg där han skulle medverka i ett debattprogram och att han inte skulle återkomma förrän dagen därpå.

Jeanette gick in på teveprogrammets hemsida och läste att den direktsända debatten skulle handla om det upptrappade våldet i förorterna. Kennet von Kwist, som stod för hårdare tag och längre fängelsestraff, skulle bland annat få angripa den förre justitieministern.

På väg hem stannade Jeanette till hos Hurtig och de bestämde att de skulle ses nere vid Centralen klockan tio. Det var viktigt att de så snart som möjligt fick prata med några av de barn som höll till under bron.

NUTID

Gamla Enskede

Klockan halv fem var trafiken på S:t Eriksgatan fullkomligt kaotisk.

Den gamla Audin hade kostat Jeanette åttahundra i reservdelar och två flaskor Jameson, men hon tyckte att det varit värt vartenda öre. Bilen gick som en klocka efter att Åhlund reparerat den.

Turister från landet, ovana vid storstadens hetsighet, försökte enas med den mer erfarna lokalbefolkningen om det begränsade utrymmet. Det gick sådär.

Stockholms trafiknät var byggt under en tid då biltätheten var lägre och var i ärlighetens namn snarare anpassat för en stad i Härnösands storlek än för en miljonstad som en gång i tiden ansökt om de olympiska sommarspelen. Att dessutom ett av körfälten på Västerbron var avstängt för reparationsarbete gjorde inte situationen mindre rörig och det tog Jeanette över en timme att ta sig ut till Gamla Enskede.

Under bra förhållanden gick det på mindre än en kvart.

När hon klev in genom dörren möttes hon av Johan och Åke. De skulle på fotboll och var klädda i likadana matchtröjor med tillhörande grönvita sjalar. De såg segervissa och spänt förväntansfulla ut, men Jeanette visste av erfarenhet att de inom några timmar skulle återvända besvikna och förkrossade. Ramsan om att deras lag inte kan vinna, den som motståndarnas fans hånfullt brukade skandera, hade så många gånger tidigare visat sig stämma.

"Idag vinner vi!" Åke kysste henne hastigt på kinden och föste ut Johan på trappan. "Vi ses senare."

"Jag är nog inte hemma när ni kommer tillbaka." Jeanette såg att Åke blev sur.

"Jag måste iväg på ett jobb och är hemma nån gång efter midnatt."

Åke ryckte på axlarna, himlade med ögonen och gick ut till Johan.

Jeanette stängde dörren efter dem, sparkade av sig skorna och gick in i vardagsrummet där hon slängde sig på soffan i ett försök att vila lite. Om drygt tre timmar var hon tvungen att ge sig av igen och hon hoppades att hon skulle kunna slumra till åtminstone en liten stund.

Tankarna malde, fladdrade fritt som lösa trådar och saker som rörde utredningsarbetet blandades med praktiska göromål. Det var gräs som skulle klippas, brev som borde skrivas och förhör som måste hållas. Hon skulle vara en mamma som hade koll på sitt barn. Ha förmågan att älska och själv känna åtrå.

Vid sidan av det skulle hon hinna leva.

Eller också var det just det hon nu gjorde.

Levde.

Drömlös sömn utan egentlig vila. Ett avbrott i den ständigt pågående rörelsen. En stunds ledighet från det livslånga förflyttandet av den egna kroppen.

Sisyfos, tänkte hon.

NUTID

Centralbron

Trafiken hade glesnat och när hon parkerade bilen såg hon att klockan på Centralstationens entré visade tjugo i tio. Hon gick ur bilen, stängde dörren och låste. Hurtig stod vid ett litet stånd och hade en korv i varje hand. När han fick syn på Jeanette log han nästan lite skamset. Som om han gjorde något förbjudet.

”Middag?” Jeanette nickade åt de rejäla korvarna.

”Här, ta en.”

”Har du sett om det är några här?” Jeanette tog emot den framsträckta gåvan och pekade bort mot Centralbron.

”När jag kom såg jag en av Stadsmissionens bilar. Vi går bort och snackar lite.” Med en servett torkade han bort en klick räksallad som hade fastnat på kinden.

De passerade parkeringsplatsen som låg under avfarten från Klarastrandsleden, till vänster Tegelbacken och hotell Sheraton. Två världar på en yta inte större än en fotbollsplan, tänkte Jeanette samtidigt som hon fick syn på en grupp människor som stod i mörkret bredvid de grå betongpelarna.

Ett tjugotal unga människor, vissa av dem bara barn, stod samlade runt en parkerad skåpbil med Stadsmissionens emblem tryckt på sidorna.

Några av barnen ryggade tillbaka när de fick syn på de två nykomlingarna och försvann bort under bron.

De två fältassistenterna från Stadsmissionen kunde inte bidra med någon som helst information. Barn kom och gick och trots att de var där nästan varje kväll var det få av dem som öppnade sig. Namnlösa ansikten avlöste varandra. En del åkte tillbaka hem, andra drog vidare och en inte obetydlig andel dog.

Det var ett faktum.

Överdoser narkotika eller självmord.

Pengar var ett problem alla ungarna hade gemensamt, eller snarare bristen på dem, och en av fältassistenterna berättade att det fanns restauranger där barnen då och då fick hoppa in och diska. För en hel dags arbete, tolv timmar, fick de ett mål varm mat och hundra kronor. Att flera av barnen dessutom utförde sexuella tjänster var ingenting som förvånade Jeanette.

En flicka i femtonårsåldern vågade sig fram till henne och frågade vilka de var. Flickan log och Jeanette såg att hon saknade flera tänder.

Jeanette tänkte efter innan hon svarade. Att ljuga om deras ärende var ingen bra idé. Skulle hon få flickans förtroende var det lika bra att säga som det var.

”Jag heter Jeanette och är polis”, började hon. ”Det här är min kollega Jens.”

Hurtig log och sträckte fram handen för att hälsa.

”Jaha, och vad vill ni?” Flickan såg Jeanette rakt i ögonen och låtsades inte med en min att hon uppfattade Hurtigs utsträckta hand.

Jeanette berättade om mordet på den unge pojken och att de behövde hjälp med att identifiera honom. Hon visade upp en bild de låtit en polistecknare göra.

Flickan som hette Aatifa sa att hon brukade hålla till inne i City. Enligt fältassistenterna var hon på inget sätt ovanlig. Hon hade en mamma och en pappa som flytt från Eritrea och som numera var arbetslösa. Tillsammans med sina föräldrar och sex syskon delade hon en hyreslägenhet i Huvudsta. Fyra rum och kök.

Varken Aatifa eller någon av hennes vänner kände igen eller visste någonting om den döde pojken. Efter två timmar gav de upp och promenerade tillbaka mot parkeringsplatsen.

”Små vuxna.” Hurtig skakade på huvudet och tog fram sina bilnycklar. ”Det är ju för i helvete barn. Som ska leka och bygga kojor.”

Jeanette såg att han tagit illa vid sig.

NUTID

”Ja och som tydligen bara kan försvinna utan att någon saknar dem.”

En ambulans passerade med blinkande blåljus, men utan påslagna sirener. Vid Tegelbacken svängde den vänster och försvann ner i Klaratunneln.

Den vemodiga ödsligheten blev fysisk och Jeanette drog jackan tätare om kroppen.

Åke snarkade i soffan och hon svepte en filt om honom innan hon gick upp till sovrummet, klädde av sig och naken kröp ner under täcket. Hon släckte sänglampan och låg i mörkret utan att blunda.

Hörde vinden mot fönsterrutan, suset från träden ute i trädgården och det avlägsna vinandet från motorvägen.

Hon kände sig sorgsen.

Hon ville inte somna.

Hon ville förstå.

Tvålpalatset

Sofia kände sig helt slutkörd när hon lämnade Huddinge. Samtalet med Tyra Mäkelä hade tagit på krafterna och dessutom hade Sofia tackat ja till ytterligare ett uppdrag som antagligen skulle innebära en viss påfrestning. Av Lars Mikkelsen hade hon blivit ombedd att delta i undersökningen av en pedofil som skulle åtalas för sexuella övergrepp på sin dotter och spridning av barnpornografi. Mannen hade erkänt när han greps.

Det tar fan aldrig slut, tänkte hon, när hon med en stor tyngd i bröstet svängde ut på Huddingevägen.

Det var som om hon själv tvingades bära de upplevelser Tyra Mäkelä bar på. Minnen av förnedring, det där ärrade inuti, som egentligen ville bryta sig ut och blotta sin egen ömklighet. Men ärret är inlåst där, längst inne i bröstkorgen, och ger sig bara då och då till känna som en pulserande värk. Vetskapen om hur ont en människa kan göra en annan blir till en rustning som ingenting kan tränga igenom.

Som ingenting kan komma ut ur.

Tyngden följde med henne hela vägen tillbaka till mottagningen och det möte hon lovat socialtjänsten i Hässelby. Mötet med den före detta barnsoldaten Samuel Bai från Sierra Leone.

Ett samtal hon visste skulle kretsa kring besinningslöst våld och vidriga övergrepp.

Det blir ingen lunch sådana dagar. Det blir tystnaden i vilrummet. Slutna ögon och vågrät vila för att söka återfinna balansen.

Samuel Bai var en lång och muskulös ung man som till en början visade sig avvaktande och ointresserad av deras möte. Men när

Sofia föreslog att de skulle samtala på krio istället för på engelska öppnade han sig och blev genast mer talför.

Hon hade under sina tre månader i Sierra Leone lärt sig det västafrikanska språket och de pratade länge om hur det var i Freetown och om platser och byggnader de båda kände till. Allt eftersom samtalet fortgick ökade Samuels förtroende för henne när han märkte att hon kunde förstå en del av det han hade varit med om.

Efter tjugo minuter började hon känna en förhoppning om att hon skulle kunna bidra med något positivt.

Samuel Bais problem med närvaro och koncentration, oförmågan att sitta stilla mer än på sin höjd en halv minut, liksom svårigheterna att hålla tillbaka plötsliga ingivelser och känsloutbrott, påminde om adhd, dominerad av överaktivitet och bristande impulskontroll.

Men det var inte så enkelt.

Hon la märke till att Samuels röstläge, intonation och kroppsspråk förändrades med de ämnen samtalet berörde. Ibland började han plötsligt tala engelska istället för krio, och andra gånger en form av krio som hon aldrig hört. Hans ögon ändrade också karaktär med talet och kroppshållningen. Än satt han rak i ryggen med intensiv blick och talade högt och tydligt om hur han i framtiden ville öppna en restaurang inne i stan, än satt han hopsjunken med matt blick och mumlade på den märkliga dialekten.

Om Sofia fann dissociativa drag hos Victoria Bergman, var dessa förmodligen fullt utblommade hos Samuel Bai. Sofia misstänkte att Samuel på grund av de vidrigheter han upplevt som liten drabbats av posttraumatisk stress, vilket utlöst en identitetsstörning. Han uppvisade tecken på att ha flera olika inneboende personligheter som han till synes omedveten växlade emellan.

Ibland kallar man fenomenet för multipel personlighetsstörning, men Sofia ansåg att dissociation var en bättre benämning.

Hon visste att dessa personer var mycket svårbehandlade.

För det första var behandlingen tidskrävande, både sett till varje samtal och den totala behandlingstiden. Sofia insåg att de sedvanliga fyrtiofem till sextio minuterna inte skulle räcka. Hon skulle behöva utöka varje samtal med Samuel till nittio minuter och föreslå socialtjänsten minst tre besök i veckan.

För det andra var behandlingen svår på grund av att samtalssessionerna fordrade fullständig närvaro av terapeuten.

Under det första samtalet med Samuel Bai kände hon omedelbart igen det hon upplevt under Victoria Bergmans monologer. Samuel var liksom Victoria en skicklig självhypnotisör och hans sömnliknande tillstånd smittade av sig på Sofia.

Hon visste att hon var tvungen att prestera sitt yttersta för att kunna hjälpa Samuel.

Till skillnad från arbetet ute på rättspsyk, vilket ju ytterst inte alls handlade om vård av de människor hon träffade, kände hon att hon här kunde vara till hjälp.

De samtalade i över en timme och när Samuel lämnade mottagningen tyckte Sofia att bilden av hans skadade psyke började klarna.

Hon var trött, men hon visste att arbetsdagen inte var över eftersom hon skulle avsluta ärendet Tyra Mäkelä och dessutom behövde förbereda sig för faktagranskningen av barnsoldatens bok. Berättelsen om vad som händer när man ger barn makt att döda.

Hon plockade fram materialet hon hade och bläddrade lite i den engelska versionen. Förlaget hade skickat henne en rad frågor, vilka de hoppades få svar på under mötet i Göteborg och hon insåg snart att hon inte kunde ge några raka svar på dem.

Det var för komplicerat.

Boken var redan översatt och hennes insats skulle bara bestå av teknikaliteter.

Men Samuel Bais bok var inte skriven än. Den fanns där rakt framför henne.

Jag skiter i det här, tänkte hon.

Sofia meddelade Ann-Britt att avboka tågbiljetten och hotellrummet i Göteborg. Bokförlaget fick säga vad de ville.

Ibland är impulsbesluten de bästa besluten.

NUTID

Innan hon gick för dagen satte hon punkt för ärendet Tyra Mäkelä genom att mejla utredningsgruppen i Huddinge sitt slutgiltiga utlåtande.

Det var egentligen bara ytterligare en teknikalitet.

De hade enats om att Tyra Mäkelä skulle dömas till sluten psykiatrisk vård, precis som Sofia förordat.

Men hon kände att hon hade gjort skillnad.

Påverkat.

Monumentet

Efter middagen dukade Sofia och Mikael gemensamt av bordet och ställde in porslinet i diskmaskinen. Mikael sa att han bara ville slappa framför teven och Sofia tyckte att det lät som en bra idé eftersom hon hade lite arbete att ta itu med. Hon gick in i hans arbetsrum och satte sig vid skrivbordet. Det hade börjat regna igen och hon stängde det lilla fönstret och öppnade laptopen.

Hon tog fram kassetten märkt ”Victoria Bergman 14” ur väskan och stoppade in den i bandspelaren.

Sofia mindes att Victoria Bergman under just detta möte varit ledsen, att det hade hänt något, men när hon frågat om det så hade Victoria bara skakat på huvudet.

Hon hörde sin egen röst.

”Du får berätta precis vad du vill. Vi kan sitta tysta om du hellre skulle vilja det.”

”Mmm, kanske det, om det inte är för att jag tycker att just tystnad kan vara väldigt obehagligt. Så oerhört intim.”

Victoria Bergmans röst blev mörkare och Sofia lutade sig tillbaka och slöt ögonen.

Jag har ett minne från när jag var tio år. Det var i Dalarna. Jag hade letat efter ett fågelbo och när jag upptäckte ett litet hål smög jag försiktigt fram mot trädet. När jag var framme slog jag hårt med handen mot stammen och pipandet därinne tystnade. Jag vet inte varför jag gjorde det, men det kändes rätt. Sen tog jag några steg tillbaka och satte mig ner i blåbärsriset och väntade. Efter en stund kom det en liten fågel och satte sig i öppningen. Den kröp in och pipandet började igen. Jag minns att jag blev irriterad. Sen flög fågeln ut och jag hittade en gammal stubbe som jag släpade fram och reste mot trädet. Jag tog en lagom stor pinne och ställde mig på stubben. Sen högg jag hårt, snett nedåt och fortsatte tills pipandet hade upphört. Jag steg ner igen och inväntade fågeln som snart skulle vara tillbaka. Jag ville se hur den skulle reagera när den fann sina döda ungar.

Sofia kände hur hon blev torr i munnen, reste sig och gick ut i köket. Hon fyllde ett glas vatten och drack.

Det var någonting i Victorias berättelse som kändes bekant.

Det påminde om något.

En dröm kanske? Ja, så var det antagligen. En dröm.

Hon gick tillbaka in i arbetsrummet. Bandspelaren malde vidare eftersom hon inte stängt av den.

Victoria Bergmans röst var kusligt raspig. Torr.

Sofia ryckte till när bandet tog slut. Nyvaket såg hon sig omkring. Klockan hade hunnit bli över tolv.

Utanför fönstret låg Ölandsgatan tyst och ödslig. Regnet hade upphört men gatan var fortfarande våt och det blänkte från gatlyktorna.

Hon stängde av datorn och gick ut i vardagsrummet. Mikael hade gått och lagt sig och hon kröp försiktigt ner bakom honom.

Hon låg vaken länge och tänkte på Victoria Bergman.

Det märkligaste var att Victoria efter sina monologer omedelbart gick tillbaka till sitt vanliga, samlade jag.

Det var som om hon bytte kanal till ett annat program. En knapptryckning på fjärrkontrollen, och så ytterligare en ny kanal.

En annan röst.

Var det likadant med Samuel Bai? Olika röster som avlöste varandra? Förmodligen.

Sofia märkte att Mikael inte hade somnat och kysste honom på axeln.

”Jag ville inte väcka dig”, sa han. ”Det såg så skönt ut där du satt. Du pratade i sömnen också.”

Vid tretiden klev hon upp ur sängen igen, plockade fram en av kassetterna, satte på bandspelaren, lutade sig tillbaka och lät sig uppslukas av rösten.

Bitarna i Victoria Bergmans personlighet började falla på plats och Sofia tyckte att hon började förstå. Kunde känna sympati.

Såg bilderna Victoria Bergman målade med sina ord lika tydligt som om de vore på film.

Men Victorias svarta sorg skrämde henne.

Var alltför stor för att begripa.

Den avgrundsdjupa smärtan som genom åren borrat sig allt djupare in i hennes kött.

Antagligen hade hon ältat sina minnen, dag efter dag, och skapat en egen tankevärld där hon ömsom tröstade sig själv, ömsom klandrade sig för det som hänt.

Sofia ryste vid ljudet av Victoria Bergmans morrande röst.

Ibland viskande. Ibland så upphetsad att saliven sprutade.

Sofia somnade och vaknade inte förrän Mikael knackade på dörren och sa att det var morgon.

”Har du suttit här hela natten?”

”Ja, nästan, jag ska träffa en klient idag och jag måste få kläm på hur jag ska bemöta henne.”

”Okej. Du, jag måste sticka. Ses vi ikväll?”

”Ja. Jag ringer.”

Han stängde dörren och Sofia beslöt sig för att lyssna vidare och vände på kassetten. Hon hörde sig själv andas när Victoria Bergman gjorde en paus. När hon började tala igen var det med en myndig röst.

... han svettades och ville att vi skulle kramas fast det var så varmt och han ändå fortsatte att kasta vatten på aggregatet. Jag kunde se hans påse mellan benen när han böjde sig fram för att ösa ur träbaljan och jag ville knuffa honom så att han föll över de där kokheta stenarna. Stenarna som aldrig ville svalna. Värma varje onsdag med en värme som aldrig trängde ända in till skelettet. Jag bara satt där tyst, så tyst som en liten mus, och hela tiden såg jag hur han såg på mig. När han blev konstig på ögonen och började andas tungt och sen efteråt få gå in i duschen och skrubba mig ren efter leken. Fast jag visste att jag aldrig kunde bli ren.

NUTID

Jag skulle vara tacksam för att han visade mig så många hemligheter så att jag skulle vara förberedd den dag jag träffade pojkar som kunde vara väldigt taffliga och ivriga och det var minsann inte han för han hade övat hela livet och blivit utbildad av farmor och hennes brorsa och inte tagit nån skada av det utan bara blivit stark och tålig. Han hade åkt Vasaloppet hundra gånger med brutna revben och trasiga knän utan att knota det minsta, fast han hade kräkts i Evertsberg. Mina skavsår som jag fick därnere när han hade lekt färdigt på bastubänken och dragit ut sina fingrar var inget att gnälla över. När han var klar med mig och stängde dörren till bastun tänkte jag på spindelhonan som efter parningen äter upp de små hanarna...

Sofia ryckte till. Hon kände sig illamående.

Uppenbarligen hade hon somnat igen och under sömnen hade hon drömt en massa otäcka saker och hon förstod att det berodde på att bandspelaren stått på. Den entoniga rösten hade styrt hennes tankar och drömmar.

Victoria Bergmans malande hade trängt in i hennes undermedvetna.

Dåtid

Flugans vingar sitter hopplöst fast i tuggummit. Det är ingen idé att du flaxar, tänker Kråkflickan. Du kommer aldrig mer att flyga. I morgon skiner solen som vanligt, men den skiner inte på dig.

När Martins pappa rör vid henne ryggar hon instinktivt tillbaka. De står på grusvägen utanför tant Elsas hus och han har stigit av sin cykel.

”Martin har frågat efter dig flera gånger. Han saknar väl nån att leka med.”

Han sträcker fram handen och smeker henne på kinden. ”Jag skulle tycka det var trevligt om du ville komma ner och bada med oss nån dag.”

Victoria vänder bort blicken. Hon är van att bli vidrörd och vet exakt vad det leder till.

Hon ser det i hans blick när han nickar, säger hejdå och fortsätter nedåt vägen. Precis som hon misstänkt stannar han cykeln och vänder sig om.

”Och, ja just det, ni har inte en gräsklippare som jag skulle kunna få låna?”

Han är precis som de andra, tänker hon.

”Den står vid uthuset”, säger hon och vinkar adjö.

Hon undrar när han ska återkomma för att hämta den.

Det stramar i bröstet på henne när hon tänker på det, för hon vet att han då kommer att röra henne igen.

Hon vet det, men kan ändå inte hålla sig borta från stranden.

På ett sätt hon själv inte förstår trivs hon, trots allt, i familjens sällskap, och särskilt med Martin.

Hans språk är ännu outvecklat, men de fåordiga och ibland svårtydda kärleksförklaringar han yttrar är ändå bland det finaste någon sagt till henne. Det glänser i ögonen på honom varje dag när de återser varandra och han springer mot henne och kramar henne hårt.

De har lekt och de har badat och strövat omkring i skogen. Martin har gått på vingliga ben i den oländiga terrängen, pekat på saker och Victoria har snällt berättat vad de heter.

”Svamp”, har hon sagt, och ”tall” och ”gråsugga” och Martin har försökt imitera ljuden.

Hon lär honom skogen.

Först tar hon av sig skorna och känner sanden krypa in mellan tårna och kittla henne försiktigt. Hon tar av sig tröjan och känner solen värma huden varsamt. Vågorna slår friskt och svalt mot hennes ben innan hon kastar sig i.

Hon ligger i vattnet så länge att huden blir rynkig och hon önskar att den ska luckras upp eller falla av så att hon kan få en alldeles ny, orörd.

Från stigen hör hon familjen komma. Martin ger upp ett glädjerop när han får syn på henne. Han springer mot vattenbrynet och hon skyndar honom till mötes för att han inte ska fortsätta ut i vattnet och blöta ner kläderna.

”Min Pippi”, säger han och omfamnar henne.

”Martin, du vet väl att vi bestämt att vi ska vara kvar här ända tills höstterminen börjar”, inflikar pappan och ser på Victoria. ”Så du behöver inte krama sönder henne just idag.”

Victoria besvarar Martins kram och känner plötsligt insikten skölja över henne.

Så lite tid.

”Om det bara var du och jag”, viskar hon i Martins öra.

”Du och jag”, upprepar han.

Han behöver henne och hon behöver honom allt mer. Hon lovar sig själv att tjata pappa sönder och samman för att få vara här uppe så mycket som möjligt.

Victoria tar på sig tröjan över den våta baddräkten och kliver i sandalerna. Hon tar Martin i handen och leder honom längs strandkanten. Strax under den spegelblanka ytan ser hon en kräfta krypa på botten.

”Kommer du ihåg vad den där växten heter?” frågar hon för att rikta Martins uppmärksamhet mot en ormbunke medan hon sträcker sig efter kräftan. Hon tar ett fast tag runt det hårda skalet och gömmer den bakom sin rygg.

”Ormburk?” säger Martin och tittar frågande på henne.

Hon brister i skratt och Martin skrattar han också. ”Ormburk”, upprepar han.

Mitt i skrattet tar hon fram kräftan och håller upp den framför hans ansikte. Hon ser hur det förvrids av skräck och han brister ut i hysterisk gråt. Som för att säga förlåt kastar hon kräftan på marken och stampar hårt med skorna tills klorna slutar greppa. Hon lägger armarna om honom, men hans gråt är otröstlig.

Hon känner att hon förlorat kontrollen över honom, det hjälper inte med att bara vara hon inför honom längre. Nu krävs någonting mer, men hon vet inte vad.

Att förlora kontrollen över honom är som att förlora kontrollen över sig själv.

Det är första gången hans förtroende för henne sviktar. Han hade trott att hon ville honom illa, att hon varit en av de andra, de som vill en illa.

Hon vill aldrig att tiden med Martin ska ta slut, men hon vet att pappa ska komma och hämta henne på söndag.

Hon vill stanna uppe i torpet för alltid.
Hon vill vara med Martin.
Alltid.
Han uppfyller henne fullkomligt. Hon kan sitta och titta på honom när han sover, se hur hans ögon leker under de slutna ögonlocken, lyssna till hans små kvidanden. Den lugna sömnen. Han har visat henne hur den ser ut, att den finns.
Men obönhörligt kommer lördagen.
De är som vanligt nere på stranden. Martin sitter på filtkanten vid sina halvsovande föräldrars fötter och leker förstrött med de två dalahästarna som de köpt i en butik inne i Gagnef.
Himlen har fyllts med allt fler moln och eftermiddagssolen tittar bara fram då och då.
Victoria vet att ögonblicket hon bävat för närmar sig med stormsteg. Avskedet.
”Nej, det är nog dags att bege sig hemåt nu”, säger mamman och lyfter huvudet från sin mans arm. Hon reser sig och börjar packa ihop picknickkorgen. Hon tar dalahästarna från Martin som tittar förvånat på sina tomma händer.
Pappan ruskar av filten och viker ihop den.
I gräset syns den svaga skuggningen av böjt gräs där deras kroppar befunnit sig. Framför sig ser Victoria hur gräset snart kommer att resa sig mot himlen och nästa gång hon ser den här platsen kommer det att vara som om familjen aldrig funnits.
”Victoria, du kanske vill komma och äta middag hos oss ikväll?” säger mamman. ”Vi kan prova det nya krocketspelet också. Kanske du och Martin kan vara i ett lag?”
Det spritter i henne. Mer tid, tänker hon. Jag får mer tid.
Hon tror att tant Elsa kommer att bli ledsen om hon inte spenderar sin sista kväll tillsammans med henne, men likväl kan hon inte säga nej. Det går inte.
När familjen avlägsnar sig bortåt stigen är hon fylld av en lugn förväntan.
Med tillförsikt packar hon sin badkasse, men går inte

raka vägen hem utan dröjer kvar i området runt de timrade bodarna nere vid sjön och njuter av lugnet och ensamheten.

Hon stryker med händerna över det lena timret och tänker på all den tid som passerat stockarna, alla händer som rört dem, blankslitit dem, nött bort allt motstånd. Det är som att inget bekommer dem längre.

Hon vill bli som dem, lika oberörbar.

Hon vandrar omkring i skogen i flera timmar, ser hur stammar krökts för att bladkronorna ska nå solen eller hur de böjts för vinden, hur de angripits av mossa eller parasiter. Men längst därinne i varje stam finns en fulländad stock. Det gäller bara att hitta den, tänker hon och sjunger högt för sig själv:

”Vi cyklar runt i världen.
Vi spelar på gator och torg.
Vi spelar på allt som låter.
Ja, till och med på vår hoj.”

Så kliver hon ut ur skogen och in i en glänta.

Mitt i skogens kompakta växtlighet finns en plats där ljuset silar ner genom trädkronorna på de magra tallarna och den mjuka mossan.

Det är som en dröm.

Senare skulle hon ägna flera dagar åt att återfinna den där gläntan, men hur hon än letade så skulle hon aldrig hitta tillbaka och efter hand skulle hon inte längre veta om den verkligen funnits.

Men nu är hon där och platsen är lika påtaglig som hon själv.

När Victoria når tant Elsas farstutrapp går ett sting av oro igenom henne igen. Besvikna människor kan göra illa, fastän de egentligen inte vill det. Det har hon fått lära sig.

Hon öppnar dörren och hör det hasande ljudet från tant Elsas tofflor närma sig. När figuren uppenbarar sig i hallen ser Victoria att Elsas rygg är lite krummare och att ansiktet är lite blekare än vanligt.

DÅTID

”Hej, lilla gumman”, hälsar Elsa, men Victoria förblir tyst.

”Kom in så går vi och sätter oss så att vi kan prata lite”, fortsätter Elsa och börjar gå in mot köket.

Victoria tar av sig skorna och följer efter Elsa in i köket och slår sig ner på stolen mittemot henne. Det är vid det här bordet de brukar sitta och spela japanwhist. Elsa brukar skratta så det ekar i taklampan varje gång hon förlorar och så brukar hon sträcka sina rynkiga händer mot Victorias, fånga in dem och krama om dem.

”Min oslagbara whistdrottning”, brukar hon säga.”Säg mig vad din belöning ska vara och den ska bli din.”

Belöningen är alltid kall choklad och värmda bullar med smör på.

Men nu är det något annat.

Victoria ser tröttheten i Elsas ögon, munnen är hårt sammanbiten och giporna drar neråt.

”Min lilla Victoria”, börjar hon och försöker le.

Victoria ser att det blänker i hennes ögon, som om hon gråtit.

”Jag vet att det är din sista kväll”, fortsätter hon, ”och jag skulle helst av allt laga en festmåltid och spela kort hela kvällen… men jag känner mig inte riktigt kry, förstår du.”

Victoria drar lättat efter andan innan hon upptäcker skulden i Elsas ögon. Hon känner igen den, som om den vore hennes egen. Som om även Elsa bar på samma oro över att få den kalla mjölken hälld över huvudet, att tvingas äta linser tills hon kräktes, att inte få födelsedagspresenter om hon använt fel ton, att straffas varje gång hon gjorde fel.

I tant Elsas ögon tycker Victoria sig se att även hon lärt sig att det aldrig är tillräckligt att göra så gott man kan.

”Jag kan koka te”, säger Victoria upprymt. ”Och stoppa om dig och kanske läsa något för dig innan du somnar.”

Elsas ansikte mjuknar, läpparna dras uppåt i ett leende och öppnar sig för att släppa ut ett skratt.

”Du är då för rar”, säger hon och stryker Victoria över

kinden. ”Men då blir det ingen festlig avskedsmiddag och vad ska du ta dig för efter att jag somnat? Inte är det kul för dig att sitta här i mörkret alldeles ensam?”

”Det är ingen fara”, säger Victoria. ”Martins föräldrar sa att jag fick komma dit och natta honom, och så kunde jag få middag där, sa dom. Så först kan jag natta dig, sen Martin och så får jag bli mätt på kuppen.”

Elsa skrattar och nickar.

”Vi gör en sallad som du kan ta med dig.”

De ställer sig bredvid varandra vid diskbänken och hackar grönsaker.

Varje gång Victoria kommer för nära Elsa känner hon den fräna doften av kiss, vilket får henne att tänka på pappa.

Den hårda pappa.

Doften ger henne kväljningar. Hon vet så väl hur det smakar i munnen.

Tant Elsa har hårda apelsinkarameller som hon får ta av utan att fråga. De ligger i en plåtburk på köksbordet. Hon öppnar den burken när hon vill hålla tankarna på honom borta. Hon vet aldrig på förhand när minnet av honom ska överrumpla henne, så hon biter aldrig sönder karamellerna, inte ens när det bara återstår en rakbladsvass flisa. Hellre utstår hon sveda i gommen än att stå försvarslös inför minnet.

Hon suger på karamellen medan hon hackar gurkan i alldeles lagom tjocka skivor. Salladsbladen har, trots att Elsa sköljt dem noga, lite jord kvar på sig, men Victoria säger ingenting eftersom hon förstår att Elsas ögon är för gamla för att se det där lilla.

Hon tänker inte anklaga henne för det, men hon tänker inte heller äta av salladen. Hon vill inte ha mer skit i sig.

Hon stoppar om Elsa, som hon lovat, men hon har Martin i tankarna.

”Du är en fin liten flicka. Kom ihåg det”, säger Elsa innan Victoria stänger dörren om henne. Hon hämtar salladen och med en spänd förväntan beger hon sig mot Martins stuga med salladsskålen mellan händerna.

Hon tänker på hur bra det skulle kunna bli om hon kunde övertala pappa att få stanna någon vecka till. Det skulle ju bli bra för alla. Och det finns så mycket spännande saker här omkring som hon har kvar att visa för Martin.

Det enda som stör idyllen är hennes tankar på Martins pappa. Hon tycker att hans blickar blivit mer intensiva, hans skratt hjärtligare, hans händer ligger kvar lite längre på hennes axlar. Men hon är villig att acceptera det för att slippa undan sin egen pappa ännu någon vecka. Det brukar ju aldrig vara så farligt de första gångerna, tänker hon. Först när de tar henne för givet vågar de vara lite mer oförsiktiga.

När hon går in på uppfarten till stugan hör hon hur någon tjoar därinne. Det låter som pappan och hon saktar ner på stegen. Dörren är halvöppen och hon kan också höra plaskanden inifrån huset.

Hon går fram till dörren, öppnar den helt och råkar i rörelsen komma åt den gamla dörrklockan som hänger för öppningen. Den ger ifrån sig några dova klanger.

”Är det du, Pippi?” ropar pappan inifrån köket. ”Kom in, kom in.”

Det luktar gott i hallen.

Victoria kliver in i köket. På golvet står Martin i en badbalja. Mamman sitter i gungstolen borta vid fönstret och är upptagen med en stickning. Hon sitter vänd från de andra, men vrider på huvudet i en snabb hälsning till Victoria. Pappan sitter med bar överkropp och kortbyxor på golvet bredvid Martins badbalja.

Victoria blir alldeles kall när hon ser vad han gör.

Martin har tvål över hela kroppen och pappan ler brett mot henne. Han håller ena armen omkring Martins stjärt och med den andra tvättar han honom.

Victoria bara stirrar.

”Ja, det hände en liten olycka”, säger pappan. ”Martin gjorde i byxorna när vi lekte uppe i skogen.”

Pappan gnider omsorgsfullt pojkens underliv. ”Det måste bli ordentligt rent, förstår du”, säger han till honom.

Victoria ser pappan fatta tag i den lilla snoppen med tummen och pekfingret. Med den andra handen gnuggar han försiktigt längst ut på det rödlila.

Hon känner igen bilden. Pappan med barnet och mamman i samma rum med ryggen mot dem.

Plötsligt känns skålen så tung att den glider ur hennes händer. Tomater, gurka, lök och salladsblad exploderar över golvet. Martin börjar gråta. Mamman lägger ifrån sig stickningen och far upp ur gungstolen.

Victoria backar mot dörren.

Redan i hallen börjar hon springa.

Hon springer ner för trapporna, snubblar till och faller handlöst i gruset, men reser sig genast och fortsätter att springa. Hon springer ner för uppfarten, ut genom grindhålet, vidare hemåt längs vägen och upp på gårdsplanen. Gråtande slänger hon upp dörren till torpet och kastar sig på sängen.

Det stormar i henne. Hon förstår att Martin kommer att förstöras, han kommer att bli stor, han kommer att bli en man, han kommer att bli som alla andra. Hon hade velat skydda honom från det, ge sig själv för att rädda honom. Men hon hade kommit för sent.

Allt det där fina var förlorat och det var hennes fel.

Så knackar det försiktigt på dörren. Hon hör Martins pappas röst där utanför. Hon kryper fram till dörren och låser den.

”Är det nåt fel, Victoria? Varför blev du så upprörd?”

Hon försöker resa sig, men golvplankornas knarrande verkar vilja avslöja att hon finns där, några ynka centimeter bort.

”Snälla, Victoria. Kan du inte låsa upp? Vi hör ju att du är där inne.”

Hon förstår att hon inte kan öppna dörren nu. Det skulle bli alltför pinsamt.

Istället smyger hon in i sovrummet, öppnar fönstret mot baksidan och klättrar ut. Hon går i en vid båge runt uthuset och ut på grusvägen. När de hör henne komma vänder de sig om och går emot henne.

”Men där är du ju, vi trodde att du var där inne. Vart tog du vägen?”

Hon känner att hon är på väg att börja skratta.

Mamman och pappan med barnet i famnen, insvept i en handduk.

De ser så löjliga ut.

Så rädda.

”Jag blev så bajsnödig”, ljuger hon utan att förstå varifrån orden kommer, men de låter bra.

Och de skrattar med henne. Kramar henne.

Mamman bär henne tillbaka till deras stuga och det är inget konstigt med det.

Hennes armar är sådär trygga som armar brukar vara när allt är bra igen.

Då finns ingenting att vara rädd för.

Hennes ben slår mot mammans lår för varje steg hon tar, men det verkar inte bekomma henne. Hon går vidare, beslutsamt. Som om Victoria hörde hemma hos dem.

”Kommer ni tillbaka nästa sommar?” frågar hon och känner mammans kind mot sin.

”Ja, det gör vi”, viskar hon. ”Varje sommar ska vi komma tillbaka till dig.”

Den sommaren har Martin sex år kvar att leva.

Huddinge sjukhus

Karl Lundström skulle åtalas för barnpornografibrott och sexuellt utnyttjande av sin dotter Linnea. När Sofia Zetterlund svängde av mot Huddinge sjukhus tänkte hon på vad hon visste om hans bakgrund.

Karl Lundström var fyrtiofyra år och hade en hög post på Skanska som ansvarig för flera av landets större bygg- och anläggningsprojekt. Hans hustru Annette var fyrtioett och dottern Linnea fjorton. Familjen hade de senaste tio åren flyttat ett halvt dussin gånger mellan Umeå i norr och Malmö i söder och bodde numera i en stor sekelskiftesvilla nere vid Edsviken i Danderyd. För närvarande pågick en stor polisiär insats för att kartlägga den möjliga pedofilring han kanske ingick i.

Konstant flyttande, tänkte hon medan hon svängde in på parkeringen. Typiskt mönster hos pedofiler. Flyttar för att undgå upptäckt och komma undan misstankar om oegentligheter i familjen.

Varken Annette Lundström eller dottern Linnea ville kännas vid det som hänt. Modern var förtvivlad och förnekade allt, medan dottern gått in i ett apatiskt tillstånd av fullständig tystnad.

Hon parkerade utanför huvudingången och gick in genom entrén. På vägen upp beslöt hon sig för att titta igenom materialet ytterligare en gång.

Av det som framkommit i förhören med polisen och i inledningsfasen av den rättspsykiatriska undersökningen, kunde man utläsa att Karl Lundström var mycket motsägelsefull.

Förhörsutskrifterna var ordagrant återgivna och bland annat

hade han berättat om hur han och de andra männen i den möjliga pedofilringen fungerade.

Enligt Lundström fann männen varandra överallt eftersom det var något de såg och kände igen i varandras relationer till barn. Han talade om en fysisk dragning till barnen som sällan uppfattades av andra, men som pedofilerna rent instinktivt registrerade hos varandra. Ibland, när allt stämde, kunde de ordlöst bekräfta varandras läggning bara med blickar eller kroppsspråk.

På ytan stämde han väl in på en viss typ av män med pedofila eller efebofila personlighetsstörningar som Sofia flera gånger konfronterats med.

Deras främsta vapen var förmågan att kuva, manipulera, bygga upp förtroende och ingjuta skuld och underkastelse hos sina offer. I slutänden handlade det rentav om ett slags ömsesidigt beroende mellan offer och förövare.

De hade inte bara intresset för barnen gemensamt. De delade också kvinnosyn. Deras fruar var kuvade, de förstod vad som pågick men de ingrep aldrig.

Sofia stoppade ner dokumenten i väskan.

”Jaha, då är det väl lika bra att vi får det här överstökat. Du ska bedöma min psykiska tillräknelighet. Vad vill du veta?”

Sofia såg på mannen som satt framför henne.

Karl Lundström hade ljust, tunt hår som började bli grått. Hans ögon var trötta och lite svullna och hon tyckte att blicken utstrålade ett slags sorgset allvar.

”Jag vill att vi talar om ditt förhållande till din dotter”, sa hon. Det var lika bra att gå rakt på sak.

Han drog handen över skäggstubben.

”Jag älskar Linnea, men hon älskar inte mig. Jag har förgripit mig på henne och jag har erkänt det för att göra allting lättare för oss alla. I familjen, alltså. Jag älskar min familj.”

Rösten lät trött och oengagerad och det loja tonfallet gav det han sa en skev klang.

Han hade gripits efter lång tid av spaning och det barnpornografiska material man funnit i hans dator innehöll flera bilder och filmsekvenser på dottern. Vad fanns det för andra alternativ än att erkänna?

”På vilket sätt tror du att det underlättar för dem?”

”De behöver skyddas. Från mig och från andra.”

Hans påstående var så märkligt att hon kände att det motiverade en följdfråga.

”Skyddas från andra? Vilka menar du?”

”Sådana som bara jag kan skydda dem från.”

Han gjorde en svepande gest med armen och hon kände att han luktade svett. Han hade antagligen inte tvättat sig på flera dagar.

”Genom att jag berättar för polisen om vad allt det här handlar om kan Annette och Linnea få skyddade personuppgifter. De vet helt enkelt för mycket. Det finns människor som är farliga. Ett människoliv är inget värt för dem. Tro mig, jag vet. Gud har inte rört vid de här människorna, de är inte hans barn.”

Hon förstod att Karl Lundström hänvisade till aktörerna inom barnsexhandeln. I förhören med polisen hade han utförligt förklarat att Organizatsija, den ryska maffian, vid upprepade tillfällen hotat honom och att han fruktade för sin familjs liv. Sofia hade talat med Lars Mikkelsen, som menade att Karl Lundström ljög. Den ryska maffian arbetade inte på det sätt han beskrev och hans redogörelser var fulla av självmotsägelser. Dessutom hade han inte kunnat presentera ett enda handgripligt bevis för polisen som kunde bekräfta en hotbild.

Mikkelsen hade sagt att han trodde att Karl Lundström önskade skyddad identitet åt sin familj av den enkla anledningen att de skulle undgå skammen.

Sofia misstänkte att det kunde handla om att Karl Lundström försökte konstruera en för honom själv förmildrande omständighet. Iklä sig ett slags hjälteroll i kontrast till det som verkligen hade hänt.

”Ångrar du vad du gjort?” Hon var tvungen att ställa frågan förr eller senare.

Han såg frånvarande ut.

”Ångrar mig?” sa han efter en stunds tystnad. ”Det är kompli-

cerat... Förlåt, vad var det du hette? Sofia?"
"Sofia Zetterlund."
"Ja, just det. Sofia betyder vishet. Ett bra namn på en psykolog... Förlåt mig. Så här är det..." Han drog djupt efter andan. "Vi ... alltså jag och de andra, vi var fria att byta både fruar och barn med varandra. Och jag tror att det till sist skedde i tyst samförstånd med Annette. Och de andras fruar också... På samma sätt som vi män instinktivt fann varandra valde vi också våra kvinnor. Vi möttes i skuggornas hem, om du förstår?"
Skuggornas hem? tänkte Sofia. Hon kände igen det från förundersökningsmaterialet.
"Annettes hjärna är liksom avstängd", fortsatte han utan att invänta hennes svar. "Hon är inte dum, men hon väljer att inte se det som hon inte tycker om. Det är hennes självförsvar."
Sofia visste att fenomenet inte var ovanligt. Det fanns ofta en passivitet hos de närstående som gjorde att övergreppen kunde fortsätta.
Men Karl Lundströms svar var undvikande. Hon hade frågat om han ångrade sig.
"Insåg du aldrig att det du gjorde var fel?" försökte hon istället.
Han satt tyst en stund, sedan suckade han igen och böjde sig fram över bordet.
"Du måste definiera ordet fel om jag ska förstå vad du menar. Kulturellt fel, socialt fel eller på nåt annat sätt fel?"
Nu vaknade han till. Ögonen fick en annan skärpa och hans kroppshållning blev säkrare.
"Karl, försök att berätta om fel på ditt eget sätt, inte någon annans."
"Jag har aldrig påstått att jag gjort fel. Jag har bara handlat utifrån en drift som alla män egentligen har, men undertrycker."
Sofia förstod att försvarstalet nu hade börjat.
"Läser du inte böcker?" fortsatte han. "Det finns en röd tråd från antiken fram till idag. Läs Archilochos ... En kvist myrten bar hon glad i handen, och rosor i fager blom från håret, min skugga föll på hennes skuldror och jungfrukroppen hos gubbar

upptände kärlekslågan... Grekerna har skrivit om det. Alkmans körlyrik hyllar det sensuella hos barnet. Barnlös lever den ensamme sitt liv och saknar dem bittert. Och av sin längtan förtärd går han till skuggornas hem... På nittonhundratalet skrev Nabokov och Pasolini samma saker, för att nämna några. Fast Pasolini skrev om pojkar.”

Sofia kände igen ytterligare formuleringar från förhören.

”Vad menade du när du sa att ni kunde mötas i skuggornas hem?” frågade hon.

Han log åt henne.

”Det är bara en bild. En metafor för en hemlig, förbjuden plats. Det finns mängder av poesi, psykologi, etnologi och filosofi att trösta sig med om man vill känna sig förstådd. Jag är ju inte ensam, men det känns som om jag är ensam i min tid. Varför är det jag åtrår fel nu?”

Sofia förstod att det här var en fråga som han brottats länge med. Hon visste att pedofila störningar egentligen inte kan botas. Det handlar snarare om att få pedofilen att inse att perversionen inte är acceptabel och att den skadar andra. Men hon avbröt honom inte, då hon ville höra mer om hur han resonerade.

”Det är i grunden inte fel, det är inte fel för mig och faktiskt tror jag inte att det är fel för Linnea heller. Det är ett konstruerat, socialt eller kulturellt fel. Ergo: det är inte ett fel i ordets egentliga mening. Det var samma tankar och känslor för tvåtusen år sen som nu, men kulturellt rätt har blivit kulturellt fel. Vi har bara lärt oss att det är fel.”

Sofia tyckte att hans resonemang var provocerande irrationellt.

”Det är alltså enligt dig inte möjligt att omvärdera en gammal uppfattning?”

Han såg tvärsäker ut.

”Nej. Inte om det strider mot naturen.”

Karl Lundström la armarna i kors och såg plötsligt fientlig ut.

”Gud är naturen...” mumlade han.

Sofia satt tyst och avvaktade fortsättningen, men när den inte kom beslöt hon att vinkla samtalet åt ett annat håll.

NUTID

Tillbaka till skammen.

”Du pratar om att det finns människor som du vill skydda din familj mot. Jag har tagit del av polisförhören och läst att du säger att du hotats av den ryska maffian.”

Han nickade.

”Finns det andra anledningar till att du vill att Annette och Linnea ska få skyddad identitet?”

”Nej”, löd det korta svaret.

Hon övertygades inte av hans tvärsäkra hållning. Hans ovilja att resonera signalerade tvivel, tvärtemot hans avsikt. Det fanns en skam hos den här mannen, även om den låg begravd djupt inne i honom.

Hon gjorde ett nytt försök.

”Du konstaterar att dagens samhälle fördömer ditt agerande?”

Han nickade irriterat.

”Tror du att din familj kan känna skam över det du gjort?”

Han suckade, men svarade inte.

”Du har också sagt att du är medveten om att du åsamkat din dotter skada på grund av att ditt agerande inte accepteras i en modern rättsstat...”

”Jag har försörjt dem”, avbröt han. ”De har aldrig saknat något och jag har inget att skämmas för som far och familjeöverhuvud.”

Han lutade sig fram över bordet igen. Intensiteten i hans ögon hade återvänt och hon ryggade tillbaka när hon kände lukten av honom.

Det var inte bara svetten. Hans andedräkt luktade aceton.

”Du har mage att fråga mig om skam?” fortsatte han. ”Jag ska berätta något för dig, något jag inte sagt till polisen...”

Hans humörsvängningar gjorde Sofia orolig. Stanken av aceton kunde vara ett tecken på kalori- och näringsbrist, att han inte åt. Gick han på mediciner?

”Det finns män, helt vanliga män runtomkring oss, kanske en kollega till dig, en släkting, jag vet inte. Jag har aldrig köpt ett barn, men de här männen har det...”

Pupillerna verkade normala, men hennes erfarenhet av psykofarmaka sa henne att något var fel.

”Vad menar du?”

Han lutade sig tillbaka igen och verkade slappna av lite.

”Polisen har hittat sådant som är komprometterande för mig på min dator, men vill de leta efter riktiga saker ska de leta i en stuga uppe i Ånge. Där finns en person som heter Anders Wikström. Polisen borde kolla i hans källare.”

Lundström irrade med blicken och Sofia tvivlade på sanningshalten i det han sa.

”Anders Wikström köpte barn av en man från Organizatsija. Tredje brigaden, eller vad de kallar det. Solntsevskaya Bratva. Det finns två videofilmer i ett skåp. På den första är det en pojke på fyra år och mannen är en barnläkare från södra Sverige. Man ser aldrig hans ansikte på filmen, men han har ett födelsemärke på låret som liknar en treklöver och som lätt kan identifieras. På den andra filmen är det en sjuårig flicka som är tillsammans med Anders, två andra män och en thailändska. Det var förra sommaren och det är den otäckaste av filmerna.”

Karl Lundström andades ytligt genom näsan och hans struphuvud guppade upp och ner när han talade. Sofia blev fysiskt äcklad av att se på honom. Hon visste inte om hon ville höra mer och hon kände att det var svårt att förhålla sig sakligt till det han berättade.

Men hur hon än såg på det så var det hennes skyldighet att lyssna och försöka förstå honom.

”Hände det förra sommaren?”

”Ja... Anders Wikström är den fete på filmen. De andra som var med ville inte säga vad de hette och man ser att thailändskan inte ville vara där egentligen. Hon drack mycket sprit och vid ett tillfälle när hon inte gjorde som Anders sa gav han henne en örfil.”

Sofia visste inte vad hon skulle tro.

”Jag förstår att du sett filmerna”, försökte hon. ”Men hur känner du till alla detaljer kring inspelningarna?”

”Jag var där när de spelades in”, sa han.

NUTID

Sofia visste att hon var tvungen att delge polisen det han nyss berättat.

”Har du fler erfarenheter av den här typen av övergrepp?”

Karl Lundström såg sorgsen ut. ”Jag ska berätta för dig hur det går till”, började han. ”Just nu sitter ungefär femhundratusen människor uppkopplade på nätet och utbyter barnpornografiskt material i form av bilder eller filmer. Att få tillgång till materialet förutsätter en motprestation i form av att du producerar eget material. Det är inte svårt om du har de rätta kontakterna. Då kan du till och med beställa ett barn på nätet. För hundrafemtiotusen får du en latinamerikansk pojke som du hämtar på något säkert ställe. Pojken existerar inte officiellt, och han är alltså din. Det säger sig självt att du får göra vad du vill med honom och oftast slutar det naturligtvis med att han försvinner. Det får du också betala för om du inte har modet att ta livet av honom själv, och det är det ju nästan ingen som har. Det kostar oftast mer än de hundrafemtiotusen du redan betalat, kanske rentav det dubbla, och du köpslår inte med den här typen av människor.”

Uppgifterna var inte nya för Sofia. De fanns i polisförhören. Ändå kände hon illamåendet komma. Som ett tryck i magen och som torrhet i halsen.

”Menar du att du själv alltså *har* köpt ett barn?”

Karl Lundström log avslaget. ”Nej. Men som jag sa känner jag folk som gjort det. Anders Wikström köpte barnen som var med i filmerna jag nyss berättade om.”

Sofia svalde. Det brände i strupen och händerna darrade.

”Hur kändes det att bevittna det hela?”

Han log igen. ”Jag blev upphetsad. Vad trodde du?”

”Deltog du?”

Han skrattade till. ”Nej, jag såg bara på... Gud är mitt vittne.”

Sofia betraktade honom. Han log fortfarande med munnen, men ögonen såg sorgset tomma ut.

”Du återkommer ofta till Gud. Vill du berätta mer om din tro?”

Han ryckte på axlarna och höjde frågande på ögonbrynen.

”Min tro?”

”Ja.”

Ytterligare en suck. Han lät uppgiven när han fortsatte. ”Jag tror på en gudomlig sanning. En Gud som finns bortom vår fattningsförmåga. En Gud som var nära människan i urtiden, men vars röst inom oss har klingat av genom århundradena. Ju mer Gud har institutionaliserats med mänskliga påfund som kyrka och präster, desto mindre finns kvar av det ursprungliga.”

”Och vad är det ursprungliga?”

”Gnosis. Renhet och vishet. Jag trodde att Gud fanns i Linnea när hon var liten och… jag trodde att jag funnit honom. Men jag vet inte, jag hade nog fel. Ett barn av idag är orenare vid födseln. Det förgiftas redan i livmodern av sorlet från världen utanför. Ett simpelt sorl av jordisk falskhet och småaktighet, meningslösa ord och tankar om materiella, förgängliga ting…”

De satt tysta ett tag och Sofia begrundade vad som sagts.

Hon undrade om Karl Lundströms religiösa grubblerier på något sätt kunde förklara varför han förgripit sig på sin dotter och hon kände att hon var tvungen att närma sig kärnan av det samtalet handlade om.

”När utsatte du Linnea för sexuella övergrepp för första gången?”

Hans svar kom reflexmässigt.

”När? Ja… hon var tre. Jag borde ha väntat nåt år till, men det blev bara så … Det kom sig liksom av en slump.”

”Berätta om hur du upplevde det just den gången. Säg mig också hur du ser på det tillfället nu.”

”Ja … jag vet inte. Det är svårt för mig.” Lundström skruvade på sig och gjorde flera ansatser till att börja berätta. Munnen öppnades och stängdes några gånger medan adamsäpplet rörde sig när han svalde.

”Det var … som sagt nåt av en slump”, sa han till sist. ”Det var egentligen inget bra tillfälle för vi bodde i en villa inne i centrala Kristianstad då. Mitt i stan, alla kunde se vad som försiggick.”

Han hejdade sig och tycktes tänka efter.

”Jag badade henne ute på tomten. Hon hade en plaskpool och

jag frågade om jag fick bada också, och det ville hon. Det var lite kallt i vattnet så jag tog med mig slangen för att fylla på med varmt. Det var ett sånt där gammalt munstycke i metall med en knopp på. Det hade legat i solen hela dagen och var varmt och skönt att ta på. Då sa hon att den var en snopp ...”

Han såg generad ut. Sofia nickade åt honom att fortsätta.

”Då förstod jag att hon tänkte på min, eller jag vet inte ...”

”Hur kände du dig då?”

”Jag, jag var liksom bara yr... Det smakade som järn i munnen, lite som blod. Det kanske kommer från hjärtat? Det gör ju allt blod.” Han tystnade.

”Så du körde alltså in slangmunstycket i henne och du anser inte att du gjorde fel?” Sofia kände sig illamående och fick kämpa för att dölja sin avsmak.

Karl Lundström såg trött ut och svarade inte.

Hon beslöt sig för att gå vidare.”Du sa tidigare att du trodde att du funnit Gud i Linnea. Har det något att göra med det som hände i Kristianstad? Med dina tankar om rätt och fel?”

Han ruskade sakta på huvudet. ”Du förstår inte...”

Nu såg han Sofia rakt i ögonen och utvecklade långsamt sitt resonemang.

”Vårt samhälle bygger på en konstruerad moral... Varför är människan inte perfekt när hon är en avbild av Gud?”

Han slog ut med handen och besvarade själv frågan.

”Det beror på att det inte är Gud som skrivit Bibeln, det är människor som gjort det... Den sanna guden är bortom känslor om rätt och fel, bortom Bibeln...”

Sofia förstod att han skulle fortsätta att resonera i cirklar kring frågan om rätt och fel.

Kanske hade hon ställt fel fråga från början?

”Gud i Gamla Testamentet är oberäknelig och missunnsam för att han egentligen är en människa. Det finns en ursprunglig sanning om människans väsen som bibelns Gud inte känner till.”

Hon såg på klockan att deras tid snart var ute och lät honom fortsätta.

”Gnosis. Sanning och vishet. Det borde du veta eftersom du

heter Sofia. Det är grekiska och betyder vishet. Inom gnosticismen är Sofia det kvinnliga väsen som orsakar fallet.”

När Lundström blivit hämtad och förd tillbaka till häktet satt Sofia kvar och funderade. Hon kunde inte sluta tänka på Lundströms dotter, Linnea. Knappt tonåring men redan sårad så djupt att det skulle prägla henne resten av livet. Vad skulle hända med henne? Skulle Linnea, precis som Tyra Mäkelä, själv bli en förövare? Hur mycket kan en människa utstå innan hon fullkomligt går sönder och blir ett monster?

Sofia bläddrade bland sina papper, letade fakta om dottern. Det enda som fanns var knapphändiga uppgifter om flickans skolgång. Första året på internatskolan i Sigtuna. Bra betyg. Framför allt duktig i idrott. Skolmästare på 800 meter.

En flicka som kan springa ifrån de flesta, tänkte Sofia.

NUTID

Dåtid

Gubben är vem som helst och hon har aldrig sett honom förut. Ändå tycker han tydligen att han har rätt att kommentera hennes klädsel. Själv tycker Kråkflickan att hans skepparkavaj är helt okej, så då är det inte mer än rätt att spotta honom i ansiktet istället.

På den västra kullen i Sigtuna ligger de tio elevhemmen som tillhör internatet. Skolan, där det tidigare gått elever som Kung Carl XVI Gustaf, Olof Palme samt kusinerna Peter och Marcus Wallenberg, fullkomligt dryper av anor och tradition.

Den gula, pampiga huvudbyggnaden är av samma anledning impregnerad mot skandaler.

Det första Victoria Bergman kommer att få lära sig är att allt som händer här, stannar här och den ordningen är hon sedan tidigare alltför bekant med.

I den där bubblan av stum skräck har hon genomlevt hela sin barndom. Den är tydligast av allt, tydligare än varje enstaka händelse.

Sigtunas integritet är ingenting i jämförelse.

Redan när hon kliver ur bilen känner hon befrielsen hon inte upplevt sedan hon var ensam i Dala-Floda. Omedelbart kan hon andas. Hon vet att hon kommer att slippa lyssna efter steg utanför sovrumsdörren.

Vid receptionen presenteras hon för de två flickor som hon ska dela rum med under den kommande terminen.

De heter Hannah och Jessica. De är också från Stockholm och hon uppfattar dem som tysta och skötsamma, för att inte säga tråkiga. De är angelägna om att berätta att deras föräldrar har höga tjänster inom Stockholms domstolsväsende och de antyder att det är förutbestämt att de ska gå i föräldrarnas fotspår och utbilda sig till jurister.

Victoria tittar in i deras naiva blå ögon och inser att de aldrig kan utgöra någon fara för henne.

De är för svaga.

Hon uppfattar dem som två viljelösa dockor som alltid låter andra tänka och planera åt dem. De är som skuggor av individer. Knappt intresserade av någonting. Knappt möjliga att sätta fingret på.

Under den första veckan uppfattar Victoria att några av flickorna i sista årskursen planerar något. Hon registrerar roade blickar som kastas mellan matsalsborden, en överdriven artighet och en benägenhet att ständigt finnas i närheten av såväl henne som de andra nya eleverna. Allt detta gör henne misstänksam.

Och det med rätta kommer det att visa sig.

Genom noggranna observationer av ögonkast och rörelser räknar Victoria snabbt ut vem som är den informella ledaren för gruppen. Hon heter Fredrika Grünewald och är lång och mörkhårig. Victoria tycker att Fredrikas avlånga ansikte i kombination med de stora framtänderna får henne att se ut som en häst.

Under en lunchrast passar Victoria på.

Hon ser Fredrika gå in på toaletten och följer diskret efter.

”Jag vet hur nollningen kommer att gå till”, ljuger hon rakt i ansiktet på en förvånad Fredrika. ”Det finns inte en chans i världen att jag tänker ställa upp på det.” Hon lägger armarna i kors över bröstet och höjer nonchalant sitt huvud. ”Det vill säga, inte utan bråk.”

Fredrika blir tydligt imponerad av Victorias kaxiga rättframhet och självsäkra stil. Under ett konspiratoriskt samtal smygröker de varsin cigarett samtidigt som Victoria presenterar en plan som hon påstår ska sätta ribban för alla framtida invigningsriter.

Att det kommer att bli skandal är en sak som är säker och Fredrika Grünewald sporras särskilt av Victorias dramatiska vision av vad som kommer att stå på kvällstidningarnas löpsedlar: "SKANDAL PÅ KUNGENS SKOLA! UNGA FLICKOR FÖRNEDRADE I RITUAL".

Under veckan närmar hon sig sina rumskamrater Hannah och Jessica ytterligare. Hon lockar dem att utbyta förtroligheter och på kort tid lyckas hon göra dem till sina vänner.

På fredagskvällen, när de förenas på sitt rum, öppnar Victoria sin ryggsäck med ett stolt och hemlighetsfullt leende på läpparna.

"Kolla här då", säger hon.

Hannah och Jessica tittar storögt på de tre flaskor Aurora som Victoria lyckats smuggla med sig.

"Är det nån som vill dela?"

Både Hannah och Jessica skrattar osäkert och tittar rådvilla på varandra innan de ivrigt nickar till svar.

Victoria serverar stora glas åt flickorna, övertygad om att de inte har en aning om hur mycket de tål.

De dricker snabbt och nyfiket och pratar högljutt.

Det inledande fnittret övergår snart i sluddrighet och trötthet. Vid tvåtiden är flaskorna slut. Hannah har redan somnat på golvet och Jessica tar sig med stort besvär till sin säng, där hon omedelbart faller i sömn.

Victoria själv har inte druckit mer än ett par klunkar och hon lägger sig pirrig och förväntansfull i sin säng.

Klarvaken ligger hon och väntar.

Som överenskommet dyker de äldre flickorna upp klockan fyra på morgonen. Hannah och Jessica vaknar till när de bärs genom korridoren, nerför trapporna och ut över gårdsplanen bort till redskapsboden vid vaktmästarbostaden, men är så omtöcknade att de inte har en chans att göra motstånd.

Inne i skjulet byter flickorna om och tar på sig rosa kåpor och grismasker. Maskerna har de gjort av plastmuggar och rosa tyg som de klippt hål i för ögonen. Med svart tuschpenna har de målat leende munnar och hålen för trynena är markerade med två svarta prickar.

Muggarna är fyllda med strimlad aluminiumfolie och de fäster maskerna runt sina huvuden med gummiband. När de bytt om plockar en av flickorna fram en videokamera och en annan börjar prata. Ljudet som kommer från det utstående trynet är mer som ett darrande, metalliskt väsande än riktiga ord.

Victoria ser att en av de äldre flickorna lämnar skjulet.

”Bind dom”, väser en annan.

De maskerade kastar sig över Hannah, Jessica och Victoria, placerar dem på varsin stol, bakbinder dem med kraftig silvertejp och förser dem med ögonbindlar.

Victoria sitter nöjt tillbakalutad och hör hur flickan som gått ut återkommer in i skjulet.

Victoria överrumplas av stanken som flickan för med sig.

Senare på morgonen försöker Victoria skrubba bort stanken från sin hud, men den verkar ha bitit sig fast.

Det hela har blivit värre än hon kunnat ana.

I gryningsljuset dyrkar hon upp Fredrikas dörr och när hon vaknar sitter Victoria grensle över henne.

”Ge hit videokassetten”, väser hon tyst för att inte väcka rumskamraterna medan Fredrika försöker värja sig.

Victoria har ett fast grepp om hennes händer.

”I helvete heller”, säger Fredrika, men Victoria hör hur rädd hon är.

”Du verkar glömma att jag vet vilka ni är. Jag är den ende som vet vilka som var bakom de där maskerna. Vill du att din pappis ska få reda på vad ni gjorde mot oss, va?”

Fredrika förstår att hon inte har något val.

DÅTID

Victoria tar trapporna upp till mediarummet och gör två kopior av kassettbandet. Den första filmen ska hon lägga på brevlådan vid busstorget i ett frankerat kuvert adresserat till henne själv på Värmdö och den andra tänker hon ha i reserv och skicka till tidningarna om de någonsin försöker något med henne igen.

X2000

För andra gången på mindre än två veckor tvingades Ivo Andrić delta i utredningen av ett mord på en ung pojke. Den här gången satt han med en kopp kaffe i restaurangvagnen på det X2000-tåg som skulle anlända till Centralen 13.40. Stockholmspolisen hade tagit kontakt på morgonen och i samråd med sin överordnade hade han avbrutit sin semester och satt sig på första bästa tåg.

Han öppnade mappen med bilderna han fått skickade till sig. Det var sex printade bilder i fyrfärg och mycket detaljerade. Han såg sig omkring för att försäkra sig om att ingen obehörig skulle kunna se det han själv just var på väg att få se.

Det första fotografiet var en översiktsbild och visade en stympad kropp placerad på en brygga. Precis som förra gången var offret en ung pojke och Ivo hade fått veta att kroppen hittats tidigt på morgonen ute på Svartsjölandet av ett äldre par som varit ute och motionerat. Den andra bilden var en närbild på pojkens rygg, och han kunde konstatera att även i det här fallet var det frågan om mycket grovt våld.

De andra bilderna var närstudier och gav honom inte mer information än de tidigare.

Till skillnad från pojken som man hittat vid Thorildsplan visste man här med stor sannolikhet vem offret var.

Pojken på bryggan hette Jurij Krylov, en vitrysk pojke som anmälts försvunnen i början av mars då han avvikit från flyktingförläggningen utanför Upplands Väsby. Enligt migrationsverket hade han inga anhöriga, vare sig i Sverige eller i Vitryssland.

Ivo Andrić reste sig och gick för att fylla på sin tomma kaffemugg, men ändrade sig och köpte ett glas vin istället. Han skulle ju trots allt ha varit ledig och tyckte att han kunde unna sig lite lyx. Resten av resan ägnade han sig åt att läsa den första rapporten och göra noteringar och jämförelser mellan de båda fallen.

Han insåg nästan omedelbart att det med stor sannolikhet var samma förövare och att man nu hade att göra med en dubbelmördare. Hur många fler pojkar skulle försvinna och hittas döda innan det här var över?

Svartsjölandet

Hurtig ringde på morgonen och Jeanette Kihlberg åkte direkt ut på Svartsjölandet för att leda arbetet med den vitryske pojken. De enda riktiga fynd man gjorde var dels två skoavtryck, ett från en större sko och ett från en mindre, nästan ett barns, samt hjulmärken efter en bil. Teknikerna hade gjort några avgjutningar som skulle bli användbara först när man hade något att jämföra dem med.

Ett hundratal meter från fyndplatsen noterade Åhlund att samma fordon hade skrapat i ett träd, så om det nu var förövarens bil visste man att den var blå.

Åklagare von Kwist hade under förmiddagen beslutat om en utvidgad rättsmedicinsk obduktion i fallet Jurij Krylov, vilken är den mest noggranna obduktionstypen i Sverige och som alltid utförs när det rör sig om brott av den här arten.

Jeanette hoppades att Ivo Andrić skulle vara den som undersökte kroppen.

Hon mådde trots omständigheterna ganska bra, även om de två döda pojkarna gjorde att hon var pressad av åklagaren som ville se snabba resultat.

Men en efterlysning på Jimmie Furugård tänkte han fortfarande inte gå med på.

Jävla klåpare, tänkte Jeanette. Hade han bara skött sitt jobb hade man kunnat avskriva alternativt fördjupa utredningsarbetet kring Furugård.

Någon därute rövade bort barn som ingen saknade och misshandlade dem sedan så svårt att de avled. Och trots att man gått ut i de stora tidningarna och bett allmänheten om hjälp med att identifiera pojken vid Thorildsplan så hade tipstelefonerna varit tysta.

Däremot hade ett inslag i TV3:s Efterlyst fått till följd att ett antal kraftigt störda personer tagit på sig dådet. Ofta kunde sådana inslag hjälpa en utredning som gått i stå, men i det här fallet hade det bara tagit dyrbar tid i anspråk. Man var ju trots allt tvungen att tala med personerna även om man på förhand visste att det rörde sig om blindspår.

Samtliga som ringt hade varit män som, om det inte varit för diverse politiska beslut, skulle ha suttit på det nedlagda mentalsjukhuset i Långbro och fått adekvat hjälp. Män som nu istället huserade på Stockholms gator och tuktade sina demoner med hjälp av knark och sprit.

Välfärdsstat, i helvete heller, tänkte hon och blev med ens förbannad.

Patologiska institutionen

Ivo Andrić drog ner blixtlåset och öppnade den grå liksäcken av plast. Det stack till i näsan av den otäcka lukten. Efter att ha legat länge i vatten hade kroppsfetterna förvandlats till en härsket luktande, nästan kittliknande massa. Kroppen hade legat i vassen utanför Svartsjölandet i minst tre veckor och var illa tilltygad.

Överhuden på pojkens händer och fötter hade absorberat så mycket vatten att den lossnat som handskar eller sockor. Papillarmönstret var dock intakt och man hade kunnat säkra fingeravtryck.

Kroppar som ligger i vatten intar ett karaktäristiskt läge med huvudet, armarna och benen nedåt och bålen och ryggen upplyft, med benen böjda i höftlederna. Detta gör att förruttnelsen börjar i huvudet på grund av ansamlingen av blod i huvudets kärl.

I pojkens lungor fanns inte den mängd vätska som skulle tyda på att han hade drunknat och han hade alltså, med stor sannolikhet, redan varit död när han placerats i vattnet.

Efter bara några timmar i vattnet hade kroppen angripits av flugor och Ivo Andrić kunde se små gula och gulröda korn i pojkens ögonvrår och kring hans näsa och mun. Det var flugägg som redan efter några dagar skulle utvecklas till larver, eller så kallade likmaskar, vilka är mycket rörliga och borrar sig djupt in i kroppens mjukvävnader och livnär sig där. Efter några veckor förpuppas de och blir till en ny generation flugor. Ivo Andrić hade en gång sett en kropp som var helt täckt av ett tjockt, krypande lager av vitgula larver.

Det var heller inte ovanligt att kroppar som förruttnat i vatten uppvisade tecken på angrepp av fisk. Så var det också i det här fallet.

Pojkens ögon var delvis uppätna. I ansiktet hade han stora hematom över käkvinklarna och på hakspetsen.

Även den här pojkens genitalier var avlägsnade och Ivo Andrić noterade att det var gjort med samma precision som förra gången.

Han tog tag i kroppen och försökte vända på den så att han kunde inspektera ryggen. Den var lös och mjuk och han fick vara försiktig så att han inte skadade den mer än nödvändigt.

Över ryggen såg han de långsträckta underhudsblödningarna som visade att även den här pojken hade piskats.

Det skulle inte förvåna honom om kroppen också skulle visa sig innehålla stora mängder Xylocain adrenalin och han hoppades att rättskem snabbt skulle kunna analysera de tagna proverna.

Kvarteret Kronoberg

”Glöm Furugård!” var allt von Kwist sa.

”Va? Vad menar du?” Jeanette Kihlberg reste sig och ställde sig vid fönstret. ”Killen är ju i högsta grad... Nu förstår jag ingenting.”

”Furugård har alibi och har ingenting med det här att göra. Det var ett stort misstag av mig att lyssna på dig.”

Jeanette hörde hur upprörd åklagaren lät och såg hans högröda ansikte framför sig.

”Furugård är grön”, fortsatte han. ”Han har alibi.”

”Jaha, och hur ser det ut?”

Von Kwist var tyst ett slag innan han fortsatte.

”Det jag nu säger är hemligt och stannar mellan dig och mig. Jag förmedlar bara en uppgift. Är det klart?”

”Ja, ja. Självklart.”

”Svenska utlandsstyrkan i Sudan, är allt jag kan säga.”

”Och?”

”Furugård värvades i Afghanistan och har under hela våren varit placerad i Sudan. Han är oskyldig.”

Jeanette visste inte vad hon skulle säga.

”Sudan?” var det enda hon fick fram och hon kände sig oändligt maktlös.

Tillbaka på ruta ett. Ingen misstänkt för morden och bara namnet på det ena av offren.

Pojken ute på Svartsjölandet var mycket riktigt Jurij Krylov. En föräldralös pojke från Molodetjno, en timmes bilresa nordväst om Minsk i Vitryssland. Hur och varför han kommit till Sverige kunde man bara gissa och på den vitryska ambassaden på Lidingö var man inte överdrivet hjälpsam.

Den mumifierade pojken i buskarna vid Thorildsplans tunnelbanestation var fortfarande oidentifierad och Jeanette hade kontaktat Europol i Haag för att få eventuella klargöranden. Det var naturligtvis omöjligt. Europa kryllade av illegala flyktingbarn utan kontakt med myndigheter. Överallt fanns det barn som kom och försvann utan att någon visste vart de tog vägen. Och även om man visste var det ingen som gjorde någonting.

Det var ju bara barn det handlade om.

Ivo Andrić ute i Solna hade upplyst henne om att Jurij Krylov med stor sannolikhet hade kastrerats levande.

Hon funderade på vad det kunde betyda. Den oerhörda våldsamheten och den tortyrliknande behandlingen tydde av erfarenhet på att förövaren var en man.

Men det fanns också något rituellt över det hela, så man kunde inte utesluta att det var ett dåd som utförts av fler än en person. Kunde det röra sig om människosmugglare?

Just nu måste hon hursomhelst koncentrera sig på det mest troliga. En ensam och våldsam man som med stor sannolikhet redan fanns i deras register. Svårigheten med att leta utifrån dessa kriterier var att det fanns så många sådana män.

Hon stirrade på luntorna på skrivbordet.

Tusentals pappersark om drygt hundra potentiella gärningsmän.

Hon bestämde sig för att gå igenom högen av domstolsbeslut och förhörsutskrifter en gång till.

Tre timmar senare fann hon något intressant. Hon reste sig, gick ut i korridoren och knackade på dörrkarmen till Jens Hurtigs rum.

”Har du tid ett ögonblick?”

Han vände sig mot henne och hon besvarade hans frågande uppsyn med ett leende.

”Kom med”, sa hon.

De satte sig på varsin sida om skrivbordet och Jeanette räckte över en mapp till Hurtig.

När han öppnade den såg han förvånad ut.

”Karl Lundström? Det var ju han som vi gjorde tillslaget mot. Han med barnporr i datorn. Vad är det med honom?”

”Jag ska förklara. Karl Lundström har förhörts av Rikskrim och i utskrifterna du har framför dig beskriver Lundström i detalj hur det går till om man vill köpa ett barn.”

Han såg intresserad ut. ”Köpa ett barn?”

”Ja. Och Lundström sitter dessutom på detaljkunskaper om det. Han nämner exakta summor, påstår att han själv aldrig deltagit i handeln men känner flera personer som gjort det.”

Hurtig lutade sig tillbaka och drog för andan.

”Fan, det låter ju intressant. Några namn?”

”Nej. Men materialet om Lundström är inte komplett än. Parallellt med förhören pågår en undersökning på Rättspsyk. Kanske kan psykologerna som just nu sitter och pratar med honom berätta mer.”

Hurtig bläddrade i pappershögen. ”Något annat?”

”Ja, det är några saker till. Karl Lundström förespråkar kastrering av pedofiler och våldtäktsmän. Men mellan raderna förstår man att han anser att det inte är nog. Alla män bör kastreras.”

Hurtig himlade med ögonen. ”Är det inte lite väl långsökt ändå? Det rör sig ju om småpojkar i de här fallen.”

”Det är möjligt, men det finns ytterligare ett par saker som gör att jag vill kolla upp honom”, fortsatte Jeanette. ”Det finns ett nedlagt fall om våldtäkt mot barn, misshandel och frihetsberövande. Sju år sedan. Flickan som anmälde honom var fjorton år och heter Ulrika Wendin. Gissa vem som la ner fallet.”

Han flinade. ”Åklagare Kenneth von Kwist, förmodar jag.”

Jeanette nickade.

”Ulrika Wendin är skriven på en adress i Hammarbyhöjden och jag föreslår att vi åker dit så fort som möjligt.”

”Okej... Vad mer?”

Han såg uppfordrande på henne och hon kunde inte låta bli att dröja lite med svaret.

”Karl Lundströms fru arbetar som tandläkare.”

Nu såg han oförstående ut.

”Tandläkare?”

”Ja, Lundströms fru är tandläkare och han kan med andra ord ha tillgång till medicin. Vi vet att åtminstone ett av våra offer har varit förgiftat med bedövningsmedel som används av tandläkare. Xylocain adrenalin. Ett plus ett. Jag skulle heller inte bli förvånad om provsvaren visade att också Krylovs blod innehåller spår av det. Kort sagt är det inte omöjligt att allt det här hänger ihop.”

Hurtig la ifrån sig mappen på bordet och reste sig.

”Okej, du har övertygat mig. Lundström är intressant för oss.”

”Jag ringer Billing”, sa Jeanette, ”så får vi hoppas att han kan övertyga åklagaren att ordna ett förhör.”

Hurtig hejdade sig i dörren och vände sig om.

”Är det verkligen nödvändigt att dra in von Kwist, det rör sig ju bara om ett första sonderande samtal?”

”Tyvärr”, sa Jeanette, ”i och med att han redan står inför ett åtal måste vi åtminstone informera honom.”

Hurtig suckade och gick.

Hon ringde till polismästare Dennis Billing som till hennes förvåning var ovanligt medgörlig och lovade att göra vad han kunde för att övertyga åklagaren och sedan ringde hon till förhörsledaren på Rikskriminalen, Lars Mikkelsen.

Hon presenterade sitt ärende, men när hon nämnde namnet Karl Lundström skrattade han.

”Nej du, det stämmer inte.” Mikkelsen harklade sig. ”Han är ingen mördare. Jag har haft med många mördare att göra genom åren och jag känner igen dem. Den här mannen är sjuk. Men ingen mördare.”

”Det är mycket möjligt”, sa Jeanette. ”Men jag är intresserad av att veta mer om hans kontakter när det gäller handeln med barn.”

”Lundström ger sken av att veta en hel del om hur det där går till, men jag är inte så säker på att du har något att hämta hos honom. Det här är internationell verksamhet och inte ens om du vänder dig till Interpol kan du förvänta dig hjälp. Tro mig, jag har arbetat med den här skiten i tjugo år och vi försöker hela tiden.”

”Hur kan du vara så säker på att Lundström inte är en mördare?” frågade hon.

Han harklade sig igen. ”Allt är ju givetvis möjligt, men om du fick träffa honom skulle du förstå. Du borde prata med psykologerna på Rättspsyk istället. En Sofia Zetterlund är konsulterad som sakkunnig. Men utredningen är knappt påbörjad, så du bör nog vänta nån dag med Huddinge.”

De avslutade samtalet.

Jeanette hade inget att förlora och kanske skulle psykologen kunna bidra med något, om så bara med en ynka liten detalj. Sånt hade hänt förr. Som det såg ut fanns det anledning att ringa upp den där Sofia Zetterlund.

Men det var långt efter kontorstid och Jeanette bestämde sig för att vänta med telefonsamtalet. Nu skulle hon åka hem.

NUTID

Gamla Enskede

I bilen ringde hon Åke och frågade om det fanns någon mat hemma, men de hade ätit pizza och kylen var tom så hon stannade till på Statoil vid Globen och åt ett par grillade korvar.

Det var varmt i luften och hon vevade ner bilrutan och lät den friska vinden smeka hennes ansikte. När hon parkerat bilen framför villan och gick upp genom trädgården kände hon att det luktade nyklippt gräs, och när hon svängde runt hörnet på huset såg hon Åke sitta med en öl på altanen. Han var svettig och smutsig efter arbetet med den kuperade och steniga trädgården. Hon gick fram till honom och kysste hans orakade kind.

”Hej snygging”, sa hon av gammal vana. ”Vad fint du har gjort det. Det behövdes verkligen! Jag har sett hur de har glott över staketet.” Hon nickade mot grannhuset och gjorde en min av att vilja kräkas. Åke skrattade och nickade.

”Var är Johan?”

”Han är borta vid fotbollsplanen med några kompisar.”

Han såg på henne och la huvudet på sned medan han log.

”Du är vacker även om du ser trött ut.” Han tog henne om midjan och tryckte ner henne i knäet. Hon drog handen över hans snaggade huvud, gjorde sig fri, reste sig och gick mot altandörren in till köket.

”Finns det nåt vin hemma? Jag skulle verkligen behöva ett glas just nu.”

”Det står en öppnad box på bänken och så finns det några pizzabitar i kylskåpet. Men eftersom vi är ensamma en timme kanske vi skulle gå in ett slag?”

De hade inte älskat på flera veckor och hon visste att han brukade hjälpa sig själv inne på toaletten, men hon kände att hon var alldeles för trött och bara ville sätta sig ner med ett glas vin och njuta av den sköna försommarkvällen. Hon vände sig om och såg att han var på väg efter henne.

”Okej”, sa hon utan någon som helst entusiasm.

Hon hörde hur hon lät men orkade verkligen inte låtsas vara något hon inte var.

”Skit i det då om det ska låta på det viset.”

Hon vände sig om och såg att han gått tillbaka till utemöblerna och öppnat ytterligare en öl.

”Förlåt”, sa hon. ”Men jag är så jävla trött och vill bara byta om till nåt skönare och ta det lugnt innan Johan kommer hem. Vi kan väl göra det innan vi somnar?”

Han vände bort blicken och mumlade. ”Visst, visst. Det blir nog bra med det.”

Hon drog en djup suck, övermannad av känslan att inte räcka till.

Med bestämda steg gick hon tillbaka ner till Åke och ställde sig bredbent framför honom.

”Nej, det blir nog fan inte bra med det! Jag vill att du håller käften och kommer med in och sätter på mig ordentligt! Inget jävla tjafs eller förspel!” Hon tog honom i handen och drog upp honom ur stolen. ”Köksgolvet blir alldeles utmärkt!”

”Fan, vad du ska provocera hela tiden!” Åke slet sig loss från hennes grepp och gick bort mot husgaveln. ”Jag tar cykeln och hämtar Johan.”

Alla dessa karlar, tänkte hon, som tyckte att de hade rätt att ställa krav och lägga skuld på henne. Hennes chefer, Åke och sedan alla jävlar hon ägnade sina långa dagar åt att sätta dit.

Alla män som på ett eller annat sätt hade inflytande över hennes liv och som det så många gånger skulle vara mycket lättare att vara utan.

NUTID

Huddinge sjukhus

Sofia kände sig helt utmattad när Linnea Lundströms pappa, pedofilen Karl Lundström, lämnat rummet. Trots att han förnekade det förstod hon att han var fylld av skam. Den skymtade i hans ögon när han berättade om episoden i Kristianstad och den gömde sig bakom de religiösa funderingarna och i historierna om sexhandeln med barn.

I de sistnämnda fallen handlade det om att förtränga den.

Skulden och skammen var inte hans, den var hela mänsklighetens samvete eller den ryska maffians.

Var historierna omedvetet uppdiktade?

Sofia bestämde sig för att meddela Lars Mikkelsen de uppgifter som framkommit under samtalet, även om hon inte trodde att polisen skulle finna någon Anders Wikström i Norrland och inte heller några videokassetter i ett skåp under trappan i hans källare.

Hon slog numret till polisen, blev kopplad till Mikkelsen och redogjorde kortfattat för det Karl Lundström berättat.

Hon avslutade samtalet med en retorisk fråga.

”Är det omöjligt att låta bli att ge ångestdämpande läkemedel på ett av Sveriges största sjukhus?”

”Var Lundström snurrig?”

”Ja, och ska jag kunna göra mitt jobb förutsätter jag att den jag pratar med är ren.”

När Sofia lämnade avdelning 112 på Huddinge sjukhus tänkte hon på hur hon skulle förhålla sig till sitt arbete.

Vilken typ av klienter var det egentligen hon ville arbeta med?

Hur och när gjorde hon mest nytta? Och hur mycket fick det kosta henne i form av dålig nattsömn och en krånglande mage?

Hon ville arbeta med klienter som Samuel Bai och Victoria Bergman, men där hade hon visat att hon inte var tillräcklig.

I Victoria Bergmans fall hade hon helt enkelt blivit för engagerad och tappat omdömet.

Och i övrigt?

Hon gick ut på parkeringen, tog upp bilnycklarna och kastade en snabb blick mot sjukhuskomplexet.

Å ena sidan var det arbetet här ute, med män som Karl Lundström. Hon var inte ensam om att fatta besluten. Hon gav ett utlåtande i utredningarna vilket i bästa fall blev till en rekommendation som sedan överlämnades till rätten.

Hon tyckte att det påminde om viskningsleken.

Hon viskade sin ståndpunkt i någons öra, viskningen gick sedan till nästa person och till nästa för att till sist hamna hos en domare som meddelade ett slutgiltigt beslut med en helt annan innebörd, kanske påverkad av någon inflytelserik nämndeman.

Hon låste upp bildörren och sjönk ner på sätet.

Å andra sidan var det arbetet på mottagningen, med klienter som Carolina Glanz, där hon fick betalt per timme.

Där är förutbestämda ramar, tänkte hon när hon startade motorn. Det finns ett färdigskrivet kontrakt om förutsättningarna.

Använda och låta sig användas.

Klienten betalar för en överenskommen tid, förutsätter ett hundraprocentigt fokus på sig själv och använder terapeuten som mot betalning låter sig användas av klienten.

En sorglig tautologi, konstaterade hon medan hon körde ut från parkeringen.

Jag är som en prostituerad.

NUTID

Tvålpalatset

Boxningsklubben Linnea huserade under många år i samma fastighet som Sofia Zetterlunds mottagning på S:t Paulsgatan. Namnet på boxningsklubben var omstritt. En historia förtäljer att grundarna brukade träna på en gräsplätt vid en villa som bar namnet Linnea, en annan berättar att namnet var en följd av att Linneadagen sammanföll med boxningsklubbens grundande. En tredje version bygger på teorin att boxarna var stora beundrare av Evert Taube och att namnberedningens slutgiltiga beslut helt enkelt baserades på den druckne skaldens personliga åsikt om vilket namn som var världens vackraste, det skönaste på jorden.

Linnea.

När Sofia kom tillbaka till mottagningen kände hon sig alldeles tom. Det var en timme kvar till nästa klient, en medelålders kvinna som hon träffat två gånger tidigare och vars huvudsakliga problem var att hon hade problem.

Ett samtal som skulle ägnas åt att förstå ett problem som inte var ett problem från början, men blev till ett problem eftersom det mer eller mindre obemärkt förvandlades till ett problem under samtalets gång.

Sofia kände sig hjälplös. Vad skulle det handla om den här gången? En tavla i kvinnans hem som hängde snett på grund av att hennes man stängt dörren för hårt när han gick till jobbet? Tavlan vickade åt sidan och symboliserade ett havererat äktenskap, rubbade de raka linjerna i hemmet. Det var hans fel att hon inte mådde bra, fast det enda hon gjort under tjugo år var att äta chokladpraliner medan barnen misslyckades med allt de tog sig för.

Hon slog på datorn, gick igenom de anteckningar hon hade och insåg genast att det inte fanns något samtal att förbereda sig för.

Efter det skulle Samuel Bai komma.

Riktiga människors problem, tänkte hon.

En timme.

Victoria Bergman.

Hon pluggade in hörlurarna.

Victorias röst lät road.

Det var ju så lätt att man kunde skratta på sig åt deras allvarliga miner när jag köpte en kola för tio öre och hade hela jackan full med snask som jag sen kunde sälja till alla som tävlade om vem som vågade ta mig på brösten eller mellan benen och sen skratta när jag blev förbannad och sprutade lim i låsen så att de blev försenade och den där skäggiga gubben slog lagboken i huvet så tänderna skallrade och tvingade en att spotta ut tuggummit som ändå hade tappat smaken och som jag sen kletade fast i en fluga…

Sofia förundrades över hur rösten förändrades med associationerna. Det var som om minnena tillhörde flera personer som talade via ett medium. Mitt i meningen antog Victorias röst ett vemodigt tonläge.

… och jag hade ju fler tuggummin i reserv och jag kunde smuggla in ett nytt när han satt där och läste och kikade om jag fuskade med glosorna i handen som smetades ut av svetten och jag stavade fel bara för att jag var nervös och inte för att jag var dum i huvudet som de andra krakarna som kunde trixa med bollen tusen gånger utan att tröttna, men inte visste något om huvudstäder eller krig men som borde veta det eftersom det var såna som de som startade krig hela tiden och aldrig förstod när det var nog utan bara gav sig på den som stack ut lite och hade fel märke på byxorna eller ful frisyr eller var för fet…

Rösten blev skarpare. Sofia mindes att Victoria varit arg.

… som den stora, tjocka flickan som alltid cyklade omkring på sin trehjuling, såg konstig ut i ansiktet och dreglade hela tiden och en gång sa de åt henne att ta av sig kläderna, men hon för-

stod inte förrän de hjälpte henne av med byxorna. De hade alltid trott att hon bara var ett stort barn så de blev förvånade när de såg att hon var vuxen på underkroppen och sen skulle man få stryk bara för att man inte grät när de boxade en i magen och man skrattade istället och bara gick vidare utan att skvallra eller klaga utan var hård och beslutsam...

Sedan tystnade rösten. Sofia hörde sina egna andetag. Varför hade hon inte bett Victoria att fortsätta?

Hon spolade fram. Nästan tre minuters tystnad. Fyra, fem och sex minuter. Varför hade hon spelat in det här? Det enda som hördes var andetag och prassel med papper.

Efter sju minuter hörde Sofia ljudet av att hon vässade sin penna. Sedan bröt Victoria tystnaden.

Jag har aldrig slagit Martin. Aldrig!

Victoria nästan skrek och Sofia fick sänka volymen.

Aldrig. Jag sviker inte. Jag åt skit för dem. Hundskit. Jag är fan i mig van att ta skit! Jävla Sigtunasnobbar! Jag åt skit för deras skull!

Sofia tog av sig hörlurarna.

Hon visste att Victoria blandade ihop sina minnesbilder och att hon ofta glömde vad hon sagt några minuter tidigare.

Men var dessa bortfall vanliga minnesluckor?

Hon kände sig nervös för mötet med Samuel. Samtalet fick inte leda in i en återvändsgränd som det tenderat att göra under de senaste besöken.

Hon måste komma honom in på skinnet innan det var för sent, innan han gled henne ur händerna helt. Hon visste att hon skulle behöva all energi hon hade för att orka med samtalet.

Som vanligt dök Samuel Bai upp punktligt i sällskap med en socialarbetare från Hässelby.

”Halv tre?”

”Jag har tänkt att vi ska ha ett längre samtal den här gången”, sa Sofia. ”Du kan hämta honom klockan tre.”

Socialarbetaren försvann ut till hissen. Sofia såg på Samuel Bai som visslade till. ”Nice meeting you, ma’am”, sa han och fyrade av ett stort leende.

Sofia blev lättad när hon förstod vilken av Samuels personligheter som stod framför henne.

Detta var Frankly Samuel, som Sofia kallade honom i sina journalanteckningar, den uppriktige, utåtriktade och trevlige Samuel som inledde var och varannan mening med ”Frankly ma'am, I have to tell'ya…” Han talade alltid på ett slags hemmasnickrad engelska som Sofia fann lite lustig.

Senast hade Samuel blivit till den uppriktige så fort socialarbetaren försvunnit och de tagit varandra i hand.

Intressant att han väljer den uppriktige när han träffar mig, tänkte hon och visade in honom.

Frankly Samuels uppriktiga sätt gjorde honom till den mest intressanta av de olika Samuel som Sofia hittills observerat under samtalen. Den ”vanlige” Samuel, som hon kallade Samuel Common och som var hans huvudpersonlighet, var sluten, korrekt och inte särskilt meddelsam.

Frankly Samuel var den del av hans personlighet som berättade om de fruktansvärda handlingar han begått som barn. Det var nästan bisarrt att betrakta honom, ständigt leende och charmerande komplimentera Sofia för hennes vackra ögon och välformade byst, för att sedan avsluta meningen med att berätta om hur han suttit i ett mörkt skjul på Lumley Beach utanför Freetown och omsorgsfullt skurit öronen av en liten flicka. Därefter kunde han brista ut i ett smittande skratt som hon tyckte påminde om fotbollspelaren Zlatan Ibrahimovićs. Ett muntert och djupt hö-hö som liksom inandades och fick hela ansiktet att stråla.

Men några gånger hade det blixtrat till i hans ögon och hon trodde att det därinne fanns ytterligare en Samuel, som ännu inte visat sig.

Sofias terapiarbete gick ut på att samla de olika personligheterna i en enda sammanhållande person. Men hon visste också att man inte bör gå för fort fram i sådana här fall. Klienten måste kunna hantera materialet den bär på.

Med Victoria Bergman hade allt kommit av sig själv.

Victoria var som ett mänskligt reningsverk när hon i sina

malande monologer försökte skölja bort det onda.

Men med Samuel Bai var det annorlunda.

Hon fick vara försiktig med honom, men för den skull inte ineffektiv.

Frankly Samuel visade inga djupare affekter när han redogjorde för det fruktansvärda han upplevt. Men hon fick mer och mer en känsla av att han satt där framför henne med en bomb inom sig.

Hon bad honom att slå sig ner och Frankly Samuel satte sig på stolen med en ormlik rörelse. Ett slags elastiskt, slingrande kroppsspråk tillhörde personligheten.

Sofia såg på honom och log lite försiktigt.

”So...how do you do, Samuel?”

Han knackade med sin stora silverring mot bordskanten och betraktade henne med muntra ögon. Sedan gjorde han en rörelse som om en våg hade passerat genom honom från axel till axel.

”Ma'am, dat has never been better... And Frankly, I must tell'ya...”

Frankly Samuel tyckte om att samtala. Han visade ett uppriktigt intresse även för Sofia och ställde själv personliga frågor och bad rättframt om hennes åsikter i olika frågor. Det var bra, eftersom hon då kunde leda in samtalet på de saker hon ansåg var viktiga för att ett genombrott i behandlingen skulle kunna ske.

Samtalet hade varat i ungefär en halvtimme då Samuel, till Sofias besvikelse, plötsligt bytte personlighet till Samuel Common. Vad hade hon gjort för fel?

De hade talat om segregering, ett ämne som intresserade Frankly Samuel, och han hade frågat var hon bodde och vilken tunnelbanestation man klev av vid om man ville hälsa på henne. Då hon svarat Södermalm respektive Skanstull eller Medborgarplatsen, hade den uppriktiges leende slocknat och han blev mer reserverad.

”Vid Monumental, ja faan ...”, sa han på bruten svenska.

”Samuel?”

”Va err de? Han spotta mitt ansikte ... spindlar på armar. Tattoos ...

Sofia visste vilken händelse han refererade till. Av socialen i Hässelby hade hon fått veta att han blivit misshandlad i en port på Ölandsgatan. Med Monumental menade han kvarteret Monumentet nära Skanstulls tunnelbaneuppgång.

I närheten av Mikaels lägenhet, tänkte hon.

”Se min tattoo också, det stå R för revolution och U för united, F för fronten. Se här!”

Han drog ner tröjan och på bröstet fanns en tatuering.

RUF med spretiga bokstäver och hon kände mer än väl igen den laddade symbolen.

Var det minnet av överfallet som återkallade Samuel Common?

Hon funderade en kort stund över frågan medan han satt tyst och stirrade ner i bordet.

Kanske hade Frankly Samuel inte kunnat hantera förödmjukelsen av överfallet och överlåtit det hela till Samuel Common, som var den som så att säga skötte de mer formella kontakterna med polis eller socialtjänst. Det var därför Frankly Samuel försvunnit när kvarteret Monumentet kom på tal.

Så måste det vara, tänkte hon. Språket är en psykologisk symbolbärare.

Med ens förstod hon också hur hon skulle få Frankly Samuel att komma tillbaka.

”Ursäktar du mig ett ögonblick, Samuel?”

”Vadå?”

Hon log åt honom. ”Det är något jag vill visa dig. Vänta här. Jag är tillbaka om en minut.”

Hon gick ut från rummet och raka vägen in till tandläkare Johanssons väntrum genom dörren till höger om hennes mottagning.

Utan att knacka stegade hon in i tandläkarens behandlingsrum. Hon ursäktade sig för den förvånade Johansson, vilken var mitt uppe i att spola munnen på en äldre dam, och bad att få låna den gamla motorcykelmodellen som stod i bokhyllan bakom honom.

”Jag behöver den i en timme bara. Jag vet att du är rädd om

den, men jag lovar att vara försiktig.”

Hon log insmickrande åt den sextioårige tandläkaren. Han hade ett gott öga till henne, det visste hon. Han är väl lite gubbsjuk också, erkände hon för sig själv.

”Psykologer, dessa psykologer...”, skrockade han under munskyddet. Han reste sig och plockade ner den lilla metallmotorcykeln från hyllan.

Det var en modell av en gammal rödlackad Harley Davidson. Den var mycket välgjord och enligt Johansson tillverkad i Staterna 1959 av nedsmält metall och gummi från en riktig HD.

Den är perfekt, tänkte Sofia.

Johansson räckte henne modellmotorcykeln och påminde henne om dess värde. Minst tvåtusen på Tradera, kanske mer om man säljer den till en japan eller en jänkare.

Den måste väga minst ett kilo, tänkte hon när hon gick ut från tandläkaren och tillbaka in på sitt rum. Hon ursäktade sig åter för Samuel och ställde motorcykeln på fönsterkarmen till vänster om bordet.

”Jeesus, ma'am!” utbrast han.

Hon hade inte trott att förvandlingen skulle ske så snabbt.

Frankly Samuels ögon lyste av iver. Han störtade fram till fönstret och road betraktade Sofia honom när han mycket aktsamt vred och vände på motorcykeln under små visslingar och förtjusta utrop.

”Jeesus, beautiful...”

Hon hade under tidigare samtal observerat en passion i Frankly Samuel. Vid återkommande tillfällen hade han berättat för henne om motorcykelklubben i Freetown, där han ofta höll till och beundrade de långa raderna av bågar. När han var fjorton blev frestelsen för stor och han stal en HD som han sedan körde längs de vidsträckta stränderna utanför staden.

Samuel satt nu ner i stolen med motorcykeln i famnen och klappade den som om den vore en liten knähund. Ögonen lyste och ansiktet var uppsprucket i ett brett leende.

”Freedom, ma'am. Dat is freedom... Dem bikes are for me like momma-boobies are for dem little children.”

Han började berätta om sitt intresse. Att äga en motorcykel innebar inte bara frihet för honom, det hade också imponerat på flickor och gett honom vänner.

”Berätta mer om dem. Your friends.”

”Which friends? Da cool sick or da cool fresh? Myself prefer da cool freshies! Frankly, I have lots'off dem in Freetown...start with da cool fresh Collin...”

Sofia log lite diskret och lät honom berätta om Collin och om sina övriga vänner, den ena coolare än den andra. Hon upptäckte efter tio, femton minuter att han förmodligen skulle sitta tiden ut och via anekdoter i ömsom beundrande, ömsom skrytsamma ordalag skildra sina vänner på en imponerande detaljnivå.

Hon kände att hon var tvungen att vara på sin vakt. Frankly Samuels böljande ordsvada och kroppsrörelser fick henne att tappa koncentrationen.

Hon måste försöka att styra in samtalet på något annat.

Då hände det som hon visserligen funderat över tidigare, men som hon i det ögonblicket inte väntat sig skulle ske.

Ännu en Samuel visade sig för henne.

Dåtid

Röda Korsets läger i Lakka består av tre större tält överfyllda med sjuka eller skadade människor samt ett litet murat hus, vilket fungerar som förråd för mediciner och annan utrustning.

Det murade huset vaktas av två tungt beväpnade soldater eftersom medicinen är eftertraktad av rebellerna.

De lindar hennes knä då det visat sig vara ur led. Det gör fruktansvärt ont när läkarna drar det på plats, men smärtan berör henne inte och hon tackar nej till den ampull med morfin man erbjuder henne.

Hon tycker inte hon förtjänar den.

När hon ber om att få sitta på en pall istället för att ligga på britsen ruskar man bara på huvudet och säger åt henne att martyrskap inte fungerar i Sierra Leone.

Strax efter somnar hon trots smärtan i benet.

När hon öppnar ögonen igen är det mörkt, förutom några lyktor som hänger i öppningen samt vid kaminen i mitten av sjukhustältet.

"Är du vaken?"

Det är en mörk mansröst som väcker henne. "Jag heter Marcus och är barnläkare åt UNICEF. Jag ska skjutsa dig till flygplatsen imorgon."

Han räcker henne ett glas vatten och tittar på klockan. "Som det ser ut nu finns det inget mer du kan göra här. Det är dags för dig att åka hem."

Han lutar sig fram och släcker lampan innan han går ut ur tältet.

Mindre än en vecka senare ska Marcus vara död.

Mördad av samma barn som det varit hans kall att hjälpa.

Små människor med vapen och makt att döda.

Barnsoldater.

Vägen till flygplatsen norr om Freetown går bitvis genom djungel och är mycket svårframkomlig.

Marcus kör och hon ligger i baksätet i jeepen med det lindade benet i högläge.

Utanför Lungi kör de fast då det kraftiga regnet har förvandlat skogsvägen till lervälling och de inser att de kommer att behöva hjälp för att kunna ta sig vidare.

I samma stund som de bestämmer sig för att överge bilen och ta sig vidare till fots ser de ljuset från billyktor och hör ljudet av skrik och dånande musik.

Genom vindrutan ser hon bilarna stanna, men det kraftiga regnet och mörkret gör det svårt att uppskatta hur stor rebellgruppen är.

Hon hör hur Marcus försöker förklara att de är hjälparbetare och på väg till Lungi Airport. Hon lutar sig försiktigt ut genom fönstret för att se bättre.

Hon vet att deras tillhörigheter är värdefulla varor. Dollar, bensin, två automatpistoler, kameror och viss läkarutrustning, däribland en stor flaska desinficerande nittiosexprocentig sprit. Men hon vet också att den mest eftertraktade varan är de själva.

Ledaren ser ut att vara runt tjugo år medan de övriga är i tolvårsåldern och somliga inte äldre än sex eller sju. De unga pojkarna är uppenbart höga på något, kanske amfetamin i blandning med någon form av hallucinogen, och uppför sig som om de befinner sig i en kollektiv trans.

Den unge rebelledaren skrattar och utan förvarning slår han gevärskolven rakt i ansiktet på Marcus.

De sliter ut henne ur bilen.

Smärtan bedövar henne.

Ledaren drar henne hårt i håret och river sönder skjortan

så att knapparna lossnar. Sedan vänder han sig mot småpojkarna.

”Wanna touch her?”

Han skrattar, böjer sig ner över henne och klämmer hårt om hennes ena bröst. Som i dimma ser hon hans leende ansikte. I ögonen är eld och explosioner, men det finns inga ljud omkring dem. Hennes hörsel har försvunnit.

Det är som om hon betraktar sig själv utifrån. Som om hon lämnat kroppen. Hon känner ingenting, förutom smärtan i benet och allt blir lättare om hon koncentrerar sig på den.

Barnen ger igen, tänker hon.

Någon skär sönder hennes byxor. Hennes huvud böjs bakåt och en hand tvingar henne att gapa. Hon känner den kväljande smaken av palmvin.

När hörseln återkommer är det trummanden på oljefat och ljudet från en pojkes gråt som hon hör. Hon har återvänt till kroppen och hennes hjärna fungerar igen.

Pojken står framför henne och knäpper sina byxor medan de andra skrattar. En av de äldre dunkar pojken i ryggen medan han hulkande vänder sig om. Hon ser att blod runnit nedför hennes lår och färgat hennes byxben rött.

Hon tror att hon skriker, men hon är inte säker.

Först tio minuter senare öppnar hon ögonen igen. Bredvid henne ligger Marcus ihopsjunken med stora sår på kroppen. Han är knappt vid medvetande och det svider i ögonen av saltet från hennes tårar.

Hon lyfter på huvudet och ser ledaren stå lutad över henne. Han lossar på bältet och drar ner blixtlåset på byxorna.

”Piss on ya'bitch...”

Den heta strålen har en egendomlig söt stank och innan den träffar henne i ögonen hinner hon se att den är rödfärgad.

Världen omkring är inte längre tredimensionell. Den är platt som en målning.

Kissar han blod? tänker hon.

När han är klar lyfter han upp henne med händerna i ett hårt grepp om halsen, som om hon vore en docka och hon känner hans blöta könsorgan mot sin nakna mage.

Han stoppar tungan i hennes mun, slickar henne i näsan och över ögonen. Det smakar besynnerligt av den röda vätskan.

Han har ätit rödbetor, tänker hon samtidigt som hon förlorar medvetandet och sjunker in i mörkret.

Hon vänder huvudet uppåt och kan se en svag ljuskälla rakt ovanför sig. En glödlampa?

Ljuset strilar genom ett smutsigt tyg som rör sig i den böljade vinden.

Nej, det är månen hon ser och nu när ögonen har vant sig kan hon också se jordväggarna i det svaga ljuset här inne. Hon försöker tänka klart.

Tillsammans med Marcus har hon blivit nerslängd i en grop och man har täckt öppningen med ett grovt tyg. Ska de begravas levande?

Hon inser att hon måste samla sig, hon ser sig omkring och situationen klarnar.

Den mjuka jordväggen lutar en aning, kanske tillräckligt för att hon ska kunna krypa upp. Det är bara ett par, tre meter till kanten. Hon gör ett försök, men smärtan får henne att falla tillbaka.

Naglarna gräver sig in i det lösa jordtäcket och till slut lyckas hon ta sig upp.

Ljuset från en glödlampa genom tyget. Nej, en måne.

I liggande ställning hasar hon sig fram och når tyget. Hon lyfter försiktigt på det ett par decimeter så att hon kan se ut.

Utanför faller ett stilla duggregn och i månskenet ser hon en öppen plats där ett av barnen ligger och sover. Plötsligt hör hon någon skråla och hon drar ner huvudet igen.

”Mambaa manyani… Mamani manyimi…”

Offer blir till förövare, tänker hon.

DÅTID

De vuxna har tagit deras barndom ifrån dem och nu ger de igen. Offer och förövare flyter ihop. Det är så det måste bli.

Hon tar sig upp ur gropen och hittar en filt slängd över en sten och sveper den om sig. Med hjälp av armbågarna drar hon sig fram längs marken och först när hon når buskarna där djungeln tar vid, vågar hon resa sig. Stödd på en trädgren haltar hon nerför sluttningen. Smärtorna och utmattningen får henne snart att lämna kroppen igen.

Betraktar den utifrån. Ser sina ben röra sig framåt, men känner dem inte.

Natten förflyter, hon vet inte var hon är, månen skyms av träden och tycks vandra sin egen väg över den svarta himlen.

Hon hör ljudet från rinnande vatten och somnar vid ett litet vattendrag.

Hur många dagar passerar?

Hon vet inte.

När allt var över skulle hon bara minnas röster och skuggor från främlingar.

Först är det ljudet av kvinnoröster som väcker henne.

Sedan är det rösten från en man som säger att han tillhör regeringsmilisen. Hon körs genom skuggor från träd och hon vet inte vart hon är på väg. Ytterligare röster. Silhuetter utanför ett tält.

Hon ligger i en säng och en röst vid sidan av sängen säger att Marcus huvud har hittats i en kartong på trappan utanför stadshuset i Freetown.

Skuggan böjer sig ner över henne och berättar att håret på hjässan var avrakat och att man tvärs över hade ristat in tre bokstäver. RUF.

Vardagsrummet

badade i det flimrande ljuset från teven. Discovery hade stått på hela natten och halv sex vaknade hon i soffan av den entonigt malande speakerrösten.

”Pla Kat är thai och betyder plagiat, men det är också namnet på den avlade, stora, aggressiva varianten av kampfisk som i Thailand används i spektakulära tävlingar. Två hannar stängs in i ett mindre akvarium där deras naturliga revirinstinkt gör att de genast angriper varandra. Den brutala och blodiga kraftmätningen slutar inte förrän en av fiskarna är död.”

Hon log, satte sig upp och gick sedan ut i köket för att slå på kaffebryggaren.

Medan hon väntade på att kaffet skulle bli klart ställde hon sig i köksfönstret och tittade ner på gatan.

parken

och de lummiga träden, de parkerade bilarna och de upptinade människorna.

Stockholm.

Södermalm.

Hemma?

Nej, hemma var någonting helt annat.

Det var ett tillstånd. En känsla som hon aldrig skulle få uppleva. Aldrig någonsin.

Sakta, bit för bit, växte en idé fram.

När hon druckit upp kaffet dukade hon av och gick tillbaka till vardagsrummet.

Hon flyttade på golvlampan, lyfte på haspen och öppnade

dörren bakom bokhyllan.
Hon såg att pojken sov tungt.

bordet
i vardagsrummet var fullt av tidningar från veckan som gått. Hon hade förväntat sig åtminstone en notis om ett försvunnet barn, men egentligen trott att det skulle finnas på löpsedlarna.

Ett barn som går upp i rök måste väl vara en stor nyhet?

Något som skulle sälja lösnummer åt kvällstidningarna i minst en vecka.

Det var så det brukade vara.

Men hon hade inte funnit något som visade att han var saknad. I radions efterlysningar nämndes ingenting och hon började inse att han var mer perfekt än hon hade kunnat hoppas på.

Om han nu inte hade någon som letade efter honom så betydde det att han skulle ty sig till henne så länge hon uppfyllde hans mest elementära behov, och det visste hon att hon skulle göra.

Hon skulle mer än tillfredsställa dem.

Hon skulle förädla hans önskningar till att sammanfalla med hennes och de två skulle bli en. Hon skulle vara den nya varelsens intelligenta huvud och han dess muskler.

Just nu, där han låg omtöcknad på madrassen, var han bara ett embryo. Men när han lärt sig att tänka som hon, skulle det bara existera en sanning för dem.

När hon lärt honom hur det känns att vara både offer och förövare på samma gång skulle han förstå.

Han skulle vara djuret och hon den som bestämde om djuret skulle ge efter för sina drifter. Tillsammans blev de en perfekt människa, i vilken den fria viljan styrdes av ett medvetande och den fysiska driften av ett annat.

Hennes drifter kunde förlösas genom honom och han kunde njuta av det.

Ingen av dem kunde göras ansvarig för vad den andre gjorde.

kroppen
skulle utgöras av två varelser, ett djur och en människa.

Ett offer och en förövare.
En förövare och ett offer.
Den fria viljan förenad med den fysiska driften.
Två antipoder i en kropp.

rummet
var dunkelt och hon tände glödlampan i taket. Pojken kvicknade till och hon gav honom att dricka. Baddade hans svettiga panna.

På den lilla toaletten tappade hon upp handfatet med ljummet vatten och gick tillbaka. Hon tvättade honom med en liten handduk, tvål och vatten. Sedan torkade hon honom noga.

Innan hon gick tillbaka ut i lägenheten gav hon honom en ny injektion med sömnmedel och väntade på att han skulle återvända till medvetslösheten.

Han somnade med huvudet vilandes mot hennes bröst.

Harvest Home

Gästerna var som vanligt en blandning av lokala konstnärer, några halvkända musiker eller skådespelare och så de tillfälliga turister som ville uppleva det påstått bohemiska Södermalm.

I själva verket var just de här kvarteren de mest småborgerliga och etniskt homogena i hela landet och i den här stadsdelen bodde det fler journalister än någon annanstans i Sverige.

Samma område som också var ett av de mest brottstyngda, men som i media alltid framställdes som trendigt och intellektuellt istället för våldsamt och farligt.

Svaghet, tänkte Victoria Bergman och fnös. Under ett halvår hade hon gått i terapi hos Sofia Zetterlund, men vad hade de kommit fram till?

I början hade hon tyckt att samtalen gav henne något, hon fick ventilera sina känslor och tankar och Sofia Zetterlund hade varit bra på att lyssna.

I början.

Sedan tyckte hon att hon inte fick något tillbaka. Sofia Zetterlund satt bara där och såg ut som hon sov. När Victoria verkligen öppnade sig, satt Sofia där framför henne och nickade kallt, antecknade något, flyttade på sina papper, fingrade med sin lilla bandspelare och såg frånvarande ut.

Hon tog upp cigarettpaketet ur väskan och lade det på bordet, trummade nervöst med fingrarna mot bordet. Olusten låg som ett tryck för bröstet.

Den hade legat där länge.

Flera dagar, flera månader.

År.

Alldeles för länge för att den skulle vara möjlig att stå ut med.

Victoria satt på en uteservering på Bondegatan. Sedan Victoria flyttat till Södermalm gick hon ofta dit för att dricka ett, eller ibland ett par, glas vin.

Hon hade känt sig hemma redan första gången. Personalen var trevlig utan att vara alltför personlig. Hon avskydde närgångna bartendrar som efter några besök började använda förnamn. Det fick henne att känna sig som någon som var på krogen alltför ofta och det tillät inte hennes självbild.

Victoria Bergman såg Sofia Zetterlunds slappt sömniga, ointresserade ansikte framför sig och fick ett infall. Hon tog upp en penna ur kavajfickan och radade upp tre cigaretter framför sig på bordet.

På den ena skrev hon SOFIA, på den andra SVAG och på den tredje SÖMNIG.

Sedan skrev hon SOFIA ZZZZZZZZZZ... över hela cigarettpaketet.

Hon tände cigaretten som det stod SOFIA på.

Det är väl skitsamma, tänkte hon. Det är slut med de där besöken. Varför skulle hon gå dit igen? Sofia Zetterlund kallade sig för psykoterapeut, men hon var en svag människa.

Kocken kom ut på gatan och tände en cigarill. Han nickade igenkännande och hon log tillbaka.

Restaurangen var bara halvfull, trots att det var sent på fredagseftermiddagen. Antagligen berodde det på att vädret var gråmulet och lite småkyligt, och att det var en mellandag i det pågående EM-slutspelet i fotboll.

Det hollandssvenska paret som ägde krogen visade matcherna på teve, och några dagar tidigare hade hon varit där när Holland mötte Frankrike. Stället hade varit fyllt till bristningsgränsen med Stockholms samlade skara av invandrade holländare.

På väggarna hängde vimplar i orange med det holländska svarta lejonet, tätt sammanflätade med flaggor och girlanger i de svenska färgerna.

Dekorationerna var fortfarande kvar och skulle väl hänga där tills något av lagen visade sig svaga nog att åka ur.

NUTID

Hon tänkte på Gao. Hon och Gao var inte svaga.

Den senaste tidens händelser satt kvar på näthinnan och hon fick en nästan euforisk känsla i kroppen. Men trots den upphetsning hon fortfarande kände gnagde något otillfredsställt, ett missnöje inom henne. Som om hon behövde mer.

Hon förstod att hon måste utsätta Gao för en prövning han inte skulle klara av. Då skulle hon kanske kunna känna det hon känt i början. Hon förstod att det var Gaos och ingen annans blick hon ville uppleva. Hans ögon när det gick upp för honom att hon hade svikit honom.

Hon visste att hon drogade sig med svek och att hon använde sig av lögnen för att kunna må bra. Att ha två människor i sitt våld och själv bestämma vem man skulle smeka och vem man skulle slå. Om man varierade sig och godtyckligt bytte offer fick man de båda att hata varandra och göra allt för att själva få erkännande.

När de sedan blivit tillräckligt otrygga fick man dem att vilja döda varandra.

Gao var hennes barn. Hennes ansvar och hennes allt.

Det var bara en före honom som hade varit det. Martin.

Hon läppjade på vinet och undrade om det varit hennes fel att han försvunnit. Nej, tänkte hon. Det var inte hennes fel, hon var bara ett barn då.

Felet låg hos hennes egen pappa. Han hade förstört hennes förtroende för vuxna och Martins pappa hade fått bära alla mäns kollektiva skuld.

Han tyckte bara om mig och jag misstolkade hans beröringar, tänkte Victoria.

Hon hade varit ett förvirrat barn.

Hon drack en djup klunk av vinet och bläddrade lite i menyn trots att hon visste att hon inte tänkte äta någonting.

Bondegatan

Sofia Zetterlund besökte Tjallamalla på Bondegatan i hopp om att finna något snyggt att fylla ut garderoben med, men gick istället därifrån med en liten målning föreställande Velvet Underground, Lou Reeds gamla band, som hon lyssnat mycket på i tonåren.

Hon hade förvånats över att butiken också sålde konst, det hade de aldrig gjort förut. Men hon hade inte tvekat en sekund då hon tyckt att tavlan var ett fynd.

Hon slog sig ner vid ett av borden på Harvest Homes uteservering ett stenkast därifrån och ställde ifrån sig tavlan på stolen bredvid.

Att shoppa hade inte stillat hennes oro. Kanske kunde det hjälpa med vin.

Hon beställde in en halv karaff av husets vita. Servitrisen log igenkännande, hon log tillbaka medan hon tände en cigarett.

Hon hade försökt sluta men blev mer och mer säker på att det var omöjligt. Nikotinet hjälpte henne att tänka och ibland kunde hon röka tio, femton på raken.

Hon tänkte på Samuel Bai och terapisessionen några timmar tidigare. Hon rös vid tanken på det hon släppt lös och hur hon själv hade reagerat.

När han var arg var han oberäknelig, med en kompakt fasad och fullkomligt frikopplad från allt som var rationellt. Sofia mindes hur hon hade försökt skära rakt in i ett högljutt och kaotiskt medvetande, landa där och utgöra något för honom att klamra sig fast vid. Men att hon hade misslyckats.

Hon lättade på scarfen och kände på sin ömmande hals. Hon

hade haft tur som överlevt.
Hon visste inte hur hon skulle kunna gå vidare med hans behandling.
Allt hade gått bra fram till ögonblicket då den nye Samuel visat sig.
Han hade suttit där med tandläkarens modellmotorcykel i händerna och inlevelsefullt berättat om en av sina barndomskamrater, då hon fått bevittna en mycket skrämmande förvandling.
Hon visste att dissociativa personligheter kunde växla identitet mycket snabbt. Ett ord eller en gest kunde vara tillräckligt för att Samuel skulle byta personlighet.
I en bisats som egentligen berörde barndomskamraten, hänvisade Samuel till något som hette Pademba Road Prison.
Redan vid det tredje ordet förändrades rösten och det uttalades med ett dämpat väsande.
"Prissson..."
Han hade gett upp ett högt skratt som skrämt vettet ur henne. Det där breda leendet var kvar, men det hade varit fullkomligt tomt och blicken alldeles svart.
Sofia askade cigaretten. Det kändes som om hon var på väg att börja gråta.
Shape up nu. Du är starkare än så här.
Hennes minnen av det som sedan hänt var otydliga.
Men hon mindes att Samuel rest sig upp ur stolen och stött till skrivbordet så att burken med pennor vält och rullat ner i hennes knä.
Och hon mindes vad han väst åt henne.
Först på krio.
"I redi, an a de foyu. If yu ple wit faya yugo soori!"
Jag är redo, och jag är här för att ta dig. Om du leker med elden kommer du att ångra dig.
Sedan på mendespråket.
"Mambaa manyani... Mamani manyimi..."
Det hade låtit som barnspråk och grammatiken var märklig, men det var ingen tvekan om ordens innebörd. Hon hade hört det förut.

Därefter hade han lyft upp henne med händerna i ett hårt grepp om halsen, som om hon vore en docka.

Sedan hade det svartnat för henne.

När Sofia darrande lyfte vinglaset och förde det till munnen upptäckte hon att hon grät. Hon torkade ögonen med blusärmen och förstod att hon måste få ordning på minnesbilderna.

Socialarbetaren hämtade honom, tänkte hon.

Sofia mindes att hon leende hade överlämnat Samuel till hans kontaktperson på socialen. Som om ingenting ovanligt hade inträffat. Men vad hände innan dess?

Det märkliga var att den enda minnesbild hon hade var av en parfym hon kände igen.

Den som Victoria Bergman brukade använda.

Chocken, tänkte Sofia, och kanske syrebristen av att han försökte strypa mig. Så måste det vara.

Men hon visste att det inte var hela sanningen.

Hon fyllde på vinglaset.

Jag kan inte hålla isär mina klienter, konstaterade hon krasst medan hon tog några klunkar. Det är den verkliga anledningen till att jag inte klarar av det här.

Samuel Bai och Victoria Bergman.

Samma tvära kast mellan identiteter.

Tillsammans med chocken och syrebristen hade hennes omdöme satts helt ur spel och det var därför hennes enda minne av händelsen med Samuel på mottagningen var av Victoria Bergman.

Jag klarar inte av det här, upprepade hon tyst för sig själv. Det räcker inte med att jag ställer in nästa samtal med honom, jag ställer in alltihop. Jag kan inte hjälpa honom just nu.

Så får det bli, tänkte hon och kände genast en stor lättnad över att ha bestämt sig.

Ibland måste man få vara svag.

Hennes funderingar avbröts av telefonen. Det var ett nummer hon inte kände igen.

”Ja, hej?” svarade hon tvekande.

”Jag heter Jeanette Kihlberg och ringer från Stockholmspolisen. Är det Sofia Zetterlund jag pratar med?

Det var inte proffsigt att svara som hon gjort. Hon förbannade sig själv och ljög: "Ursäkta. Jag sitter i ett möte och glömde stänga av telefonen..."

"Okej. Ska jag ringa upp senare?"

"Nej, ursäkta, ett ögonblick bara..."

Sofia reste på sig och gick in i restaurangen. Där var nästan folktomt, men för säkerhets skull smet hon in på toaletten och låste om sig, så att inte ljuden från baren eller köket skulle avslöja att hon inte alls satt i ett möte. Hon la på haspen till toalettdörren.

"Ja, nu kan vi prata ostört."

"Sent fredagsmöte?"

"Ja... Det är... låt oss kalla det administrativt." Ibland kom lögnerna av bara farten och hon imponerades av sin uppfinningsrikedom.

"Det gäller en patient du har, Karl Lundström. Vi har indikationer på att han kan vara inblandad i ett fall som jag utreder, och Lars Mikkelsen rekommenderade mig att tala med dig angående ditt samtal med Lundström. Det jag är intresserad av är om Karl Lundström har berättat nåt för dig som kan vara oss till hjälp."

"Det beror naturligtvis på vad det gäller. Som du säkert vet har jag tystnadsplikt och om jag inte tar fel behövs ett åklagarbeslut om jag ska kunna uttala mig om en pågående undersökning."

"Det är på gång."

Sofia satte sig ner på toalettstolen och stirrade på ett klotter på kakelväggen.

"Jag utreder två döda pojkar som blivit utsatta för tortyr innan de mördats. Jag antar att du läser tidningar eller ser på nyheterna, så jag tror inte du kan ha missat det. Jag skulle vara tacksam om du hade nåt att berätta om Lundström, hur obetydligt det än kan förefalla."

Sofia tyckte inte om tonen i kvinnans röst. Den var inställsam och överlägsen på samma gång. Det verkade som om kvinnan försökte dra en rövare och mjölka henne på information hon inte hade rätt att lämna ut.

Sofia kände sig förolämpad. Vad trodde de om henne?

”Som jag sa kan jag inte uttala mig förrän du visar upp ett åklagarbeslut och för övrigt har jag inte materialet om Karl Lundström till hands just nu.”

Hon hörde besvikelsen i kvinnans röst. ”Jag förstår, men om du skulle ändra dig så kan du väl höra av dig. Jag är tacksam för allt.”

Det knackade på toalettdörren och Sofia sa att hon måste avsluta samtalet.

Monumentet

På kvällen småpratade Sofia och Mikael framför teven och som vanligt var han mest upptagen med att berätta om sina framgångar på arbetet. Hon visste att han var självupptagen och för det mesta trivdes hon med att lyssna till hans röst. Men den här kvällen kände hon ett behov av att själv få ventilera vad hon gick igenom. Hon rättade till scarfen för att försäkra sig om att Mikael inte såg strypmärkena.

”Jag blev misshandlad av en patient idag.”

”Va?” Mikael tittade förvånat på henne.

”Ingenting allvarligt, bara en örfil, men... jag tänker avsäga mig patienten.”

Hon berättade om hur hon hade missbedömt Samuels mentala tillstånd. Att hon tidigare aldrig varit rädd under samtalen, känt sig trygg med honom. Men att hon den här gången hade blivit rädd. Riktigt rädd.

Hon berättade att hon var besviken över att avbryta terapin eftersom hon hyst gott hopp om honom och att han dessutom varit intressant att arbeta med.

”Men det är väl sånt som händer hela tiden?” sa Mikael och strök henne över armen. ”Det är klart att du inte kan fortsätta med en patient som är hotfull.”

Hon sa att hon behövde en kram.

Senare när hon låg på Mikaels axel kunde hon i det dunkla ljuset i sovrummet se skuggan av hans profil alldeles nära sig.

”För några veckor sen frågade du om jag ville åka till New York med dig. Minns du det?” Hon smekte honom över kinden och han vände sig mot henne.

"Självklart. Men du sa att du inte ville. Har du ändrat dig? Jag kan fixa biljetter redan i morgon om du vill."

Hon hörde hur ivrig han blev och för ett ögonblick ångrade hon att hon nämnt det. Å andra sidan var det kanske dags att berätta för honom.

"Lasse och jag var där förra året och..."

"Okej, jag fattar. Men vi kan åka nån annanstans istället. London eller varför inte Rom. Jag har aldrig..."

"Snälla du, avbryt mig inte", sa hon försiktigt. Varför förstod han inte hur svårt det här var för henne?

"Förlåt, men jag blev bara så glad. Vad var det du ville berätta?"

"Ja, det var på den resan som jag och Lasse kom varandra riktigt nära. Jag vet inte hur jag ska säga, men det var som om vi för första gången såg varandra på riktigt. Men sedan blev jag så rädd. Inte för det som hände då, utan för vad som hände sen."

"Är du säker på att det här är nåt jag vill höra?"

"Jag vet inte. Men det som hände var viktigt för mig. Jag ville ha barn med honom och..."

"Jaha... Och det vill jag höra?" Mikael suckade.

Sofia blev irriterad, rullade bort från hans axel och sträckte sig mot sänglampan. Hon tände ljuset igen och satte sig upp i sängen medan Mikael grimaserade och la armen över ansiktet.

"Jag vill att du lyssnar nu", sa hon. "För en gångs skull har jag nåt att berätta för dig som faktiskt betyder nåt."

Mikael drog täcket om sig och vände sig bort.

"Jag ville ha barn med honom", började hon. "Vi var ihop i tio år och det blev aldrig nåt, för att han inte ville. Men under resan hände några saker som gjorde att han ändrade sig."

"Ljuset bländar mig, kan du inte släcka?"

Hon blev sårad av hans ointresse, men släckte lampan och kröp upp bakom hans rygg.

"Vill du ha barn, Mikael?" frågade hon efter en stund.

Han tog hennes arm och la den om sig.

"Mmm ... inte just nu, kanske."

Hon tänkte på vad Lasse alltid sagt till henne. I tio års tid hade han sagt ”inte just nu”. Men i New York hade han ändrat sig.

Hon var övertygad om att han menat det, även om allt blivit annorlunda när de kommit hem.

Det som sedan hände ville hon inte tänka på. Hur människor förändras, och hur det ibland tycks som om varje människa innehåller flera versioner av samma person. Lasse hade varit nära henne, han hade valt henne. Samtidigt hade det funnits en annan Lasse som stött henne ifrån sig. Det är egentligen basal psykologi, tänkte hon. Men det spelade ingen roll, det skrämde henne ändå.

”Finns det nåt du är rädd för, Mikael?” frågade hon tyst. ”Nåt som skrämmer dig särskilt.”

Han svarade inte och hon förstod att han somnat.

Hon låg vaken en stund och tänkte på Mikael.

Vad hade hon sett hos honom?

Snygg.

Han liknade Lasse.

Han hade intresserat henne, trots eller tack vare att han verkade så vanlig.

Klassisk småborgerlig bakgrund. Uppvuxen i Saltsjöbaden tillsammans med mamma, pappa och en yngre syster. Tryggt och ombonat. Inga problem med pengar. Skola och fotboll och så följa i pappas fotspår. Klappat och klart.

Pappan hade tagit livet av sig just innan de träffats och Mikael ville aldrig prata om det. Varje gång hon försökte föra det på tal gick han ut ur rummet.

Pappans död var ett öppet sår. Hon förstod hur nära de stått varandra. Mamman och systern hade hon bara träffat en gång.

Hon somnade bakom hans rygg.

Klockan halv fyra på morgonen vaknade hon av att hon badade i svett. För tredje natten i rad hade hon drömt om Sierra Leone och var alldeles för tagen för att kunna somna om. Mikael sov djupt bredvid henne och försiktigt reste hon sig upp för att inte väcka honom.

Han ogillade att hon rökte inne, men hon slog igång köksfläkten, satte sig ner och tände en cigarett.

Hon tänkte på Sierra Leone och övervägde om hon gjort ett misstag när hon avsagt sig faktagranskningsuppdraget.

Det hade varit ett klokare och försiktigare steg att närma sig en bearbetning av händelserna hon upplevt där, än att möta en barnsoldat öga mot öga som hon gjort med Samuel Bai.

Sierra Leone hade på många sätt varit en besvikelse. Barnen som hon inbillat sig kunna hjälpa till ett bättre liv, hade hon aldrig kommit riktigt nära. Hon mindes deras tomma ansikten och deras aversion för hjälparbetarna. Hon hade varit en av de andra, hade hon snart insett. En vuxen, vit främling som förmodligen skrämde mer än hjälpte. Barnen hade kastat sten efter henne. Deras förtroende för vuxna människor var förlorat. Aldrig hade hon känt sig så maktlös.

Och nu hade hon misslyckats med Samuel Bai.

Besvikelse, tänkte hon. Om Sierra Leone varit en besvikelse så var hennes liv just nu, sju år senare, en lika stor besvikelse.

Hon gjorde i ordning några mackor och drack ett glas juice medan hon tänkte på Lasse och Mikael.

Lasse hade svikit henne.

Men var också Mikael en besvikelse? Det hade ju börjat så bra mellan dem.

Höll de på att glida isär redan innan de hunnit komma varandra riktigt nära?

Det var egentligen ingen skillnad på hennes arbete och hennes privatliv. Ansiktena flöt samman. Lasse. Samuel Bai. Mikael. Tyra Mäkelä, Karl Lundström.

Alla runt omkring henne var främlingar.

Gled bort från henne, bortom hennes kontroll.

Hon satte sig ner vid spisen igen, tände en ny cigarett och såg röken försvinna upp i köksfläkten. Den lilla bandspelaren låg på bordet och hon sträckte sig efter den.

Klockan var mycket och hon borde försöka sova, men hon kunde inte motstå frestelsen och slog på den.

... alltid varit höjdrädd, men han ville ju så gärna åka pariserhjulet. Hade det inte varit för honom så hade det aldrig hänt och

han hade pratat skånska vid det här laget, vuxit upp och lärt sig knyta skorna ordentligt. Fan, att det ska vara så svårt att komma ihåg. Men han var jävligt bortskämd och skulle hela tiden ha sin vilja igenom.

Sofia kände hur hon slappnade av.

I tillståndet före sömnen föll tankarna fritt.

Dörren

öppnades och den ljusa kvinnan kom in till honom. Hon var också naken och det var första gången han såg en kvinna utan kläder. Inte ens hans mor hade visat sig så här för honom.

Han blundade.

Hon kröp ner bredvid honom och låg alldeles tyst samtidigt som hon luktade på hans hår och varsamt smekte honom över bröstet. Hon var inte hans riktiga mor, men hon hade valt honom. Bara sett på honom och leende tagit hans hand.

Aldrig tidigare hade någon smekt honom på det sättet och aldrig tidigare hade han känt sig så trygg.

De andra hade alltid tvivlat. De kände inte utan klämde på honom. Testade hans duglighet.

Men den ljusa kvinnan tvivlade inte.

Han blundade igen och lät henne göra vad hon ville med honom.

madrassen

blev våt efter deras övningar. I flera dagar gjorde de inget annat än att stanna i sängen, öva och sova i omgångar.

När han blev tveksam om vad hon ville att han skulle göra visade hon omsorgsfullt vad hon menade. Även om allt var nytt för honom, var han en lättlärd adept och med tiden blev han allt skickligare.

Det han hade svårast att lära sig var att hantera det kloliknande föremålet.

Ofta drog han för löst och hon tvingades visa honom hur han skulle riva henne så att blodvite uppstod.

Drog han hårt stönade hon, men gjorde ingen ansats till att bestraffa honom, och han insåg att det var bättre ju hårdare han drog, även om han inte riktigt förstod varför.

Kanske var det för att hon var en ängel och inte kunde känna smärta.

taket

och väggarna, golvet och madrassen, den knarrande plasten under hans fötter och det lilla rummet med duschen och toaletten. Allt var hans.

Dagarna fylldes av att lyfta tyngder, göra plågsamma magövningar och att i timmar trampa på träningscykeln hon ställt i ena hörnet av rummet.

Inne på toaletten fanns ett litet skåp. Det var fyllt av oljor och krämer som hon varje kväll använde till att smörja in honom med. Några luktade starkt men gjorde att träningsvärken försvann. Andra luktade underbart och fick hans hud att bli len och elastisk.

Han såg sig själv i spegeln, spände sina muskler och log.

rummet

var som en miniatyr av landet han kommit till. Tyst, tryggt och rent.

Han mindes vad den stora kinesiska filosofen sagt om människors förmåga att inhämta kunskap.

Jag hör och glömmer, jag ser och kommer ihåg, jag gör och förstår.

Ord var överflödiga.

Han skulle bara se på henne och lära sig vad hon ville att han skulle göra. Sedan skulle han göra det och förstå.

Rummet var tyst.

Varje gång han gjorde en ansats till att försöka säga något la hon sin hand över hans mun och hyssjade, och när hon kommunicerade med honom var det med små, precisa och dämpade grymtningar, eller med teckenspråk. Efter ett tag yttrade han inte ett endaste ord.

Han märkte hur nöjd hon var när hon såg på honom. När han la sitt huvud i hennes knä och hon smekte honom över hans snaggade hår kände han sig lugn. Med ett litet hummande visade han för henne att han njöt.

Rummet var tryggt.

Han betraktade henne och lärde sig, präntade in vad hon ville att han skulle göra och med tiden övergick han från att tänka i ord och meningar till att relatera erfarenheterna till sin egen kropp. Lycka blev en värme i magen och oro blev en spänning i nackmusklerna.

Rummet var rent.

Han bara gjorde och förstod. Rena känslor.

Aldrig att han sa ett ord. När han tänkte gjorde han det i bilder.

Han skulle bli kropp och inte någonting annat.

Ord är meningslösa. Ord får inte finnas i ens tankar.

Men nu fanns de där och han kunde inte hjälpa det.

Gao, tänkte han. Jag heter Gao Lian.

Kvarteret Kronoberg

När Jeanette Kihlberg avslutat samtalet med Sofia Zetterlund kände hon sig uppgiven. Hon visste att det skulle bli problem med åklagarbeslutet. Von Kwist skulle sätta sig på tvären, det var hon övertygad om.

Och så var det Sofia Zetterlund.

Jeanette tyckte inte om kylan hos henne. Hon var alldeles för rationell och känslokall. Det handlade ju om två döda unga människor och om hon nu kunde vara till hjälp så varför ville hon inte det? Var det så enkelt att det bara handlade om yrkesstolthet och tystnadsplikt?

Hon kände att allt stod och stampade.

På förmiddagen hade hon och Hurtig förgäves sökt kontakta Ulrika Wendin, flickan som sju år tidigare anmält Karl Lundström för våldtäkt och misshandel. Telefonnumret som Eniro hänvisade till användes inte längre och när de åkt ut till adressen i Hammarbyhöjden var det ingen som öppnade. Jeanette hoppades att meddelandet som de lämnat i brevinkastet skulle göra att flickan hörde av sig så fort hon kom hem. Men än så länge var telefonen tyst.

Det här fallet hade blivit en enda lång uppförsbacke.

Hon kände att hon behövde åstadkomma förändring. Nya utmaningar.

Ville hon vidare inom polishierarkin skulle det innebära kontorstjänst eller administrativa arbetsuppgifter.

Men var det vad hon ville?

När hon läste igenom det pm som gått ut internt och som informerat om en tre veckor lång vidareutbildning i förhör av

barn, knackade det på dörren.
Hurtig kom in tillsammans med Åhlund.
”Vi tänkte ta en öl. Ska du med?”
Hon såg på klockan. Halv fem. Åke i färd med att laga middag. Stuvade makaroner och köttbullar framför teven. Tystnad och en underton av att ledan var det enda de numera hade gemensamt.
Förändring, tänkte hon.
Hon knycklade ihop pm:et och slängde det i papperskorgen. Tre veckor i skolbänken.
”Nej, jag kan inte. En annan gång kanske”, sa hon och mindes att hon tidigare lovat sig själv att tacka ja.
Hurtig nickade och log. ”Visst, vi ses i morgon. Jobba inte ihjäl dig nu.” Han stängde dörren efter sig.
Strax innan hon packade ihop för att gå hem bestämde hon sig.
Ett kort samtal till Johan där de kom överens om att han skulle se efter om det var okej att han sov över hos David innan hon ringde och bokade två biobiljetter till den tidiga föreställningen. Visserligen ingen storslagen förändring, men åtminstone ett litet försök att ruska om den annars så grå vardagen. Först bio och sedan middag. Kanske en öl.
Åke lät irriterad när han svarade.
”Vad gör du?” frågade hon.
”Det jag brukar göra vid den här tiden. Vad gör du?”
”Jag är på väg hem, men tänkte att vi kunde ses nere på stan istället.”
”Jaha, är det nåt speciellt?”
”Näe, jag tänkte bara att det var länge sen vi gjorde nånting kul tillsammans.”
”Johan är på väg hem och jag står…”
”Johan sover över hos David”, avbröt hon.
”Men då så. Var ska vi ses?”
”Utanför Söderhallarna. Kvart över sex.”
De avslutade samtalet och Jeanette stoppade ner telefonen i jackfickan. Hon hade hoppats att han skulle bli glad, men han

hade snarare låtit avmätt. Å andra sidan så var det ju trots allt bara ett biobesök. Men han hade väl kunnat vara lite entusiastisk, tänkte hon och stängde av datorn.

När Jeanette sneddade förbi Medborgarhusets trappor och passerade minnesmärket över Anna Lindh fick hon syn på Åke. Han såg sammanbiten ut och hon stannade upp och betraktade honom. Tjugo år tillsammans. Två decennier.

Hon gick fram till honom.

”I runda slängar sjutusen”, sa hon och log.

”Va?” Åke såg frågande ut.

”Antagligen något längre. Jag är ju inte så bra på matte.”

”Vad pratar du om?”

”Vi har varit tillsammans i omkring sjutusen dagar. Fattar du? Tjugo år.”

”Mmm… ”

Indira

En enastående studie i mänsklig förnedring, världens första långfilm filmad med mobiltelefon, var kanske inte den bästa film Jeanette sett, men absolut inte så dålig som Åke tyckte att den var.

”Vi skulle ha gjort som jag ville.” Åke viskade i hennes öra. ”Och gått på Indiana Jones. Det här var tvåhundra spänn åt helvete.”

Jeanette ryckte undan huvudet och reste sig upp ur biofåtöljen.

De gick tysta ut från salongen, tillbaka upp på Medborgarplatsen och bort till Götgatan.

”Är du hungrig?” Jeanette vände sig mot Åke. ”Eller ska vi bara gå och ta en öl nånstans?”

”Småhungrig, kanske.” Åke såg rakt fram. ”Vad vill du göra?”

Jeanette kände frustrationen växa inom sig.

Här tog hon initiativ till bio, föreslog en öl, kanske en bit mat och så var han bara avslagen och likgiltig.

”Jag vet inte. Vi kanske ska åka hem istället, du måste ju vara ganska sliten efter allt du gjort idag”, sa hon ironiskt.

”Ja, så är det”, sa han. ”Jag är faktiskt helt slut.”

Jeanette stannade och tog tag i hans jacka.

”Lägg av. Jag skojade bara. Det är klart att vi ska gå och äta. Vi går bort till Indira på Bondegatan.”

”Ja, ja.” Han såg på henne. ”Visst, lite mat skulle sitta fint.”

Jeanette tyckte att det lät som en uppoffring. Att det var en ansträngning att behöva tillbringa ytterligare ett par timmar i hennes sällskap.

Den indiska restaurangen var full och de fick vänta tio minuter på ett ledigt bord, vilket tycktes reta Åke ytterligare. När de väl satte sig ner vid det bord som de blev tilldelade, längst in i restaurangens källarvåning, var han märkbart sur.

Hon undrade hur länge sedan det var som de åt indiskt. Fem år sedan? Ett restaurangbesök överhuvudtaget? Två år, kanske. Åren innan Johan föddes, i mitten av nittiotalet då fler och fler indiska restauranger etablerade sig i innerstan, hade hon och Åke haft en period då de åt indiskt åtminstone en gång i veckan.

De beställde varsin Kingfisheröl och blev snart serverade maten. Jeanette tog en enkel palak paneer och Åke valde en starkt chilikryddad kycklingrätt. Den snabba servicen verkade göra honom på bättre humör. Eller så var det ölen. Han var redan inne på sin andra.

"Gott", sa Jeanette mellan tuggorna. "Men jag är ju en fegis..."

"Ja, du väljer alltid samma", sa Åke.

Alltid samma? Jeanette visste att han var minst lika förutsägbar. Han valde alltid den starkaste rätten, förklarade för henne varför man borde äta stark mat, varpå han avslutade måltiden med att må dåligt och insistera på att åka hem.

"Du åt alltid det där förut", fortsatte han. "Varför provar du inte något nytt?"

"Jag är väl feg, som sagt. Men hur smakar ditt?"

Åke flinade. "Starkt. Vill du prova?"

"Gärna."

Jeanette tog en halv sked, vilket var mer än nog. Hon var tvungen att skölja ner det med både öl och vatten.

"Hur kan du äta det här?" skrattade hon. "Det smakar ju bara starkt." Det rann i hennes ögon och hon torkade sig med servetten.

Det han sedan sa gav henne en déjà vu.

"För det första är det nyttigt. Styrkan dödar magbakterier och man svettas. Kroppens kylsystem sätts igång. Det är därför man äter starkt i varmare länder. För det andra ger det en jävla kick. Endorfinerna far runt i hjärnan och man blir nästan hög."

"Och för det tredje är det jävligt macho", fyllde hon i. Hon visste att han skulle flina och instämma.

”Sunt och macho.” Han log.

Hon såg på tallriken. Han hade nästan ätit upp. Snart skulle han börja må dåligt. Chilikoma, kallade han det.

De ropade in ytterligare varsin öl och hon såg att han började fyllna till. Den starka maten färgade ansiktet rött och han svettades. Men han skulle inte ge sig förrän det var rent på tallriken.

Han var noga med att påpeka för personalen att han uppskattade maten, men gärna hade sett att den var ännu starkare. Sedan upprepade han för dem det han just sagt till henne angående stark mat. Servitören nickade instämmande.

Jeanette insåg att han tråkade ut henne. Hon försökte byta samtalsämne, men han verkade inte intresserad och hon förstod att hon antagligen tråkade ut honom också.

Efter en timme konstaterade Jeanette att maten egentligen varit det enda de pratat om, och det hade inte varit mer än en repris av ett samtal de haft säkert tio gånger tidigare, för femton år sen.

Stagnation, tänkte hon och såg på Åke.

Han hade en ny öl på bordet framför sig och senaste kvarten hade han varit upptagen med mobiltelefonen. Varannan minut hade han tagit några djupa klunkar, var femte sett på klockan. Då och då vibrerade telefonen till.

”Vem skriver du till?”

Han såg upp på henne. ”Ja... Det är ett nytt konstprojekt. En ny kontakt.”

Jeanette blev intresserad. Hade det äntligen hänt nåt?

”Vadå? Berätta.”

Han tog ännu en klunk av ölen. ”Vänta... jag ska bara skicka iväg det här.”

Ytterligare tystnad. Hon såg att han började bli blek. Han la ifrån sig telefonen på bordet, dolde munnen med handen och hulkade till.

”Du har inte en samarin?” Ögonen var blanka.

”Halsbränna?”

Han försökte le, men misslyckades. ”Nja, man behöver nåt basiskt efter chilin.”

”Nej, tyvärr”, sa Jeanette. ”Jag har ingen samarin. Men vi kan ju fråga personalen om de har. Om inte annat kanske du kan få en sked bikarbonat.”

Det var menat som ett skämt, men det gick honom uppenbarligen förbi.

”Skit i det”, sa han. ”Jag går på toa. Betala du under tiden så vi kan gå härifrån.”

Han reste sig och försvann in på toaletten. Jeanette visste att han skulle bli kvar där en god stund och sedan skulle han föreslå taxi hem. Hon betalade maten och väntade.

Ett nytt konstprojekt, tänkte hon. Undrar vad det är för kontakt han fått.

Efter tjugo minuter kom han tillbaka till bordet, alldeles tårögd och med en ynklig min i ansiktet. Han tog jackan från stolen utan att sätta sig. ”Har du betalat?”

”Visst. Hur mår du egentligen?”

Han krängde på sig jackan och svarade inte.

”Har du ringt taxi?”

”Nej, jag tänkte vi kunde ta tunnelbanan.”

”Glöm det. Jag måste hem snabbt. Magen krånglar.”

Chilikoman hade satt punkt för kvällen.

Utanför restaurangen frågade Jeanette om konstprojektet igen. Han svarade undvikande och muttrade något om att det nog inte skulle bli av.

”Du sa att du var helt slut förut.” Jeanette hejdade en ledig taxi, som körde in till trottoaren. ”Har du målat?”

Han suckade. Det såg ut som om han var nära att kräkas. Fyra stora öl på bara en dryg timme, tänkte Jeanette. Och den där maten. Fattas bara att han spyr ner taxin.

”Nej”, sa han till sist. Taxichauffören tutade lätt för att påminna dem om att taxametern tickade. ”Jag har rotat fram lite gamla grejer som jag tänkte bättra på.”

”Jaså, vad bra...” Jeanette erinrade sig de gånger Åke skulle bättra på gamla målningar. Det slutade alltid med att han tyckte att de blev sämre, alternativt förstörde han dem helt.

Hon öppnade bildörren. ”Gamla Enskede. Vad tar du?”

”Jag kör på taxameter”, sa taxichauffören. ”Två, tre hundra kanske.”

Jeanette satte sig i framsätet. Hon förstod att det skulle bli en saftig nota för kvällen. Till vilken nytta? tänkte hon när Åke sjönk ner i baksätet.

Hon vände sig mot chauffören. ”Du hittar, va? Jag guidar när vi börjar närma oss.”

Han såg på henne med rynkad panna. ”Du ser bekant ut.”

Jeanette var bra på ansikten, och efter några få sekunder hade hon placerat det. Ansiktet tillhörde en klasskamrat från grundskolan. Ögonen och näsan var sig lika, munnen hade kvar något av dragen, men läpparna var inte längre lika fylliga. Det var som att se ett barns ansikte gömt i åtskilliga lager fett och hängig hud och hon kunde inte låta bli att skratta.

”Herregud... Magnus? Är det du!?”

Han skrattade tillbaka och drog handen över det nästan kala huvudet, som för att dölja ålderns härjningar. Hon mindes att han hade haft långt, lockigt hår. Det hade varit rödbrunt, nu var det lilla som fanns kvar på sin höjd råttfärgat.

”Nettan?”

Hon nickade. Det var länge sedan någon kallat henne det.

Han slog av taxametern. ”Vi säger hundrafemtio spänn, för gammal vänskaps skull.” Han log åt henne och svängde ut på gatan.

Gammal vänskaps skull, tänkte hon. Han hade varit klassens buse. En gång hade han faktiskt slagit henne. En gymnastiklektion i sjuan. Han hade varit en av dem man egentligen borde undvika. Men Jeanette hade vägrat.

Hon såg på honom och antog att han tänkte på samma sak som hon.

”Så...” sa han när de svängde ut på Ringvägen ner mot Skanstull. ”Vad pysslar du med?”

”Jag är polis.”

Han skrattade till och vände sig mot henne. ”Aj fan, ska jag slå på den här igen?” Han knackade på taxametern.

”Det är lugnt.”

De stannade vid rödljuset nere vid Ringen. Han sträckte bak handen och hälsade på Åke, som såg ordentligt illamående ut.

"Är ni gifta?" Frågan var riktad till dem båda, men Åke vände bort huvudet och kröp ihop i baksätet.

"Japp", svarade Jeanette. Det blev grönt och bilen började rulla igen. "Och du?"

"Ungkarl. Kör taxi... " Han svängde upp på Skanstullsbron. "Jag måste säga att det inte förvånar mig att du blev polis."

"Jaha. Varför då?"

"Det är väl självklart." Han såg menande på henne. "Du var ju klassens polis redan då. Skulle ha åsikter om allt. Nu när jag tänker tillbaka tycker jag faktiskt att du var rätt tuff."

Tuff? Jeanette visste inte hur många gånger hon gråtit som liten. Skolan de gått i hade härbärgerat åtskilliga mobbare, han hade varit en av dem, och även om hon kanske hade klarat sig ganska bra, gjorde det ont i henne när hon tänkte på vad vissa andra fått utstå.

"Jag menar", fortsatte han. "Vi var ju några som var rätt taskiga. Kommer du ihåg han med glasögon? Och hon den där tysta?"

"Jodå. Fredrik och Ann-Christine."

Hon mindes dem mer än väl.

"Ja, just det. Vi var väl ganska taskiga mot dem, men du var ju skitjobbig. Var på oss hela tiden... Tacka fan för att du blev polis. Din farsa var väl det också?" Han skrattade igen.

"Du kör för fort", sa Jeanette utan att röra en min.

Han saktade farten medan leendet dog ut.

"Ursäkta", sa han. "Jag blev lite distraherad."

Jeanette tänkte på alla gånger hon fått gå emellan. Då flinade de bara åt henne, häcklade henne.

Nu lydde han direkt.

Åke tillbringade resten av kvällen i skytteltrafik mellan sängen och toaletten. Strax före midnatt verkade det som om han somnat. Jeanette satt i fåtöljen i vardagsrummet och såg en dålig film om amerikanska poliser som jagade terrorister. Hon kände sig uttråkad och öppnade en flaska vin.

Så förutsägbart, tänkte hon, halvt som halvt avsett som en tanke om filmen, men lika mycket som en reflektion över hennes förhållande med Åke.

Var hon förutsägbar?

Förmodligen.

Palak paneer.

Klassens snut redan på mellanstadiet.

Dåtid

Hon är enda tjejen på sommarjobbet. Femton killar som hetsar varandra och labben är ju inte så stor, speciellt när det regnar hela tiden och de inte kan sitta ute. De brukar spela skitgubbe om vem som ska få följa med Kråkflickan in i det andra rummet.

Den stora grässlätten nedanför Polacksbackens gamla kasern är fylld av karuseller, chokladhjul och marknadsstånd. Det är mitten av augusti och ett kringresande tivoli besöker Uppsala under en vecka.

Hon ska visa Martin runt på området medan hans föräldrar åker in till centrum för att äta middag.

Martin är på sitt allra charmigaste humör och hon märker att han tycker det är särskilt roligt att vara där bara med henne. Hon har, efter de somrar de tillbringat tillsammans, blivit hans bästa vän och det är till henne han kommer om han vill prata om något viktigt. Om han är ledsen eller om han vill göra något spännande, något förbjudet.

Under vårterminen har hennes saknad efter honom blivit så stor att hon flera gånger i veckan tagit bussen och besökt honom i villan i Bergsbrunna.

Hon har saknat deras somrar ihop, deras lekar och hemligheter. Det har inte alls varit detsamma när föräldrarna varit där eftersom de hela tiden skulle styra och ställa och varken hade kunskap eller fantasi nog att begripa vad Martin verkligen önskade och behövde.

Hon antar att denna sommar kommer att bli den sista de har tillsammans eftersom Martins pappa har erbjudits ett nytt, välbetalt jobb nere i Skåne. Familjen ska flytta ner i början av augusti och mamman har berättat att de redan hittat en barnflicka åt Martin, som ska vara mycket skötsam och ansvarsfull.

Victoria har lovat att möta föräldrarna klockan åtta vid pariserhjulet där Martin ska få avsluta kvällen med en milsvid utsikt över Uppsalaslätten. Man kan visst se ända hem till Bergsbrunna därifrån.

Under hela eftermiddagen har Martin med stor entusiasm sett fram emot färden högt däruppe. Oavsett var på området man befinner sig kan man se pariserhjulet med sina gondoler nästan trettio meter över marken.

Men själv ser hon inte fram emot åkturen eftersom den inte bara ska bli avslutningen på kvällen utan kanske också det sista de överhuvudtaget kommer att göra tillsammans.

Det blir inte något mer sen.

Och hon vill inte att de vuxna ska vara med. Därför föreslår hon att de ska åka pariserhjulet nu med en gång, så kan de åka en gång till när mamma och pappa kommer tillbaka. Då kan han peka ut olika platser för dem redan innan de själva hinner upptäcka dem.

Han tycker att det är en jätterolig idé och innan de går bort för att ställa sig i kön köper de sig varsin läsk. När de står rakt under hjulet och tittar upp svindlar det. Så otroligt högt. Hon lägger armen om honom och frågar om han är rädd.

”Bara lite”, svarar han, men hon ser på honom att det inte är riktigt sant.

Hon rufsar om hans hår och tittar honom i ögonen.

”Det är ingen fara, Martin”, säger hon och försöker låta övertygande. ”Jag är ju med dig. Ingenting farligt kan hända då.”

Han ler mot henne och kramar krampaktigt hennes hand när de tar plats i en av gondolerna. Allt eftersom nya passagerare stiger på, och de bit för bit klättrar uppåt, blir Martins grepp runt hennes arm allt hårdare. När gondolen kränger till och de blir hängande en stund nästan ända uppe, samtidigt som den sista vagnen fylls på där nere, säger han att han inte vill längre.

”Jag vill åka ner.”

”Men Martin”, försöker hon, ”när vi kommit ända upp kan vi se hela vägen hem till Bergsbrunna, det vill du väl se?” Hon pekar ut över landskapet omkring dem och pekar som hon gjort när hon visat honom skogen. ”Titta där borta”, säger hon, ”där är badbryggan och där borta är fabriken.”

Men Martin vill inte se.

”Snälla... kan vi inte åka ner igen?”, säger han med desperation i rösten.

Hon förstår inte. Han hade ju tyckt att det var en bra idé och han hade tjatat halvt ihjäl henne om det där pariserhjulet. Och plötsligt vill han inte.

Hon överfalls av en impuls att skaka om honom ordentligt, men låter bli när hon ser att han börjar gråta.

När hjulet åter snurrar tittar han på henne och torkar tårarna mot tröjärmen. Vid det tredje varvet verkar hans rädsla som bortblåst och istället har hans nyfikenhet, över de vyer som öppnar sig för dem, vaknat.

”Du är bäst i världen”, viskar hon i hans öra, och skrattande kramar de om varandra.

Under färden ser de flera bekanta platser. De ser lekplatsen och kullarna i Vilan där de ofta åkt pulka om vintrarna. Men inte Martins hus i Bergsbrunna, för det skyms av skogen i Sävja. Bortom Polacksbackens kasernbyggnader syns Fyrisån, Kungsängsbron och reningsverket.

Längs ån skymtar också en rad husbåtar mellan träden. Några barn badar vid en av bryggorna och deras skratt hörs ända upp till gondolen där de sitter.

”Jag vill också bada”, säger han.

Det är nästan fyrtiofem minuter kvar tills de ska möta Martins föräldrar och det är inte långt ner till ån. Men luften har blivit kallare och de har inga badkläder med sig. Hon vet också hur det kan lukta där nere om vinden blåser från fel håll och för med sig den söta, kvalmiga doften av smuts och avföring från reningsverket längre bort.

Men han är envis. Han bara ska bada. Och eftersom det är en speciell kväll för dem ger hon med sig utan att protestera alltför mycket.

Känslan av att kvällen inte blir så perfekt som hon önskat kommer återigen över henne.

När turen i pariserhjulet är över blir han ivrig att komma iväg ner till ån.

De lämnar trängseln på tivoliområdet, rundar kasernbyggnaderna och följer stigen som leder nedför den ravinliknande sluttningen mot Fyrisån.

Bryggan där barnen badat en stund tidigare är tom, förutom ett kvarglömt badlakan som ligger slängt över en av stolparna. Husbåtarna guppar mörka och tomma på åns svarta vatten.

Hon stegar bestämt ut på bryggan, böjer sig ner och känner på vattnet.

Senare kommer hon inte förstå hur hon kunde tappa bort honom.

Plötsligt är han bara borta.

Hon ropar efter honom. Hon letar desperat bland buskarna och i vassen nere vid stranden. Hon faller och slår sig blodig på en vass sten, men Martin finns ingenstans.

Hon springer tillbaka ut på bryggan men ser att vattnet är helt stilla.

Ingenting.

Inte en rörelse.

Det känns som om hon befinner sig i en simmig bubbla som stänger ute alla ljud och intryck.

När hon inser att hon inte kan hitta honom springer hon

på svaga ben tillbaka till tivoliområdet och irrar planlöst runt bland öltälten och karusellerna innan hon till slut sätter sig ner mitt på ett av de livligare gångstråken.

Ben och fötter av förbipasserande och en kväljande doft av popcorn. Blinkande ljus i alla färger.

Hon har en känsla av att någon gjort Martin illa. Och det är då gråten kommer.

När Martins föräldrar hittar henne är hon bortom all kontakt. Hennes gråt är fullständigt bottenlös och hon har kissat på sig.

"Martin är borta", upprepar hon. I bakgrunden hör hon hur pappan tillkallar en sjukvårdare och hon känner hur någon sveper en filt omkring henne. Någon tar henne om axlarna och lägger henne i framstupa sidoläge.

Inledningsvis är de inte särskilt oroliga för Martin, eftersom området inte är stort och det finns gott om folk som kan ta hand om ett ensamt barn.

Men efter en dryg halvtimmes letande börjar oron komma krypande. Martin är inte kvar på området och efter ytterligare en halvtimme ringer pappan polisen. Nu börjar man mer systematiskt söka igenom omgivningen i anslutning till tivolit.

Men man finner inte Martin den kvällen. Det är först när man dagen efter börjar dragga i ån, som man hittar hans kropp.

Av skadorna att döma har han drunknat, kanske efter att ha slagit huvudet i en sten. Anmärkningsvärt är dock att kroppen, sannolikt under kvällen eller natten, sargats svårt. Man sluter sig till att skadorna orsakats av en propeller från en båtmotor.

Victoria tas in på Akademiska sjukhuset för observation under ett par dagar. Under det första dygnet yttrar hon inte ett ord och läkarna fastställer att hon befinner sig i svår chock.

Först den andra dagen kan hon förhöras av polis och hon drabbas då av ett hysteriskt anfall som varar i åtminstone tjugo minuter.

För polisen som sköter förhöret berättar hon att Martin försvunnit efter en tur i pariserhjulet och att hon gripits av panik då hon inte kunnat hitta honom.

Under det tredje dygnet på Akademiska vaknar Victoria mitt i natten. Hon känner sig iakttagen och det stinker i rummet. När hennes ögon vant sig vid mörkret ser hon att det inte är någon där, men hon kan inte göra sig av med känslan av att någon tittar på henne. Och så den där kväljande doften, som av avföring.

Försiktigt kryper hon ur sängen, lämnar sitt rum och går ut i korridoren. Där är det upplyst, men tyst.

Hon ser sig omkring för att hitta källan till sin oro. Så ser hon den. En blinkande röd lampa. Insikten är brutal och slår henne hårt i mellangärdet.

”Stäng av!” skriker hon. ”Ni har fan ingen rätt att filma mig!”

Hon hör fotsteg som snabbt närmar sig från alla håll. Hon visste det. De har suttit och lurpassat på henne, de har följt och dokumenterat varje rörelse hon gjort, noggrant antecknat varje ord hon sagt.

Kanske under hela livet.

Hur kunde hon vara så dum att hon inte anat något tidigare?

Tre personer ur nattpersonalen dyker upp samtidigt.

”Hur är det fatt?” frågar en av dem medan de andra två tar tag i hennes armar.

”Dra åt helvete!” skriker hon. ”Släpp mig och sluta med era inspelningar! Jag har inte gjort något!”

Vårdarna släpper inte taget och när hon gör motstånd tar de ett ännu fastare grepp om henne.

”Så, så, lugna ner dig”, försöker en av dem.

Hon hör hur de pratar bakom hennes rygg och hur de gaddar ihop sig. Komplotten är så uppenbar att det är skrattretande.

”Sluta prata i era jävla koder och sluta viska till varandra!” säger hon sammanbitet. ”Berätta vad det är som händer. Och försök inte, jag har inte gjort något, det var inte jag som kletade bajs på fönstret."

"Nej, det vet vi att det inte var", säger en.

De försöker lugna henne. De ljuger henne rakt upp i ansiktet och hon har ingen hon kan ropa på, ingen som kan hjälpa henne. Hon är i deras våld.

"Sluta!" skriker hon när hon ser en av dem göra i ordning en spruta. "Släpp mina armar!"

Sedan faller hon i djup sömn.

Vila.

På morgonen kommer psykiatrikern in till henne. Han frågar hur hon mår.

"Vad menar du?" säger hon. "Det är inget fel på mig."

Psykiatrikern förklarar för Victoria att hennes skuldkänslor för Martins död har framkallat hallucinationerna. Psykos, paranoia, posttraumatisk stress.

Victoria lyssnar stillatigande till det han säger, men inom henne reser sig ett stumt och kompakt motstånd, som ett annalkande oväder.

Köket

var inrett som ett enkelt obduktionsrum. På hyllorna i skafferiet stod det inte längre konservburkar och matvaror, utan flaskor med glycerin och kaliumacetat och en mängd andra kemikalier.

På den kliniskt rena diskbänken låg diverse vanliga verktyg. Där fanns en yxa, en såg, olika tänger som plattång, avbitare och en stor hovtång.

På en handduk låg de mindre instrumenten. En skalpell, en pincett, nål och tråd samt ett avlångt verktyg med en krok i ena änden.

När hon var färdig svepte hon in kroppen i en vit och ren linneduk. Burken med de avskurna genitalierna placerade hon med de andra behållarna i köksskåpet.

Med lite puder putsade hon hans ansikte och med en kajalpenna och ett ljust läppstift sminkade hon honom försiktigt.

Det sista hon gjorde var att raka bort alla små fjuniga hår på kroppen, eftersom hon hade upptäckt att formalinet fick kroppen att stelna en aning och huden att svälla. Nu skulle håret dras in och huden bli slätare.

När hon var klar såg pojken nästan levande ut.

Som om han sov.

Danvikstull

Den tredje pojken hittades vid bouleanläggningen nedanför Danvikstull och var, enligt de sakkunniga, ett bra exempel på en lyckad balsamering.

Jeanette Kihlberg var på ett uselt humör. Inte bara för att de förlorat matchen mot Gröndal utan också för att hon istället för att åka hem och duscha nu var på väg till ytterligare en mordplats.

Svettig och fortfarande klädd i matchställ anlände hon till fyndplatsen. Hon hejade på Schwarz och Åhlund och gick sedan fram till Hurtig som stod och rökte bredvid avspärrningen.

”Hur gick matchen?” frågade Åhlund.

”Torsk med 3–2. En feldömd straff, ett självmål och ett avslitet korsband på vår målvakt.”

”Ja, ja. Det är som jag alltid sagt”, inflikade Schwarz och flinade. ”Tjejer ska inte spela fotboll. Det är alltid problem med era knän. Ni är helt enkelt inte byggda för det.”

Hon kände att hon ilsknade till men orkade inte ta upp diskussionen ytterligare en gång. Det var en stående kommentar från kollegorna så fort hennes fotbollsspelande kom på tal. Men hon tyckte att det var konstigt att en så ung kille som Schwarz hade så unkna och förlegade åsikter.

”Jag kan det där. Hur ser det ut här? Vet vi vem det är?”

”Inte än”, sa Hurtig. ”Men jag är rädd att det påminner oroväckande mycket om våra tidigare fall. Killen är balsamerad och ser helt levande ut, om än lite blek. Nån har lagt honom på en filt så att det såg ut som om han låg och solade.”

Åhlund pekade mot skogsdungen bredvid boulebanan.

”Nåt annat?”

”Enligt Andrić kan kroppen teoretiskt sett ha legat här i ett par dagar”, svarade Hurtig. ”Själv tycker jag att det låter otroligt. Han ligger ju trots allt helt öppet. Och lite konstigt skulle i alla fall jag tycka att det var om jag såg nån ligga på en filt mitt i natten.”

”Det kanske inte var nån som passerade här igår natt.”

”Nej, visst, men i alla fall…”

Jeanette Kihlberg gjorde det som förväntades av henne och bad sedan Ivo Andrić ringa så fort han var klar med sin rapport. Hon ville ha en muntlig dragning av honom och han kunde ringa henne när som helst på dygnet.

Åhlund och Schwarz beordrades att stanna kvar och invänta teknikernas första rapport.

Två timmar efter att Jeanette anlänt till brottsplatsen satte hon sig åter i bilen för att åka hem och först nu kände hon träningsvärken.

När hon passerade rondellen i Sickla ringde hon upp Dennis Billing.

”Hej, det är Jeanette. Har du fullt upp?”

Polismästaren lät andfådd. ”På väg hem. Hur såg det ut därute?”

Hon svängde upp på Södra länken mot bron över till Hammarbyhöjden.

”Tja, en död pojke till. Hur går det med Lundström och von Kwist?”

”Von Kwist är tyvärr negativ till att släppa Lundström till ett förhör. Jag kan inte göra så mycket mer med det just nu.”

”Nähä, men varför är han så jävla avig? Spelar han golf med Lundström, eller?”

”Akta dig, Jeanette. Vi vet båda att von Kwist är en skicklig…”

”Skitsnack!”

”Så är det i alla fall. Jag måste sluta nu. Vi får talas vid imorgon.” Dennis Billing la på luren.

När hon tog höger in på Enskedevägen och stannade vid rödljusen efter rondellen ringde telefonen.

”Jeanette Kihlberg.”

”Ja… hej, jag heter Ulrika. Ni hade sökt mig.”

Rösten var spröd. Jeanette förstod att det var Ulrika Wendin.

”Ulrika? Vad bra att du hör av dig.”

”Jaha, vad var det ni ville?”

”Karl Lundström”, sa Jeanette.

Det blev tyst i luren.

”Okej”, sa flickan efter en stund. ”Varför då?”

”Jag skulle vilja prata med dig om vad han gjorde mot dig och jag hoppas att du kan hjälpa mig med det.”

”Fan…” Ulrika suckade. ”Jag vet inte om jag orkar dra upp det där igen.”

”Jag förstår att det är jobbigt för dig. Men det är för en god sak. Du kan hjälpa andra genom att berätta vad du vet. Om han åker dit för det han nu är åtalad för kan du få upprättelse.”

”Vad står han åtalad för?”

”Jag berättar allt imorgon om du har möjlighet att ses. Är det okej om jag kommer hem till dig?”

Det blev tyst igen och under några sekunder lyssnade Jeanette till flickans tunga andetag.

”Det går väl bra… När kommer du?”

Patologiska institutionen

Klockan var över midnatt när liket bars in i obduktionsrummet och Ivo Andrić insåg att han behövde hjälp. Bara av det han noterat redan på brottsplatsen förstod han att det här var utfört av någon med specialkunskaper.

Av en tillfällighet visade det sig att en av nattstädarna på patologen var ukrainare och hade studerat till läkare på universitetet i Charkov. Direkt när städaren fick syn på liket sa han att det påminde om Lenin. Ivo Andrić bad honom utveckla sin kommentar och städaren ville minnas att han läst att det hade varit en professor Vorobjov som på nittonhundratjugotalet fått i uppdrag att balsamera Lenin.

Ivo Andrić gick in på rummet han hade fått låna, kopplade upp sin laptop mot nätet och sökte sig fram.

En vecka efter Lenins död hade kroppen visat tecken på förmultning. Huden började gulna och bli mörkare, fläckar och svampartade områden uppstod. Den som fick i uppgift att försöka bevara kroppen hette mycket riktigt Vorobjov och var professor på anatomiinstitutet vid Charkovs universitet.

Ivo Andrić läste fascinerat hur de hade gått till väga. Först avlägsnade de inälvorna, tvättade liket med ättiksyra och besprutade sedan de mjuka vävnaderna med formaldehyd. Efter flera dagars intensivt arbete la de Lenin i en balja av glas, hällde en blandning av vatten och diverse kemikalier över kroppen, däribland glycerin och kaliumacetat.

Ivo Andrić gick tillbaka in i operationsrummet och såg ganska omgående att den som balsamerat pojken kunde ha haft tillgång till Vorobjovs anteckningar. Hans första antagande att det varit en person med specialkunskaper som utfört balsameringen var kanske förhastad.

Numera räckte det med att ha tillgång till internet.

Och eftersom man nog kunde anta att det rörde sig om samma förövare som i de tidigare fallen och att vederbörande förfogade över en mängd bedövningsmedel så borde det inte ha varit några svårigheter att även skaffa fram kemikalierna för en balsamering.

Den här pojken var mellan tolv och femton år. Skadorna var identiska med de två andra pojkarnas. Ett hundratal blåmärken, nålstick och såren på ryggen. Som han förväntat sig var också den här pojkens genitalier avlägsnade. Med en liknande vass kniv och med samma precisa utförande.

Ivo Andrić bestämde sig för att göra en gipsavgjutning av pojkens tänder som, mirakulöst nog, var intakta, och skicka till rättsodontologerna för identifiering.

Klockan hade hunnit bli halv tre och han tvekade om han skulle ringa Jeanette Kihlberg och berätta vad han kommit fram till. Men hon hade ju trots allt insisterat. Någon därute var nu uppe i tre mord och skulle antagligen inte nöja sig med det.

Medan han slog numret till henne började han frysa.

Gamla Enskede

Efter samtalet med Ivo Andrić hade Jeanette Kihlberg svårt att somna om. Åkes snarkande gjorde det inte lättare, men det hade hon lärt sig att hantera. Hon puttade på honom och han vände sig mumlande över på sidan.

Klockan halv fem orkade Jeanette inte ligga sömnlös och vrida sig längre, utan gick tyst ner i köket och satte på kaffe.

Medan bryggaren puttrade gick hon ner i källaren och fyllde en tvättmaskin. Hon bredde sig några smörgåsar och tog kaffekoppen och gick ut i trädgården.

Innan hon satte sig gick hon nedför grusgången till brevlådan och hämtade tidningen.

Självklart handlade den största nyheten om pojken vid Danvikstull och Jeanette kände sig nästan förföljd.

På andra sidan gatan, vid grannens postlåda, stod en övergiven barnvagn.

Morgonsolen bländade henne genom häcken och hon skyddade sig från det starka ljuset med handen för att se vad som försiggick.

En rörelse vid buskarna. En ung man skyndade ut på gatan i full färd med att knäppa sina byxor och hon insåg att ynglingen alldeles nyss kissat i hennes häck.

Han gick fram till barnvagnen, plockade upp en tidning och la den i grannens brevlåda. Sedan gick han vidare till nästa hus.

Barnvagn, tänkte hon, och fick en idé.

Kvarteret Kronoberg

Det första Jeanette Kihlberg gjorde när hon kom till kontoret var att ringa AB Tidningstjänst.

”Hej, mitt namn är Jeanette Kihlberg och ringer från Stockholmspolisen. Jag behöver uppgifter från er om vem som tjänstgjorde i området kring Lärarhögskolan på morgonen den nionde maj.”

Telefonisten lät nervös.

”Ja... det går väl att ordna. Vad gäller det?”

”Mord.”

Medan Jeanette väntade på att Tidningstjänst skulle ringa tillbaka kallade hon in Hurtig på rummet.

”Vet du att vissa av tidningsbuden använder barnvagnar istället för cykelkärror?” sa hon när Hurtig kommit in och satt sig mitt emot henne.

”Nej, det visste jag inte. Vad menar du?” Han såg frågande på henne.

”Kommer du ihåg att man hade säkrat spår från en barnvagn vid Thorildsplan?”

”Javisst.”

”Och vilka är det som är ute och rör på sig tidigt på morgonen?”

Hurtig log och nickade. ”Tidningsbuden...”

”Snart ringer telefonen”, sa Jeanette. ”Du får gärna svara.”

De satt tysta i en knapp minut innan telefonen ringde och Jeanette slog på högtalarfunktionen.

”Jens Hurtig, Stockholmspolisen.”

Flickan från Tidningstjänst presenterade sig. ”Jag talade just

med en kvinnlig polis som ville veta vem som tjänstgjorde på västra Kungsholmen den nionde maj?"
"Ja, det stämmer."
Jeanette såg att Hurtig hängde med.
"Han heter Martin Thelin, men han jobbar inte längre för oss."
"Har du nåt nummer vi kan nå honom på?"
"Ja, det finns ett mobilnummer."
Han antecknade telefonnumret och frågade telefonisten om hon hade ytterligare information om tidningsbudet.
"Ja, jag har hans personuppgifter. Vill du ha dem?"
"Tack, gärna."
Hurtig skrev ner Martin Thelins personnummer och avslutade samtalet.
"Ja, vad tror du?" frågade Jeanette. "En misstänkt?"
"Antingen det eller ett vittne. Det är ju fullt möjligt att transportera ett lik i en barnvagn, eller hur?"
Jeanette nickade. "Eller så var det Martin Thelin som hittade kroppen vid Thorildsplan när han delade ut tidningar. Och ringde 112."
Hon slog en signal till Åhlund och bad honom söka reda på Thelin. Hon gav honom telefonnumret.
"Nu arbetar vi snabbt", fortsatte hon sen. "Berätta för mig vilket namn du tycker är hetast."
"Karl Lundström", svarade Hurtig utan att tveka.
"Jaha", sa hon. "Och varför då?"
Hurtig verkade road av situationen.
"Pedofil. Vet hur man köper ett barn från tredje världen. Tycker att kastration är en bra idé. Har genom sin fru som är tandläkare tillgång till bedövningsmedel."
"Jag håller med" sa Jeanette. "Alltså lägger vi allt krut på honom. Jag fick förundersökningsmaterialet om fallet Ulrika Wendin imorse, så jag föreslår att vi pluggar lite innan vi åker ut till henne."

Hammarbyhöjden

Flickan som öppnade var liten och smal och såg inte en dag äldre ut än arton.

”Hej, det är jag som är Jeanette Kihlberg. Han här heter Jens Hurtig och är min kollega.”

Flickan vek undan med blicken, nickade och gick före in i ett litet kök.

”Vill ni ha kaffe?” frågade hon och satte sig vid köksbordet. Jeanette noterade att hon verkade nervös.

”Nej, tack. Det var snällt, men vi ska inte stanna så länge.”

Jeanette satte sig ner mitt emot medan Hurtig stod kvar i dörröppningen.

”Det stod ett annat namn på dörren”, sa Jeanette.

”Ja, jag hyr i tredje, eller fjärde hand.”

”Ja, jag vet hur det är. Stockholm är helt hopplöst. Omöjligt att hitta nånstans att bo, om man inte är miljonär förstås.” Jeanette log.

Flickan såg inte längre lika rädd ut och kostade på sig ett snett leende tillbaka.

”Ulrika, jag ska gå rakt på sak så att du slipper oss så fort som möjligt.”

Ulrika Wendin nickade och fingrade nervöst på bordsduken.

Jeanette redogjorde kort för åtalet mot Karl Lundström och flickan tycktes slappna av lite när hon förstod att bevisbördan mot pedofilen var så stark att den sannolikt skulle resultera i en fällande dom.

”För sju år sen anmälde du honom för våldtäkt. Ditt fall kan tas upp på nytt igen och jag tror att du har goda chanser att vinna.”

”Vinna?” Ulrika Wendin ryckte på axlarna. ”Jag vill inte börja om med det där…”

”Vill du berätta vad som hände?”

Flickan satt tyst och stirrade i bordsduken medan Jeanette studerade hennes ansikte.

Det hon såg var rädsla och rådvillhet.

”Jag vet inte var jag ska börja…”

”Börja från början”, sa Jeanette.

”Det var…” försökte hon. ”Det var jag och en kompis som svarade på en annons på nätet…” Ulrika Wendin tystnade och kastade en blick mot Hurtig.

Jeanette förstod att hans närvaro störde Ulrika och med en gest lät hon honom förstå att det var bäst att han lämnade rummet.

”Först var det mest på skoj”, fortsatte flickan när Hurtig försvunnit ut i hallen. ”Men snart förstod vi att vi skulle kunna tjäna pengar. Han som hade satt in annonsen ville ligga med två tjejer samtidigt. Vi skulle få femtusen…”

Jeanette märkte hur svårt det var att berätta.

”Okej. Vad hände sen?”

Ulrika Wendin såg fortfarande ner i bordet. ”Jag var rätt strulig på den tiden… Vi blev fulla och bestämde träff med honom och han hämtade oss med bil.”

”Karl Lundström?”

”Ja.”

”Okej. Fortsätt.”

”Vi åkte till en krog nånstans. Han bjöd på drinkar och min kompis stack. Han blev sur först, men jag lovade att följa med honom för halva priset…”

Jeanette såg att flickan skämdes.

”Jag vet inte varför det blev så…”

Rösten blev tunnare. ”Allt var så snurrigt och han tog mig tillbaka till bilen. Sen är det blankt. Nästa gång jag vaknar är det på ett hotellrum.”

Jeanette förstod att hon hade drogats.

”Och du vet inte vilket hotell?”

NUTID

Nu mötte Ulrika Wendin för första gången Jeanettes blick.
”Nej.”
Inledningsvis hade flickans redogörelse varit trevande och osammanhängande, men nu blev den mer rak och saklig. Hon berättade att hon tvingats till sex med tre män medan Karl Lundström stått bredvid och filmat. Till sist hade han själv förgripit sig på henne.
”Hur vet du att det var Karl Lundström?”
”Jag visste inte vem han var förrän jag av en händelse såg honom i tidningen.”
”Och då anmälde du honom?”
”Ja.”
”Och du kunde peka ut honom i en vittneskonfrontation?”
Ulrika Wendin såg trött ut. ”Ja. Men han hade alibi.”
”Finns det en möjlighet att du kan ha tagit fel?”
Det blixtrade till av förakt i flickans ögon.
”I helvete heller. Det var han.”
Ulrika Wendin suckade och stirrade frånvarande ner i bordet.
Jeanette nickade. ”Jag tror dig.”

Kärrtorp

När Jeanette och Hurtig lämnat lägenheten och gick ut på parkeringen öppnade Hurtig munnen för första gången sedan de kommit.

”Ja, vad tror du?” sa han.

Jeanette låste upp bilen och öppnade dörren. ”Att von Kwist blir tvungen att ta upp hennes fall igen. Allt annat vore tjänstefel.”

”Och i vårt fall?”

”Det är nog lite tveksamt.” De satte sig och Jeanette startade bilen.

”Tveksamt?” Hurtig skrattade till.

Jeanette ruskade på huvudet. ”Fan, Jens, det var sju år sen. Hon var packad och drogad. Och för övrigt finns det ju inte många likheter med de brott vi utreder nu.”

I detsamma som hon saktade in vid en korsning ringde hennes mobiltelefon. Vem fan är det nu då? tänkte hon.

Det var Åhlund.

”Var är ni?” frågade han.

”Hammarbyhöjden, på väg mot stan”, svarade Jeanette.

”Då är det bara att vända tillbaka. Tidningsbudet Martin Thelin bor ute i Kärrtorp.”

Före detta tidningsbudet Martin Thelin såg bakfull ut när han öppnade dörren klädd i ett par svarta träningsoverallsbyxor och en oknäppt skjorta. Han var orakad, håret stod på ända och hans andedräkt hade kunnat döda en elefant.

”Vad handlar det om?” Martin Thelin harklade sig och

Jeanette som trodde att han var på väg att kräkas tog ett steg tillbaka.

”Kan vi få komma in?” Hurtig höll upp sin polislegitimation och pekade in i lägenheten.

”Javisst, men det är lite stökigt.” Martin Thelin ryckte på axlarna och släppte in dem.

Jeanette slogs av att han verkade så oberörd av deras närvaro, men antog att han förstått att de förr eller senare skulle hitta honom.

Lägenheten stank av utspilld öl och gamla sopor och Jeanette försökte andas enbart genom munnen. Thelin visade in dem i vardagsrummet, satte sig i den enda fåtöljen och visade med en gest att Jeanette och Hurtig kunde slå sig ner i soffan.

”Är det okej om jag öppnar ett fönster?” Jeanette såg sig omkring och när den svårt fyllsjuke mannen nickade jakande gick hon bort och slog upp ett fönster på vid gavel innan hon satte sig ner bredvid Hurtig.

”Berätta vad som hände vid Thorildsplan.” Jeanette tog fram sitt anteckningsblock. ”Ja, vi vet att du var där.”

”Ta god tid på dig”, förtydligade Hurtig. ”Vi vill att du är så detaljerad som möjligt.”

Martin Thelin vaggade fram och tillbaka och Jeanette förstod att han sökte i sitt söndersupna, fragmentariska minne.

”Alltså, jag var inte helt klar den där morgonen”, började han, sträckte sig efter ett cigarettpaket och skakade fram en cigarett. ”Jag hade supit hela kvällen innan och en bra bit in på småtimmarna så...”

”Ändå gick du i väg på din runda?” Jeanette noterade i blocket.

”Precis. Och när jag var klar stannade jag till där vid tunnelbanan för att pissa och det var då jag såg plastsäcken.”

Trots att han varit påverkad var hans redogörelse detaljrik och utan minnesluckor. Han hade gått in i buskaget till vänster om tunnelbanenedgången, kissat och sedan upptäckt den svarta sopsäcken. Han hade öppnat den och chockats av det han hittade.

Förvirrad hade han backat tillbaka ut på gångbanan, tagit barnvagnen han haft tidningarna i och snabbt gått genom parken bort mot Rålambsvägen.

Vid DN-skrapan hade han ringt 112.

Det var allt.

Något mer hade han inte sett.

Hurtig betraktade mannen ingående. ”Egentligen kan vi plocka in dig för att du underlåtit att höra av dig till oss. Men om du tar dig in till stationen och lämnar ett salivprov så ska vi se mellan fingrarna.”

”Vad då salivprov?”

”Ja, så att vi kan utesluta din DNA från brottsplatsen”, förtydligade Jeanette. ”Din urin fanns ju på plastsäcken.”

knarrade när den andre vred sig i sömnen. Pojken hade sovit länge. Gao hade räknat till nästan tolv timmar då han lärt sig att klockan som hördes svagt långt borta slog en gång i timmen.

Just då slog klockan igen och han undrade om det var en kyrka.

Han tänkte i ord fast han inte ville.

Maria, tänkte han. Petrus, Jakob, Magdalena.

Gao Lian. Från Wuhan.

Han hörde att den andre vaknade.

mörkret

förstorade ljuden från den andre pojken. Gråten, rasslet när han ryckte i kedjan, stönen och de klagande, främmande orden.

Gao hade inga kedjor. Han var fri att göra vad han ville med den andre. Kanske skulle hon komma tillbaka om han gjorde något med pojken? Han längtade efter henne och visste inte varför hon inte kom.

Han märkte att den andre hela tiden trevade runt i mörkret som om han letade efter något. Och ibland ropade han på det konstiga språket. Chto, chto, chto, lät det.

Han ville att pojken skulle försvinna. Han hatade honom och hans närvaro i rummet fick Gao att känna sig ensam.

Till sist kom hon.

Han hade varit i mörker så länge nu att ljuset som släpptes in gjorde att ögonen värkte. Den andre pojken skrek och grät och sparkade omkring sig. När han sedan såg Gao i ljuset lugnade han sig något och stirrade hatiskt på honom. Kanske var pojken bara avundsjuk för att Gao inte behövde ha kedjor på sig?

Den ljusa kvinnan klev in i rummet och gick fram till Gao med en skål i händerna. Hon ställde ner den rykande soppan på golvet, sedan kysste hon honom på pannan och drog handen genom hans hår och han påmindes om hur mycket han tyckte om när hon rörde vid honom.

Efter en stund återvände hon med ytterligare en skål som hon gav till den andre. Han började girigt äta, men Gao väntade tills hon hade stängt dörren och det åter var mörkt. Han ville inte att hon skulle se hur hungrig han var.

Redan efter en timme kom hon in i rummet igen. Hon bar en väska över axeln och i handen hade hon ett svart föremål som liknade en stor skalbagge.

taket
hade lysts upp av ljusa blixtar när den andre pojken dog. Gao kände sig inte ensam längre, han kunde röra sig fritt i rummet och behövde inte gömma sig för den andre. Hon kom in till honom oftare nu, och det var också bra.

Men det var en sak som han inte tyckte om.

Hans fötter hade börjat värka. Naglarna hade blivit långa och krökt sig neråt och inåt, och han hade fått svårt att gå utan att det gjorde ont.

En natt när han sov kom hon in till honom utan att han märkte det. När han vaknade satt händerna fast under ryggen och fötterna var hopbundna. Hon satte sig gränsle över honom och han kunde se skuggan av hennes rygg.

Han förstod genast vad hon ville göra. Det var bara en som hade gjort det förut, och det var på barnhemmet utanför Wuhan där han vuxit upp. Flera gånger hade den gamle mannen med ärret jagat honom genom korridorerna. Han hade alltid åkt fast och då hade gubben tagit fram sin kniv. Han hade hållit i Gaos fötter så hårt att han börjat gråta, och när gubben tagit fram kniven ur det lilla träfodralet hade han skrattat sitt tandlösa leende.

Det var inte bra att hon, som han tyckte så mycket om, gjorde så här mot honom.

Efteråt lossade hon på repen och gav honom att äta och dricka. Han vägrade röra maten och när hon tröttnade på att stryka honom över pannan och gick ut ur rummet, låg han vaken länge och tänkte på vad hon gjort.

Just då hatade han henne och ville inte längre vara där. Varför gjorde hon honom illa när han så tydligt visade att han inte ville? Det hade hon aldrig gjort förut och det kändes inte bra.

Men lite senare, när hon kom in till honom igen och han märkte att hon grät, kände han att fötterna inte gjorde ont längre och att de inte heller blödde som de alltid gjort när gubben skurit i dem.

Då talade han till henne för första gången.

”Gao”, sa han. ”Gao Lian…”

Gamla Enskede

Solen hade varit uppe i flera timmar och torkat morgondaggen ur gräsmattan.

Jeanette Kihlberg såg ut genom köksfönstret och förstod att det skulle bli en varm dag. Vindstilla och redan värmevågor på tegeltaken på andra sidan vägen.

Tidningsbudet med barnvagnen passerade förbi vid sjusnåret.

Martin Thelin, tänkte hon. Precis som med Jimmie Furugård hade Thelins alibi varit svårt att ifrågasätta. När Furugård hade varit på hemligt uppdrag i Sudan hade tidningsbudet suttit på behandlingshem. Sex månader i Hälsingland. Hurtig hade dubbelkollat hans permissionshistoria. Martin Thelin var inte inblandad.

Klockan blev halv åtta och hon satt ensam vid köksbordet och åt frukost.

Johan låg fortfarande och snusade i sängen. Åke visste hon inte var han var. Utekväll med någon kompis kvällen innan. Han hade inte kommit hem och inte heller svarat när hon ringt honom en halvtimme tidigare.

Hur fan kan han gå på krogen när vi inte har några pengar? tänkte hon.

Av de femtusen hon fått av sin pappa hade hon gett två till Åke. Polarna bjuder, hade han sagt. Visst. Hon kände mer än väl till hur han betedde sig efter några glas. Spenderbyxorna på, laget runt. Generösa polaren Åke. Deras pengar. Nej, hennes pengar som hon lånat av sin pappa och som också skulle räcka till Johan.

Hon och Åke hade knappt setts på flera dagar och hon tänkte

på den misslyckade kvällen med biobesöket och middagen.

Så olika de hade blivit.

Förändringen hade inte skett över en natt, den hade långsamt smugit sig på dem och det var omöjligt att säga när. För fem år sedan, två år sedan, ett halvår sedan? Hon kunde inte avgöra det. Allt hon visste var att hon saknade den kommunikation de en gång haft. Även om de i mångt och mycket hade olika åsikter, hade de diskuterat, pratat, varit nyfikna, överraskat varandra. Dialogen hade långsamt förvandlats till två, tysta monologer. Arbete och ekonomi var de huvudsakliga samtalsämnena och inte ens där kunde de föra en dialog, fast det borde vara så enkelt.

Död kommunikation.

Hon kände sig tjatig, han var irriterad och ointresserad.

Jeanette drack upp det sista av kaffet och plockade undan från bordet. Sedan gick hon in i badrummet, borstade tänderna och klev in i duschen.

Kommunikation, tänkte hon. Var fann hon den?

Med tjejerna i fotbollslaget, absolut. Inte alltid, men tillräckligt ofta för att hon skulle sakna dem om det dröjde mellan matcher och träningar.

Med dem kunde hon kommunicera. Och inte bara verbalt, utan även fysiskt. Spelet, samarbetet ute på planen, att förstå varandra med blickar och kroppsspråk. En instinktiv kommunikation genom kollektiva, fysiska rörelser.

När det fungerade var det fantastiskt. Allt gick så lätt. Det verbala kom sedan av sig själv.

Tio, femton olika individer, med olika åsikter, preferenser och förutsättningar, tillhörde en gemenskap. Naturligtvis kom inte alla överens med alla, men det gick att tala öppet med varandra om nästan vad som helst. Skratt, skämt eller gräl spelade ingen roll.

Två spelare som fungerade ihop ute på planen kunde bli vänner trots att de var fullständigt olika som personer.

Ändå umgicks hon inte med någon av dem utanför planen. De hade känt varandra i flera år, setts på fester, gått ut och tagit en öl. Men hon hade aldrig bjudit hem någon av dem.

Hon visste vad det berodde på. Hon hade inte energi till det, helt enkelt. Energin behövde hon till jobbet och hon förstod att så länge hon arbetade med det hon gjorde så var det en fullständig nödvändighet.

Jeanette klev ur duschen, torkade sig och började klä på sig. Hon tog en titt på klockan och insåg att hon riskerade att bli försenad.

Hon gick ut ur badrummet, gläntade på dörren till Johans rum och såg att han fortfarande sov djupt. Sedan gick hon in i köket igen och skrev ett kort meddelande till honom.

”God morgon. Kommer hem sent. Kvällsmat i frysen. Bara att värma. Ha det så bra idag. Kram, mamma.”

Det var närmare trettio grader ute i solen och hon hade mycket hellre legat på en strand någonstans tillsammans med Johan. Men hon förstod att det skulle dröja innan det kunde bli fråga om semester.

Det skulle dock inte dröja fullt så länge som hon trodde.

NUTID

Kvarteret Kronoberg

En halvtimme senare var hon på plats på Kungsholmen och hade en kort, nedslående genomgång med Hurtig, Schwarz och Åhlund.

Under förmiddagen fick Jeanette veta att hon fick fortsätta sin utredning av den enda anledningen att det inte skulle se bra ut om man la ner den så snart.

I klartext var det ingen som brydde sig om de tre pojkarna. Jeanette förstod mellan raderna att enda syftet med hennes jobb just nu var att samla in information som skulle vara viktig i den händelse att det dök upp en död pojke som faktiskt var saknad.

En död och torterad svensk pojke med anhöriga som kunde gå ut i pressen och anklaga polisen för att inte ha gjort tillräckligt.

Jeanette trodde inte att det skulle bli aktuellt eftersom hon var övertygad om att förövaren inte valde sina offer godtyckligt.

Grymheten och tillvägagångssätten var så pass lika att det torde handla om en och samma gärningsman. Men säker kunde hon inte vara. Ibland spelade tillfälligheter in och försvårade sikten.

Hon hade gallrat bort alla vanliga mord, som svartsjuk make stryper maka, fyllebråk som slutar med dråp och liknande. De var inte intressanta. Vanliga män som i hastigt mod tar någon av daga passade inte in i gärningsmannaprofilen. Här var det fråga om tortyr och sofistikerat utdraget våld där förövaren dessutom hade både tillgång till och kännedom om bedövningsmedel. Offren var unga pojkar som också fått sina genitalier avlägsnade. Om det finns normala mord, var det här det motsatta.

Det knackade försiktigt på dörren och Hurtig kom in. Han slog sig ner i besökstolen och såg uppgiven ut.

”Så? Vad gör vi?” frågade han.

”Jag vet faktiskt inte”, svarade hon och det var som om hans håglöshet smittade av sig på henne.

”Hur mycket tid har vi fått? Det är ju inte direkt högsta prioritet, antar jag.”

”Några veckor, inget exakt, men hittar vi inget snart måste vi lägga det här åt sidan.”

”Okej. Jag föreslår att vi tar ett varv till med Interpol och sen kör vi flyktingförläggningarna en gång till. Och om inte det ger något så får vi väl åka ner till Centralbron igen. Jag vägrar tro att barn bara kan försvinna, utan att någon saknar dem.”

”Håller med, men här är det ju egentligen det motsatta”, sa Jeanette och såg Hurtig i ögonen.

”Vad menar du?”

”Alltså, de här barnen har ju snarare dykt upp än försvunnit.”

Åke ringde klockan halv tre. Först förstod hon inte vad han sa på grund av att han var så upphetsad, men när han lugnat sig något kunde hon förstå vad som faktiskt hade hänt.

”Inser du? Jag ska ställa ut. Det är ett galleri bra som fan och hon har redan sålt tre målningar åt mig.”

Vilken hon? tänkte Jeanette.

”Det är inne i stan på Östermalm! Fan, jag tror inte att det är sant.”

”Åke, lugna dig nu. Varför har du inte berättat nåt?”

Visserligen hade han under middagen efter bion antytt att något var på gång, men samtidigt tänkte hon på hur han i nästan tjugo års tid gått omkring hemma. Hur hon försörjt honom och uppmuntrat honom och hans konst. Och nu hade han gått till ett galleri med sina målningar utan att säga något.

Hans andning hördes i luren, men han sa inget.

”Åke?”

Efter en stund vaknade han till. ”Ja… jag vet inte. Jag fick ett infall bara. Det var en artikel i Konstperspektiv som jag läste och sen beslöt jag mig för att gå dit och prata med henne. Allt verkade stämma så bra med det hon sa i artikeln. Jag var rädd först men jag förstod nog hela tiden att det var rätt steg att ta. Det var dags, helt enkelt.”

Så det var därför han inte kom hem igår kväll, tänkte Jeanette.

”Åke, du talar i gåtor. Vem är det du gått till?”

Han förklarade att kvinnan som företrädde ett av Stockholms största konstgallerier hade blivit helt hänförd av hans arbeten. Via hennes kontakter hade han sålt tavlor för nästan fyrtiofemtusen redan innan utställningen hade öppnat.

Galleristen räknade med att summan åtminstone skulle fyrdubblas och hon hade lovat honom ytterligare en utställning, på hennes filial i Köpenhamn.

”Nästan Louisiana”, skrattade Åke. ”Fast det här är bara ett litet ställe vid Nyhamn.”

Jeanette blev varm inombords, men samtidigt som hon gladde sig åt att det äntligen hände något, kände hon i maggropen att något inte var bra.

Hade hans konst bara varit hans?

Hon kunde inte räkna de nätter som de suttit uppe och diskuterat hans tavlor. Det slutade oftast med att han grät över att det inte funkade, och hon fick trösta och uppmuntra honom att fortsätta på den inslagna vägen. Hon hade trott på honom.

Hon visste att han var begåvad, trots att hon knappast var någon auktoritet på området.

”Åke, du förvånar mig hela tiden. Men det här tar priset.”

Hon kunde inte låta bli att skratta, även om hon egentligen velat fråga honom varför han hade tagit steget i hemlighet, utan henne. De hade ju pratat om det här så länge.

”Jag var väl rädd att misslyckas”, sa han till sist. ”Du har ju alltid stöttat mig. Fan, du har ju betalat för mig så att jag ska kunna hålla på. Som en mecenat. Jag uppskattar verkligen allt du gjort för mig.”

Jeanette visste inte vad hon skulle säga. Mecenat? Var det så han såg på henne? Som en privat bankomat?

”Och vet du vad? Vet du vem som ställer ut i Köpenhamn samtidigt som jag? På samma ställe!”

Han bokstaverade: ”D i e s e l - F r a n k”, samtidigt som han skrattade högt. ”Adam Diesel-Frank! Nej, jag måste lägga på nu. Ska träffa Alexandra för att diskutera lite detaljer. Vi ses ikväll!”

Så det var Alexandra hon hette.

De la på och Jeanette blev sittande tyst vid skrivbordet. I tjugo år har han inte gjort just någonting för att sälja sig. Och nu säljer han allt med en gång. Herregud, han hade ju tackat nej flera gånger när hon ordnat kontakter åt honom. Galleristen i Göteborg som skulle komma på besök. Det ställde han in för att han inte ”orkade”. En annan gång var han ”sjuk”, en tredje var det ingen idé för att han var så ”värdelös”.

Gamla Enskede

När Jeanette svängde upp på infarten till huset fick hon trampa hårt på bromsen för att inte köra in i den främmande bilen som stod parkerad framför garageporten. Den röda sportbilens registreringsskylt talade om vem ägaren var. KOWALSKA var namnet på galleriet som Åke kontaktat och Jeanette konstaterade att ägaren till bilen måste vara Alexandra Kowalska.

Hon öppnade dörren och gick in i huset.

”Hallå?”

Ingen svarade och hon gick upp för trappan till övervåningen. Hon hörde röster och skratt inifrån Åkes ateljé och knackade på dörren.

Det tystnade där inne och hon öppnade. På golvet låg några av Åkes målningar och vid bordet satt han och en blond kvinna i fyrtioårsåldern som var uppseendeväckande vacker. Hon hade en svart åtsittande klänning på sig och var diskret sminkad. Detta måste vara Alexandra, tänkte Jeanette.

”Vill du fira med oss?” Åke pekade på vinflaskan som stod på bordet. ”Ja, du får ju hämta ett glas till”, tillade han när han insåg att de inte hade något glas åt henne.

Vad fan är det här? tänkte Jeanette och såg hur de hade dukat upp med bröd, ost och oliver.

Alexandra skrattade till och såg på henne. Jeanette tyckte inte om kvinnans skratt. Det lät tillgjort.

”Vi kanske ska presentera oss?” Alexandra höjde menande ett ögonbryn och reste sig. Hon var lång, något längre än Jeanette. Hon kom fram till Jeanette och räckte henne handen.

”Alex Kowalska”, sa hon och Jeanette hörde på brytningen

att hon inte var från Sverige.

”Jeanette... jag ska hämta ett glas till.”

Alexandra, eller Alex som hon visst föredrog att kallas, stannade nästan till midnatt innan hon ringde efter en taxi. Åke hade somnat i soffan ute i vardagsrummet och Jeanette blev sittande ensam i köket med ett glas whisky.

Det hade inte tagit Jeanette lång stund att lista ut att Alex Kowalska var en manipulativ människa. Det verkade inte bara handla om Åkes konst. Alex hade suttit där hela kvällen och ogenerat gett honom långa blickar och komplimanger mitt framför ögonen på henne.

Flera gånger hade Jeanette gjort antydningar, som utan att verka direkt förolämpande skulle få Alex att inse att det var läge att åka hem. Men hon hade leende suttit kvar och bett Åke hämta ytterligare ett av de fina viner hon hade haft med sig.

Alex hade under kvällen lovat Åke ytterligare en utställning. I Kraków där hon hade såväl sina rötter som betydelsefulla kontakter. Det var så mycket i kvinnans prat om genombrott och framgång som Jeanette fann rent provocerande. Superlativen om Åkes konst och de storslagna framtidsplanerna var en sak. Sedan var det komplimangerna. Alex beskrev Åke som en unik sällskapsmänniska och som konstnär ansåg hon honom vara oförskämt begåvad och spännande. Hans ögon var uppriktiga, intensiva och intelligenta, och så vidare. Alexandra hade till och med sagt att hans handleder var vackra, och när Åke leende betraktat dem hade hon dragit fingret över ådrorna på handens ovansida och kallat dem för en målares linjer. Jeanette tyckte att det mesta Alex sagt under kvällen var patetiskt, men Åke hade uppenbarligen blivit hänförd av alla komplimanger.

Den här kvinnan är en orm, tänkte Jeanette och hon anade redan den besvikelse Åke skulle känna när hans förhoppningar inte till fullo infriades.

Hon släckte i köket och gick ut i vardagsrummet för att väcka Åke ur snarkningarna. Men det var omöjligt att få liv i honom och hon fick krypa ner i sängen ensam.

NUTID

Jeanette hade sovit dåligt, haft mardrömmar och när hon vaknade kände hon sig allmänt nedstämd. Täcket var vått av svett och hon hade absolut ingen lust att stiga upp. Men hon kunde inte ligga kvar.

Vad skönt det skulle vara med ett vanligt jobb, tänkte hon. Ett arbete där man utan problem kan ta en dag ledigt genom att ringa sig sjuk. En arbetsplats där man kan ersättas och arbetsuppgifterna kan skjutas upp en dag eller två.

Hon sträckte på sig, rös till och drog täcket åt sidan. Utan att hon visste hur det gått till stod hon plötsligt upp. Hennes kropp hade reflexmässigt fattat beslutet åt henne. Ta ansvar hade den sagt. Gör din plikt och ge inte efter.

Efter att ha duschat klädde hon på sig och gick ner till köket där Johan satt och åt frukost. Känslan av olust hade avtagit och hon kände sig redo för en ny arbetsdag.

”Är du redan uppe? Klockan är ju bara åtta.” Hon fyllde på kaffebryggaren.

”Ja, jag kunde inte sova. Vi har match ikväll.” Han bläddrade i morgontidningen, hittade sportsidorna och började läsa.

”Är det en viktig match?” Jeanette tog fram en kopp och en tallrik, ställde dem på bordet, öppnade kylskåpet och tog fram mjölk och fil.

Johan svarade inte.

Jeanette hämtade kaffekannan, fyllde på sin mugg och satte sig ner mittemot honom och upprepade frågan.

”Match i cupen”, mumlade han utan att släppa tidningen med blicken.

Återigen kände Jeanette vanmakten att inte veta någonting. Inte ha en aning om hur ens barns vardag ser ut. Hon erinrade sig att hon inte ens hade varit på besök i hans skola på hela terminen, ja, annat än på avslutningen.

”Vilka möter ni och vad är det för cup?”

”Lägg av!” Han vek ihop tidningen och reste på sig. ”Du är ju i alla fall inte intresserad.”

”Men Johan. Jag är visst intresserad, men du vet ju att jag måste jobba mycket och...” Hon kom av sig och tänkte efter.

Var dåliga ursäkter det enda hon hade att komma med? Hon skämdes.

”Vi ska möta Djurgården.” Han tog sin tallrik och bar bort den till diskbänken. ”Det är final ikväll och jag tror att pappa tänkte komma och titta.” Han gick ut i hallen.

”Då vinner ni”, ropade hon efter honom. ”Djurgården suger.”

Han svarade inte utan gick in på sitt rum och stängde dörren.

När hon skulle gå hörde hon hur Åke rörde på sig ute i soffan. Hon gick in i vardagsrummet. Han satt nyvaken och gned sig i ansiktet. Håret stod på ända och hans ögon var rödsprängda.

”Jag går nu”, sa hon. ”Och jag vet inte när jag kommer hem. Det kan bli sent.”

”Ja, ja.” Han såg på henne och av hans trötta blick förstod Jeanette att han just nu inte brydde sig om hon kom hem eller inte.

”Glöm inte att Johan har match ikväll. Han vill att du ska komma.”

”Vi får se.” Han reste på sig. ”Jag går om jag hinner, men det är inte säkert. Jag ska träffa Alex och sätta ihop en utställningskatalog och det kan ta tid. Men annars kan väl du gå?” Han log ironiskt.

”Lägg av. Du vet att jag inte kan.” Hon vände sig om, gick ut i hallen och bort mot ytterdörren. Skor och stövlar i en enda stor röra bland grus och stora tussar damm.

Otillräcklig, tänkte hon. Värdelös och självupptagen.

”Jag ringer sen och hör hur det har gått.”

Hon öppnade, gick ut på trappan och stängde dörren innan han hunnit svara.

Kvarteret Kronoberg

Trafiken in till stan gick som vanligt trögt, men efter Gullmarsplan släppte det lite och när hon parkerade bilen såg hon att klockan var strax efter nio. Hon bestämde sig för att börja arbetsdagen med en lång promenad runt Kungsholmen för att rensa skallen från privata funderingar och ge plats åt de yrkesrelaterade.

När hon kom in på sitt arbetsrum satt Hurtig bakom hennes skrivbord och väntade på henne.

”Fint folk kommer sent”, flinade han.

”Varför sitter du här?” Hon gick fram och markerade att han skulle flytta på sig till besöksstolen.

”Rätta mig om jag har fel, Jeanette”, började han. ”Men just nu sitter vi riktigt illa till, eller hur?”

Jeanette nickade. ”Vart vill du komma?”

”Jag tog mig friheten att kika lite i en del gamla akter där det förekommit extremt våld...”

”Okej, jag fattar?” Hon kände sig plötsligt ivrig, eftersom hon visste att Hurtig inte skulle besvära henne om det inte var så att han hade på fötterna.

”Av en slump hittade jag det här.” Han slängde fram en brun pappersmapp. På framsidan stod det ”Bengt Bergman. Utredning avslutad.”

Hon öppnade mappen och såg att den innehöll ett tjugotal maskinskrivna ark.

”Berätta istället vad du vet om honom så kan jag läsa igenom det här om det verkar intressant.” Hon slog igen mappen.

”Intressant och intressant. Bengt Bergman har varit här på förhör sju gånger genom åren, senast nu i måndags.”

”I måndags? Varför då?”

”En Tatyana Achatova har anmält honom för våldtäkt. Hon är prostituerad och har...” Hurtig avbröt sig. ”Skit i henne, det var inte det som gjorde mig misstänksam. Det var brutaliteten. Och när jag jämförde med de andra anmälningarna så var det samma sak där.”

”Våldet?”

”Ja. Tjejerna har misshandlats svårt, några har piskats med en livrem och alla har våldtagits analt med nån form av föremål. Troligen en flaska.”

”Jag antar att han inte dömts för nåt eftersom han inte finns i registret.”

”Precis. Bevisen har varit för svaga och de flesta offren har varit prostituerade. Ord har stått mot ord och om jag inte läst fel så har hans hustru gett honom alibi vid alla tillfällena.”

”Du menar alltså att du tycker att vi ska ta in honom?”

Hurtig log och Jeanette insåg att han hade sparat det bästa till sist.

”Två av anmälningarna gäller sexuellt övergrepp på minderårig. En flicka och en pojke. Syskon födda i Eritrea. Även där finns inslag av våld...”

Jeanette tog genast upp mappen från bordet och bläddrade igenom materialet. ”Fan, Hurtig. Jag är glad att det är dig jag jobbar med. Få se nu ... här är det!”

Hon tog fram ett tunt dokument och ögnade igenom det.

”Juni 1999. Flickan var tolv, pojken tio. Brutalt våld, piskskador, sexuella övergrepp, barn med utländsk härkomst. Fallet nedlagt på grund av ... vad står det? Barnen ansågs inte trovärdiga då deras vittnesmål gick isär. Också här lämnade hustrun alibi. Det kan bli svårt att koppla honom till våra fall. Vi behöver nåt mer.”

Hurtig hade redan tänkt på det.

”Vi kan chansa”, sa han. ”I Bergmans papper hittade jag namnet på hans dotter. Kanske skulle vi kunna testa och slå henne en signal.”

”Nu förstår jag inte? Vad tror du att hon skulle kunna bidra med?”

”Vad vet man, hon kanske inte är lika villig att ge sin far alibi som hustrun verkar vara. Visst, det är en chansning, men det har ju gått hem förr. Vad säger du?”

”Okej. Men då får du ringa.” Jeanette räckte honom telefonen. ”Har du hennes telefonnummer?”

”Självklart”, sa Hurtig och slog med en retfull gest upp sitt anteckningsblock innan han slog numret. ”Ett mobilnummer, ingen adress, tyvärr.”

Jeanette skrattade. ”Du visste att jag skulle gå med på det?”

Hurtig log mot henne medan han satt tyst och väntade.

”Ja, hej... Jag söker en Victoria Bergman. Har jag kommit rätt?” Hurtig såg förvånad ut. ”Hallå?” Han rynkade pannan. ”Hon la på”, sa han sen.

De såg på varandra.

”Vi väntar en stund så försöker jag att prata med henne.” Jeanette reste på sig. ”Kanske hon hellre pratar med en kvinna. För övrigt behöver jag en kopp kaffe nu.”

De gick ut i korridoren och bort till pentryt.

I samma ögonblick som Jeanette tog den heta plastmuggen ur kaffemaskinen kom Schwarz infarande tätt åtföljd av Åhlund.

”Har ni hört?” Schwarz rättade till pistolhölstret.

”Hört vad då?” Jeanette skakade på huvudet.

”Om värdetransportrånet på Söder. På Folkkungagatan.”

Jeanette tyckte det såg ut som om Schwarz log. ”Billing vill att vi åker dit och hjälper till lite. De är tydligen kort om folk.”

”Ja, ja. Säger han det så är det väl lika bra att ni sticker.” Jeanette ryckte på axlarna.

De två kollegorna nickade och rusade vidare bort i korridoren.

”Piff och Puff.” Hurtig log. ”Ska jag vara ärlig så tror jag Schwarz tycker det är roligare att jaga rånare än sitta här och läsa gamla rapporter.”

”Vem tycker inte det?”

Tio minuter senare slog Hurtig numret en gång till och gav luren till Jeanette som kastade ett öga på datorns klocka. 10.22, antecknade hon, TFN BENGT BERGMANS DOTTER.

Efter tre signaler hörde hon hur en kvinna svarade.

”Bergman.” Rösten var mörk, nästan som hos en man.

”Victoria Bergman? Dotter till Bengt Bergman?”

”Ja, det stämmer.”

”Ja hej, jag heter Jeanette Kihlberg och ringer från Stockholmspolisen.”

”Jaha, och vad kan jag hjälpa dig med då?”

”Jo... Det är så här att jag har fått ditt telefonnummer av din fars advokat, som undrar om du skulle kunna ställa upp som karaktärsvittne för din pappa i en kommande rättegång.”

Hurtig nickade och log bifallande åt hennes lögn. ”Smart”, viskade han.

Det blev åter tyst i luren innan kvinnan svarade.

”Jaha, och då ringer du mig.”

”Jag förstår om du tycker det är obehagligt, men enligt vad som sagts mig har du saker att berätta om din far, som kan gynna honom. Du känner väl till vad han åtalats för?”

Hurtig skakade på huvudet. ”Du är för fan inte klok!”

Jeanette viftade avvärjande och hörde hur kvinnan suckade.

”Nej, jag är ledsen men jag har inte pratat med vare sig honom eller mamma på över tio år, och uppriktigt sagt är jag förvånad över att han tror att jag överhuvudtaget skulle vilja ha med honom att göra.”

Kvinnans svar fick Jeanette att undra om inte Hurtig hade haft rätt.

”Jaha, det stämmer ju inte riktigt med det jag har hört”, ljög hon vidare.

”Nähä, men det kan ju inte jag göra nånting åt. Om du är intresserad kan jag istället berätta för dig att han med all säkerhet är skyldig. Särskilt om det gäller nåt som har att göra med det som dinglar mellan hans ben. Det som hänger där har han tvingat på mig sedan jag var tre eller fyra år.”

Rättframheten i kvinnans svar gjorde Jeanette mållös och hon var tvungen att harkla sig.

”Om det är sant det du säger så undrar jag varför du aldrig anmält honom.”

Vad fan är det här? tänkte hon samtidigt som Hurtig visade tummen upp och log triumferande.

”Det behåller jag för mig själv. Du har ingen rätt att ringa hit och ställa frågor om honom. Han är död för mig.”

”Okej, jag förstår. Jag ska inte störa dig igen.”

Det knäppte till och Jeanette la på luren.

Vad var nu det här?

Vad hon än hade väntat sig när hon ringde upp Bengt Bergmans dotter så var hon inte förberedd på det hon just fått höra.

Hurtig satt tyst och väntade på att hon skulle säga något.

”Vi tar in honom”, sa hon till sist.

”Yes.” Hurtig reste sig. ”Vill du förhöra honom? Eller ska jag ta det?”

”Jag tar honom, men du kan få vara med om du vill.”

När Hurtig stängt dörren bakom sig ringde telefonen och Jeanette såg att det var hennes chef.

”Var fan är du nånstans?” Billing lät upprörd.

”På mitt rum, hurså?”

”Vi har väntat på dig i snart femton minuter. Har du missat att det är ledningsgruppsmöte nu?”

Jeanette tog sig för pannan. ”Nej, absolut inte. Jag kommer på en gång.”

Hon la på luren, hastade iväg längs korridoren och medan hon halvsprang bort mot konferensrummet insåg hon att det skulle bli en lång dag.

Gamla Enskede

När Jeanette, vid frukosten dagen efter, öppnade tidningen och såg bilden, skämdes hon för andra gången på kort tid.

På morgontidningens sportsida var det en bild på Johans lag. Hammarby hade vunnit finalen mot Djurgården med 4–1 och Johan hade gjort två av målen.

Jeanette skämdes som en hund över att hon kvällen innan hade glömt att ringa och fråga hur matchen hade gått, trots att han sagt att det varit final och allt.

Ledningsgruppsmötet hade på grund av Billings omständlighet dragit ut på tiden och sedan hade resten av eftermiddagen gått åt till att få tag på Bengt Bergman och intervjua den prostituerade kvinnan som anmält honom. Hon hade varit väldigt kortfattad och bara upprepat det hon sagt vid sin anmälan. Klockan hade hunnit bli åtta på kvällen när Jeanette lämnade polishuset. Hon hade somnat framför teven innan Åke och Johan kommit hem och när hon vaknat efter midnatt hade de redan gått och lagt sig.

Nu var det för sent att fråga. Skadan var redan skedd och det fanns ingenting hon kunde göra för att få det ogjort.

Jeanette insåg att de döda pojkarna hon arbetade med fick mer av hennes uppmärksamhet än hennes egen levande son. Men samtidigt var det ingenting hon kunde göra något åt. Även om han var missnöjd idag, och med rätta tyckte att hon försummade honom, skulle han förhoppningsvis en dag komma till insikt. Förstå att han hade haft det ganska bra. Tak över huvudet, mat på bordet och föräldrar som, trots att de var upptagna med sig själva, älskade honom över allt annat.

Men tänk om han som vuxen inte skulle se det så och bara minnas det som han tyckt varit dåligt?

Hon hörde att Johan kom ut från sitt rum och gick in i badrummet samtidigt som Åke kom nerför trapporna. Jeanette reste sig och dukade fram ytterligare två tallrikar och två muggar.

”God morgon”, sa Åke, tog fram juice ur kylen och halsade några klunkar direkt ur paketet. ”Har du pratat med honom?”

Han drog ut en stol, satte sig ner och såg ut genom fönstret. Solen sken och himlen var klarblå. Några svalor dök över gräsmattan och Jeanette tänkte föreslå att de skulle äta frukosten ute i trädgården.

”Nej, han vaknade nyss och står i duschen.”

”Han är väldigt besviken på oss.”

”Oss?” Jeanette sökte ögonkontakt med honom, men han fortsatte stirra ut genom fönstret. ”Jag trodde att det bara var mig han var förbannad på.”

”Nej.” Åke vände sig om.

”Så vad har du gjort som gör att han är förbannad på dig?”

Åke ställde ner kaffemuggen med en smäll, sköt tillbaka stolen och reste sig häftigt upp.

”Förbannad?” Han lutade sig över bordet. ”Är det så du tror att det är. Att Johan är förbannad på oss?”

Jeanette kom av sig av det plötsliga utfallet.

”Men...”

”Han är varken arg eller förbannad. Han är ledsen och besviken på oss. Tycker att vi inte bryr oss om honom och att vi bråkar hela tiden.”

”Var inte du på matchen igår?”

”Nej, jag hann inte.”

”Vad då hann inte?” Jeanette insåg att hon var på väg att skylla sina egna tillkortakommanden på Åke. Samtidigt tyckte hon att det hade varit hans uppgift att se till att allt fungerade hemma. Hon jobbade och slet och när det inte räckte så var det hon som fick ringa till sina föräldrar och be om pengar. Det enda han behövde göra var att plocka undan lite disk, tvätta ibland och se till att Johan gjorde sina läxor.

”Nej, jag hann inte! Så enkelt är det.”

Jeanette såg att han nu var ordentligt upprörd.

”Jag har också ett liv utanför de här väggarna”, fortsatte han och svepte med armarna över bordet. ”Fan, jag kan inte andas längre. Det är som om jag kvävs.”

Jeanette kände att också hon började bli arg. ”Men gör någonting åt det då!” skrek hon. ”Skaffa dig ett riktigt jobb istället för att gå här hemma och skrota.”

”Vad bråkar ni om?” Johan stod i dörröppningen. Han var påklädd, men fortfarande blöt i håret. Jeanette såg att han var ledsen.

”Vi bråkar inte.” Åke reste på sig och gick bort till kaffebryggaren. ”Mamma och jag pratar bara.”

”Det lät inte så.” Johan vände sig om för att gå tillbaka in på sitt rum.

”Kom och sätt dig, Johan.” Jeanette suckade tungt och sneglade på sitt armbandsur.

”Pappa och jag är ledsna för att vi missade matchen igår. Jag ser att ni vann. Grattis.” Jeanette höll upp tidningen och pekade på bilden.

”Äh”, suckade Johan i det att han satte sig vid frukostbordet.

”Du vet”, försökte Jeanette, ”vi har mycket nu, både pappa och jag, med jobb och...” Hon började breda en smörgås medan hon sökte efter ord som inte stod att finna. De hade svikit och det fanns inga egentliga ursäkter.

Hon la smörgåsen framför Johan som tittade på den med avsmak.

”Men alla andras föräldrar var där och de har ju också jobb.”

Jeanette tittade på Åke för att söka stöd, men han stod fortfarande och stirrade ut genom fönstret.

Den villkorslösa kärleken, tänkte hon. Det var hon som skulle vara bärare av den men utan att märka det hade hon lagt den uppgiften på sin sons axlar.

”Men du vet”, sa hon och tittade bedjande på Johan, ”mamma är ute och fångar bovar så att både du och dina kompisar och deras föräldrar ska kunna sova gott om nätterna.”

NUTID

Johan blängde på henne och i hans ögon fanns ett stråk av vrede som hon aldrig sett förut.

"Sådär har du sagt till mig sedan jag var fem!" skrek han och reste sig från bordet. "Jag är ingen jävla barnunge längre!"

Dörren till Johans rum smällde igen.

Jeanette satt med kaffekoppen mellan händerna.

Den var varm.

Det enda som i det ögonblicket var varmt.

"Hur blev det såhär?"

Åke vände sig om och såg tankfullt på henne. "Jag kan inte minnas att det varit på något annat sätt", sa han och kastade en blick på henne. "Jag ska stoppa i en tvättmaskin."

Han vände henne ryggen och gick.

Jeanette begravde ansiktet i händerna. Tårar brände innanför ögonlocken. Hon kände hur marken under hennes fötter mjuknade. Allt som hon tagit för givet ruckades i sina grundvalar. Vem var hon egentligen utan dem?

Hon tog sig samman, gick ut i hallen, la jackan över armen och gick utan att säga hej då. De ville inte ha henne där.

Hon satte sig i bilen och gav sig av till det som fortfarande var hennes liv.

Kvarteret Kronoberg

I väntan på att von Kwist skulle bli anträffbar läste hon allt hon kunde komma över som gällde bedövningsmedel i allmänhet och Xylocain i synnerhet.

Klockan halv elva fick hon äntligen tag i åklagaren på telefon.

”Varför envisas du?” började han. ”Vad jag vet så har du inget med det fallet att göra. Det ligger ju på Mikkelsens bord. Eller hur?”

Jeanette irriterade sig på hans myndiga tonfall.

”Ja, det är sant, men det finns en del saker som jag skulle vilja få klarhet i. En del saker som han sagt i förhören som jag undrar över.”

”Jaha, och vad skulle det vara?”

”Det viktigaste är att han påstår sig veta hur det går till att köpa ett barn. Ett barn som ingen saknar och som man mot betalning kan låta försvinna. Sen är det ett par saker till som jag vill reda ut med honom.”

”Jaså, vad då?”

”De döda pojkarna har varit kastrerade och kropparna har innehållit ett bedövningsmedel som används av tandläkare. Karl Lundström har ganska radikala åsikter vad gäller kastrering och som du säkert känner till är hans fru tandläkare. Han är kort sagt intressant för min utredning.”

”Du får ursäkta...”, von Kwist harklade sig. ”Men jag tycker att det låter väldigt luddigt. Inget konkret. Sedan är det en sak som du inte känner till.” Han tystnade.

”Jaha, och vad är det jag inte vet?”

”Att han under förhören varit under inflytande av starka mediciner.”

”Ja, men det är väl ingen ursäkt för...”

”Lilla vän.” Han avbröt henne. ”Du vet inte vilka mediciner vi pratar om.”

Åklagarens nedlåtande överlägsenhet fick henne att koka av ilska, men hon förstod att hon måste lägga band på sig.

”Nej, det är sant. Vilka mediciner är det vi pratar om?”

Hon hörde hur han bläddrade bland sina papper.

”Ringer det en klocka om jag säger Xanor?”

Jeanette tänkte efter.

”Nej, det kan jag inte...”

”Jag förstod det. För i så fall hade du inte tagit Lundströms utsagor på allvar.”

”Vad menar du?”

”Xanor är samma medicin som fick Thomas Quick att erkänna i stort sett alla ouppklarade mord som någonsin begåtts. Hade man bara frågat honom så hade han antagligen också tagit på sig Palmemordet och mordet på John F Kennedy. Eller till och med folkmordet i Rwanda.” Von Kwist fnittrade åt sin egen lustighet.

”Så du menar att...”

”Att det inte är någon idé att du går vidare”, avbröt han. ”Eller så här. Jag förbjuder dig att gå vidare.”

”Kan du göra det?”

”Javisst kan jag det och jag har redan talat med Billing.”

Jeanette darrade av ilska och hade det inte varit för åklagarens arroganta ton hade hon kanske accepterat hans beslut, men nu stärkte den hennes beslutsamhet att trotsa honom. Lundström fick gå på hur mycket medicin som helst, det han sagt var alltför intressant för att avfärda.

Hon skulle inte ge upp.

Tvålpalatset

Åsksvart regn smattrade mot Münchenbryggeriets koppartak och då och då lystes Riddarfjärden upp av skarpa blixtar.

Vid lunch bestämde sig Sofia Zetterlund för att det var bäst att rensa tankarna med en promenad i kvarteren runt Mariatorget. Dessutom kände hon att hon hade en begynnande huvudvärk.

Det var varmt i luften och förmiddagens skyfall gjorde att torget ångade i solskenet.

Till vänster om bronsstatyn av den fiskande Tor hade några äldre män samlats för ett parti boule och på gräsmattan låg människor utspridda på filtar. Bilavgaserna från Hornsgatan blandade sig med dammet från grusgångarna och gjorde det svårt att andas.

Hon rundade hörnet vid Seven Eleven och gick upp mot Mariakyrkan.

Tjugo minuter senare var hon tillbaka på mottagningen.

Huvudvärken hade tilltagit och hon gick in på toaletten, sköljde ansiktet och tog sedan två Treo. Hon hoppades att det skulle räcka för att ge henne krafterna tillbaka.

Hon låste upp skåpet under skrivbordet, tog fram dokumentet om Karl Lundström och friskade upp minnet genom att läsa det igen.

Hennes utlåtande hade gått ut på att det under samtalen sammantaget inte framkommit något som kunde föranleda sluten psykiatrisk vård. Hon hade motiverat sin skrivelse med att Karl Lundströms uttalanden grundades på ideologiska övertygelser och därför hade hon förordat fängelse.

Så skulle det dock inte bli.

Allt pekade på att tingsrätten skulle komma fram till att placera Karl Lundström på en vårdinrättning. På grund av att han under förhören och utredningen på Huddinge hade varit påverkad av Xanor, ansåg man att hennes utlåtanden inte gick att använda som grund för ett domstolsbeslut.

Hennes samtal med honom var med andra ord ogiltigförklarade.

Tingsrätten hade bara sett en ynklig och förvirrad man, men Sofia hade förstått att det Karl Lundström sagt inte var uppfunnet under påverkan av medicin.

Karl Lundströms ståndpunkt var att det bara var han som såg sanningen. Övertygelsen om den starkes rätt och i förlängningen hans eget privilegium att begå övergrepp mot svagare individer. Han högaktade sina egenskaper, var stolt över dem.

Hon mindes vad han hade sagt.

Allt var ett enda långt försvarstal.

”Jag anser inte att det jag gjort är fel”, hade han sagt. ”Det är bara fel i dagens samhälle. Er moral är besmutsad. Driften är uråldrig. Guds ord innehåller inga förbud mot blodskam. Alla män har samma begär som jag, ett urgammalt begär som beror på könet. Det sades redan på pentameter. Jag är Guds skapelse och agerar på det uppdrag han givit mig.”

Moralfilosofiska och kvasireligiösa bortförklaringar.

Hon kunde bara konstatera att Karl Lundströms förvissning om sin egen storhet gjorde honom till en mycket farlig människa.

En som anser sig ha hög intelligens.

Uppvisar en ansenlig brist på empati.

Karl Lundströms förmåga att manipulera skulle sannolikt göra att han efter en tid på Säter eller någon annan vårdinrättning skulle beviljas permissioner och varje sekund han tillbringade i frihet skulle innebära en fara för andra människor.

Hon bestämde sig för att ringa upp kriminalkommissarie Jeanette Kihlberg.

I det här fallet var det hennes plikt att strunta i juridiken.

Jeanette Kihlberg lät minst sagt förvånad när Sofia presenterade sig och sa att hon ville boka in ett möte för att berätta vad hon visste om Karl Lundström.

”Hur kommer det sig att du ändrat dig?”

”Jag vet inte om det finns en koppling till just ditt fall, men jag tror att Lundström kan vara inblandad i nåt större. Har Mikkelsen följt upp Lundströms historia om Anders Wikström och videofilmerna?”

”Vad jag förstår håller de på med det just nu. Men Mikkelsen tror att Anders Wikström är ett fantasifoster uppfunnet av Lundström och att de inte kommer att hitta något. Jag förstår att ni utredde honom. Han verkar definitivt sjuk.”

”Ja, men inte sjuk nog för att undgå ansvar för sina handlingar.”

”Nej... okej? Men det finns väl en skala på att vara sjuk?”

”Ja, en straffskala.”

”Vilket innebär att du kan ha sjuka värderingar och straffas för det?” fyllde Jeanette i.

”Just det. Men straffet måste anpassas efter förövaren och i det här fallet rekommenderade jag fängelse. Min övertygelse är att Lundström inte kan hjälpas av psykiatrisk vård.”

”Jag håller med”, sa Jeanette. ”Men vad säger du om det faktum att han varit under inflytande av medicin?”

Sofia log. ”Av det jag läst så var det inte i tillräckligt stora mängder för att det skulle vara avgörande. Det handlade om väldigt små doser Xanor.”

”Samma som Thomas Quick fick.”

”Ja, ja. Men Quicks drogintag var i en helt annan omfattning.”

”Så då tycker du att jag inte ska bry mig om det.”

”Precis. Jag tycker att det är värt att förhöra Lundström om de döda pojkarna. Vinddraget från en öppnad dörr kan ju få en annan att öppnas.”

Jeanette skrattade.

”Vinddraget från en öppnad dörr?”

”Ja, om det han påstår om att köpa ett barn har ett korn av sanning i sig kanske du har mer att hämta hos honom.”

”Jag förstår. Tack för att du tog dig tid.”

NUTID

”Ingen orsak. När kan du ses?”

”Jag ringer dig imorgon förmiddag så ses vi över en lunch. Låter det bra?”

”Vi säger så.”

De la på och Sofia såg ut genom fönstret.

Solen sken därute.

Monumentet

På kvällen hade det börjat regna och allt såg plötsligt smutsigare ut. Sofia Zetterlund packade ihop sina saker och lämnade mottagningen.

Om vädret var ett fiasko, så stod inte middagen med Mikael långt efter. Hon hade verkligen ansträngt sig eftersom detta skulle bli deras sista middag på ett bra tag. Mikael hade blivit ombedd att arbeta på huvudkontoret i Tyskland och skulle bli borta ett par månader. Men efter ett håglöst samtal hade han somnat i soffan efter desserten Sofia arbetat med i nästan en och en halv timme, morotskaka med färskost och russin, och när hon stod vid diskhon och rengjorde glasen ackompanjerad av hans snarkningar inifrån vardagsrummet kände hon att hon inte mådde bra.

Det var inte bra på jobbet. Hon irriterade sig på alla som haft med utredningen av Lundström att göra. Kuratorerna, psykologerna och rättspsykiatrikern. Och hon irriterade sig på sina patienter på kliniken. Carolina Glanz slapp hon i alla fall ett tag, hon hade avbokat de senaste mötena och Sofia visste tack vare kvällspressen att hon numera försörjde sig genom att spela in erotiska filmer.

Inte heller Victoria Bergman kom till henne längre. Det var en förlust. Nu fylldes hennes dagar med att coacha företagschefer i ledarskap och att hålla föredrag. Det mesta gick på rutin och krävde nästan inga förberedelser alls, och i slutänden var det så oerhört tråkigt att hon hade överlagt med sig själv om det var värt det.

Hon beslöt att strunta i resten av disken och gick istället in i arbetsrummet med en kopp kaffe och slog på datorn. Ur väskan tog hon upp det lilla fickminnet och la det på skrivbordet.

Victoria Bergman brottades med en liten flicka som av allt att döma var hon själv som liten.

Kanske hade en enskild sak varit avgörande?

Det var en händelse under första året på gymnasiet som Victoria ständigt återkom till, men exakt vad det handlade om visste Sofia inte, eftersom Victoria hade gått så fort fram när hon berättat.

Det kunde också vara något mer än ett enskilt tillfälle. En utsatthet som varat länge, kanske under hela uppväxttiden.

Att vara paria, att vara den svaga?

Sofia var benägen att tro att Victoria föraktade svaghet.

Hon bläddrade fram ett blankt blad i sitt block och bestämde sig för att alltid ha blocket framför sig när hon lyssnade på de inspelade samtalen.

När hon läste på fodralet såg hon att samtalet ägt rum bara en knapp månad tidigare.

Victorias torra röst:

... och sen bara stå där en dag med händerna tejpade på ryggen och låta alla andras händer vara lösa och fria att göra precis vad dom ville även om jag inte hade lust. Ville inte gråta när de inte grät för det skulle ju kunna bli riktigt pinsamt speciellt när de hade åkt så långt för att få somna hos mig och inte hos sina fruar. De tyckte nog det var ganska skönt att slippa betala notan för att få vara hemma och pyssla hela dagarna istället för att få sår på armarna och benen av allt släpande...

Sofia sträckte sig efter kaffekoppen och hörde att Mikael hade vaknat och stökade ute i vardagsrummet.

Hon kände sig förvirrad, trött och olustig.

Sorlet från teven.

En fysisk trötthet, som träningsvärk.

Och så den obarmhärtigt malande rösten.

Regnet mot fönstret.

Mikael.

Borde hon sluta lyssna?

... gubbarna ville ju gå iväg på morgonen och sen komma hem till maten som alltid var nyttig och närande och mättande även om den smakade kön och inte kryddigt...

Sofia hörde hur Victoria började gråta och tyckte att det var konstigt att hon själv inte hade något minne av händelsen.

När ingen såg kunde man ju låta munnen droppa över kastrullerna och fylla på med saker som man egentligen skulle spola bort. Och sen blev jag kvar med farmor och farfar. Det var skönt eftersom jag slapp allt bråk med pappa och utan honom blev det lättare att somna utan vinet eller tabletterna som man kunde norpa av om man ville få en skön känsla i huvudet. Bara ville tysta rösten som tjatade om och om igen och frågade om man vågade idag...

Sofia vaknade framför datorn klockan halv ett, med en obehaglig känsla i kroppen.

Hon stängde dokumentet och gick ut i köket för att hämta ett glas vatten men ändrade sig och gick ut i hallen och tog paketet med cigaretter hon hade i kappan.

Medan hon rökte under köksfläkten funderade hon över Victorias berättelser.

Allting satt liksom ihop och trots att det till en början föreföll osammanhängande fanns det egentligen inga luckor. Det var en enda lång händelse. En timme utdragen till ett liv som ett segt gummiband.

Hur långt kan man dra utan att det brister? tänkte hon och la ifrån sig den rykande cigaretten i askkoppen.

Hon gick tillbaka in i arbetsrummet och tittade på sina anteckningar. Där stod: BASTU, FÅGELUNGAR, TYGHUND, FARMOR, SPRINGA, TEJP, RÖST, KÖPENHAMN. Orden var skrivna med hennes handstil även om den var lite spretigare och slarvigare.

Intressant, tänkte hon och tog med sig fickminnet ut i köket. Hon drog fram en stol till spisen.

Medan hon spolade tillbaka bandet tog hon upp cigaretten ur askkoppen. Hon stannade bandet halvvägs och knäppte på. Det första hon hörde var sin egen röst.

NUTID

”Vart åkte ni när ni åkte så där långt bort?”

Hon såg för sig hur Victoria bytt sittställning och rättat till sin kjol som åkt upp efter låren.

”Ja, jag var ju inte så gammal då, men jag har för mig att vi åkte upp till Dorotea och Vilhelmina i södra Lappland. Men vi kan ha åkt ännu längre. Jag fick sitta i framsätet för första gången och jag kände mig vuxen. Han berättade en massa saker och förhörde mig sen för att se om jag kom ihåg. En gång hade han en uppslagsbok på ratten och förhörde mig på världens alla huvudstäder. I boken stod det att Quezon City var huvudstad på Filippinerna men jag sa att det faktiskt var Manila och inget annat. Han blev arg och vi slog vad om ett par nya slalompjäxor. När det senare visade sig att jag hade rätt fick jag ett par begagnade i läder som han köpte på en loppis och som jag aldrig använde.”

”Hur länge var ni borta? Och var din mamma med på resan?”

Sofia tyckte nu när hon hörde deras samtal att hon var alldeles för forcerande. Hon tände en ny cigarett på fimpen som hon sedan tryckte ner i askkoppen.

Hon hörde hur Victoria skrattade till.

”Nähej du, hon var väl aldrig med.”

De satt tysta i närmare en minut innan hon åter hörde sig själv påpeka att Victoria sagt något om en röst.

”Vad är det för röst? Brukar du höra röster?”

Sofia irriterade sig på sina upprepningar.

”Ja, det kunde hända när jag var liten”, svarade Victoria. ”Men från början var det mer som ett intensivt ljud som sakta ökade i både volym och tonart. Ett stigande hummande liksom.”

”Hör du det fortfarande?”

”Nej, det var länge sen. Men när jag blev en sexton, sjutton så övergick den enformiga tonen till en riktig röst.”

”Och vad sa den rösten?”

”För det mesta undrade den om jag skulle våga idag. Törs du? Törs du? Törs du, idag då? Ja, den var ganska påfrestande emellanåt.”

”Vad tror du att den där rösten menade med att fråga om du skulle våga?”

”Ta livet av mig helt enkelt! Fan, du skulle bara veta hur jag har brottats med den där rösten. Så när jag väl gjorde det så slutade den.”

”Du menar att du har försökt att begå självmord?”

”Ja, det var när jag var sjutton och hade varit ute och rest med några kompisar. Vi kom ifrån varandra nånstans i Frankrike tror jag och när jag kom till Köpenhamn var jag helt trasig och försökte hänga mig på hotellrummet.”

”Du försökte hänga dig?”

När hon hörde sin egen röst tyckte hon att den lät osäker.

”Ja... Jag vaknade på toalettgolvet med skärpet runt halsen. Kroken i taket hade lossnat och jag hade slagit i munnen och näsan i kaklet. Det var blod överallt och jag hade slagit av en flisa i ena framtanden.”

Hon hade öppnat munnen och visat Sofia en lagning på den högra framtanden. Den hade en annan nyans än den vänstra.

”Så då tystnade rösten alltså?”

”Ja, det verkar så. Jag hade bevisat att jag vågade och då var det väl ingen idé att fortsätta tjata.” Victoria skrattade till.

Sofia hörde på bandet hur de satt där i tystnad och andades i säkert ett par minuter. Sedan ljudet när Victoria drog ut stolen, tog sin kappa och gick ut ur rummet.

Sofia fimpade den tredje cigaretten, stängde av fläkten och gick och la sig. Klockan var nu nästan tre på natten och det hade slutat regna.

Vad hade hon gjort som fått Victoria att avbryta terapin? De hade ju varit på väg någonstans tillsammans.

Hon insåg att hon saknade samtalen med Victoria Bergman.

NUTID

Vägen

som slingrade sig fram över Svartsjölandet låg länge öde, men till sist fann hon en pojke.

Ensam i dikeskanten med en trasig cykel.

Behövde skjuts.

Litade på alla.

Hade aldrig lärt sig att känna igen dem som blivit svikna.

rummet

lystes upp av glödlampan i taket och hon betraktade föreställningen från en stol i ena hörnet.

I väggen mitt emot lönndörren till vardagsrummet hade hon monterat en kraftig järnögla avsedd att förtöja båtar.

De hade klätt av pojken, fäst ett strypkoppel om halsen och låst fast honom i öglan med en två meter lång kedja.

Han hade fyra kvadratmeter att röra sig på, men han hade ingen möjlighet att nå fram till henne.

På golvet bredvid henne låg elkabeln och i knät hade hon elpistolen som vid behov skulle skjuta iväg två stålprojektiler. När pilarna fastnade i kroppen skulle femtiotusen volt pulsera genom pojken under fem sekunder. Musklerna i kroppen skulle dra sig samman i kramper och han skulle bli helt oskadliggjord.

Hon gav Gao det tecken som visade att föreställningen kunde börja.

Han hade använt förmiddagen till att rena sig och genom meditation, timme efter timme, sakta minimera tankeverksamheten. Ingen logik skulle få finnas kvar och distrahera honom från att göra det han var tränad till.

Nu, sekunderna före föreställningens början, skulle han utplåna de allra sista tankeresterna.

Han skulle vara en kropp med endast fyra livsuppehållande behov.

Syre.

Vatten.

Mat.

Sömn.

Inget annat.

Han är en maskin, tänkte hon.

plasten
på golvet gnisslade när den kedjade pojken började röra på sig. Han var fortfarande förvirrad och omtöcknad efter medvetslösheten och såg sig osäkert omkring. Han slet lite tafatt i kedjan runt halsen, men han hade redan insett det omöjliga i att göra sig fri och kröp därför avvaktande tillbaka, reste sig och ställde sig med ryggen mot väggen.

Gao rörde sig fram och tillbaka framför den nakne, hjälplöse pojken.

Med en spark i mellangärdet fick han honom att kippande efter andan sjunka ner på knä. Sedan sparkade han honom hårt över ena örat och pojken föll kvidande ner på golvet.

Något sprack och blod rann från pojkens näsa.

Hon insåg genast att kampen var för ojämn och lossade på den gråtande pojkens kedjor.

glödlampan
gungade lätt i taket och skuggorna spelade över den krypande pojkens rygg. Gao hade läst av situationen och förstod omedelbart vad som krävdes av honom. Men den andre pojken trodde att hans böner och hulkande skulle rädda honom och han insåg därför aldrig allvaret.

Han låg på golvet och sprattlade med benen som en undergiven hundvalp.

Hon undrade om det berodde på att det var första gången han

kände äkta fysisk smärta och därför inte hade tillgång till de nödvändiga överlevnadsinstinkterna. Kanske hade han fostrats till att tro på människors inneboende godhet? Den villfarelsen fick honom att inte ge sig själv en ärlig chans att försvara sig.

Gao överöste honom med sparkar och slag.

Till slut försökte hon utjämna oddsen genom att ge pojken en kniv, men han kastade den bara ifrån sig och vrålade skräckslaget.

Hon reste sig ur stolen och gav Gao vattenflaskan med amfetamin. Han var svettig och musklerna på överkroppen spändes av de djupa andetagen.

Hon och han skulle bli någonting fullkomligt och helt.

I skuggorna var de en enhet.

Bara öppningar och tillslutningar.

Blod och smärta. Elektriska impulser.

Sakta började hon piska pojken över ryggen med elkabeln, ökade takten och slog allt vildsintare.

Pojken blödde kraftigt från ryggen.

Hon tog en av sprutorna men när hon skulle injicera bedövningsmedlet i hans hals märkte hon att han inte längre var vid liv.

Det var slut.

Kvarteret Kronoberg

Karl Lundström var för närvarande det enda intressanta namnet på listan över misstänkta. Jeanette Kihlberg var förvånad, men samtidigt tacksam över att Sofia Zetterlund hade hört av sig. Kanske skulle deras möte tillföra utredningen något nytt?

Det skulle behövas. För allt hade kört fast.

Thelin och Furugård var sedan länge avfärdade och förhöret med den misstänkte våldtäktsmannen Bengt Bergman hade varit fruktlöst.

Jeanette hade upplevt Bergman som en synnerligen otrevlig person. Känslomässigt oberäknelig men samtidigt kallt beräknande. Han hade flera gånger pratat om sin stora empatiska förmåga samtidigt som han visat prov på det motsatta.

Hon kunde inte låta bli att se likheterna med vad hon läst sig till om Karl Lundström.

Det var Bergmans hustru som vid alla de tillfällen han hade varit misstänkt för något brott gett honom alibi. Något Jeanette ilsket påtalat för von Kwist när hon föreslagit att de skulle prata med henne igen. Hon hade också påtalat likheten med Karl Lundström och hans fru Annette, vilken tog hans parti till och med när det handlade om övergreppen på den gemensamma dottern.

Åklagaren hade som vanligt varit obeveklig och Jeanette erkände för sig själv att hennes försök med Bengt Bergman trots allt hade varit en rövare.

En chansning som inte gått hem.

Under det korta telefonsamtal Jeanette haft med hans dotter hade hon dock förstått att Bengt Bergman var en man med mycket på sitt samvete.

Om man sa upp bekantskapen med sina föräldrar så var det inte utan anledning.

Lakoniskt konstaterade Jeanette att åklagaren med stor sannolikhet skulle lägga ner åtalet om grov våldtäkt på den prostituerade Tatyana Achatova.

Vad kunde en medelålders prostituerad kvinna med flera narkotikadomar bakom sig sätta emot en högt uppsatt tjänsteman på Sida? Ord stod mot ord. Och vem som helst kunde räkna ut vem åklagare von Kwist skulle lita på.

Nej, Tatyana Achatova skulle vara chanslös, tänkte Jeanette och la ifrån sig mappen om Bengt Bergman.

Återigen kände hon tröttheten och ville inget hellre än att få vara ledig och njuta av sommaren och värmen. Men Åke hade åkt till Kraków med Alexandra Kowalska och Johan var uppe i Dalarna hos några kompisar. Hon insåg att hon bara skulle känna sig ensam om hon tog ut sin ledighet nu.

”Du har besök.” Hurtig klev in i rummet. ”Ulrika Wendin sitter nere i entrén. Hon vill inte komma upp men säger att hon vill träffa dig.”

Den unga kvinnan stod utanför på gatan och rökte. Trots värmen hade hon en tjock svart munkjacka på sig, svarta jeans och ett par grova kängor av militärmodell. Under huvan som hon dragit upp över huvudet bar hon ett par stora, svarta solglasögon. Jeanette gick fram till henne.

”Jag vill att mitt fall tas upp igen”, sa Ulrika och fimpade cigaretten.

”Okej... Vi går nånstans och snackar. Jag kan bjuda dig på en fika.”

”Visst. Men jag har inga pengar just nu.”

”Jag bjuder, sa jag ju. Kom.”

De promenerade under tystnad längs Hantverkargatan och Ulrika hann röka ytterligare en cigarett innan de var framme vid fiket. De beställde varsin kaffe och smörgås och slog sig ner på uteserveringen.

Ulrika tog av sig de stora solglasögonen och Jeanette förstod varför hon burit dem. Hennes högra öga var svullet och svartlila. Ett blåmärke lika stort som efter en knytnäve och av färgen att döma högst ett par dagar gammalt.

”Nej, men vad fan är det där?” utbrast Jeanette. ”Vem är det som gjort det?”

”Det är lugnt. En snubbe jag känner bara. Riktigt schysst faktiskt. När han inte dricker, vill säga.” Hon log skamset. ”Det var jag som bjöd på sprit och så började vi tjafsa när jag ville sänka volymen på stereon.”

”Herregud, Ulrika. Det är väl för fan inte ditt fel. Vad är det för folk du umgås med? En kille som slår dig för att du inte vill spela musik så högt att grannarna klagar?”

Ulrika Wendin ryckte på axlarna och Jeanette insåg att hon inte skulle komma vidare.

”Så...” sa hon istället. ”Jag hjälper dig med att ordna med det juridiska om du vill ha resning mot Lundström.” Hon förmodade att von Kwist knappast skulle ta initiativet. ”Vad fick dig att bestämma dig?”

”Ja, efter att vi pratade hemma hos mig”, började hon, ”insåg jag att jag inte är färdig med det där. Jag vill berätta allt.”

”Allt?”

”Ja, det var så svårt då. Jag skämdes...”

Jeanette betraktade den unga kvinnan och slogs av hur bräcklig hon såg ut.

”Skämdes? Varför då?”

Ulrika skruvade på sig. ”Det var inte bara det att de våldtog mig.”

Jeanette ville inte avbryta, men Ulrikas tystnad indikerade att hon förväntade sig en följdfråga.

”Vad är det du inte har berättat?”

”Det var så förnedrande”, sa Ulrika till sist. ”De gjorde nåt som fick mig att tappa känseln ungefär från midjan och neråt och när de våldtog mig så...” Hon tystnade igen.

Jeanette hajade till. ”Så?”

Ulrika fimpade cigaretten och tände genast en ny.

”Det bara rann ur mig. Avföringen, alltså... Som nån jävla bebis.”

Jeanette såg att Ulrika var nära att brista i gråt. Ögonen var blanka och hon darrade på rösten.

”Det var som nåt slags ritual. De njöt av det. Det var så jävla förnedrande och jag berättade det aldrig för polisen.”

Ulrika torkade sig om ögonen med jackärmen och Jeanette fylldes av ömhet för den unga kvinnan.

”Du menar att du drogades med något bedövningsmedel?”

”Ja, nåt sånt.”

Hon såg på Ulrikas blåmärke. Från det högra ögat förgrenade sig de nästan svarta blodbristningarna ner mot örat.

Alldeles nyss slagen av en så kallad pojkvän.

För sju år sedan våldtagen och förnedrad av fyra män varav en hette Karl Lundström.

”Vi går upp till mig så får du lämna ett komplett vittnesmål.”

Ulrika Wendin nickade.

Bedövningsmedel? tänkte Jeanette. Det var fullständigt konfidentiellt att de döda kropparna innehöll bedövningsmedel. Det kunde inte vara ett sammanträffande.

Jeanette kände hur pulsen steg.

Tvålpalatset

När telefonen ringde var Sofia Zetterlund djupt försjunken i tankar och höll på att spilla ut kaffet på grund av den gälla signalen. Hon hade tänkt på Lasse.

När hon lyfte luren och hörde Ann-Britt ursäkta sig, tänkte hon fortfarande på honom och insåg att hon saknade honom, trots allt han hade gjort mot henne.

”Det är en Jeanette Kihlberg från polisen på tråden”, meddelade Ann-Britt.

”Okej, koppla in henne.”

Det klickade till.

”Sofia Zetterlund.”

”Jeanette Kihlberg här. Har du möjlighet att ta en tidig lunch så får vi lite mer tid? Jag hämtar upp lite kinamat på vägen så ses vi nere på Zinkensdamms IP. Gillar du kinamat förresten?”

Två frågor och ett presumtivt beslut i ett andetag. Jeanette Kihlberg slösade inte med orden.

”Ja, det är ju OS i Peking i år, så jag har övat”, skämtade Sofia.

Jeanette skrattade.

De sa hej och Sofia la på luren.

Hon kände sig okoncentrerad. Lasse var fortfarande i hennes tankar.

Hon öppnade skrivbordslådan och tog fram fotografiet.

Lång och mörk med intensiva blå ögon. Men det hon mindes tydligast var hans händer. Trots att han jobbade på kontor var det som om naturen hade utrustat honom med en hantverkares robusta och valkiga nävar.

Samtidigt var hon tacksam över att hon förmått tränga bort

saknaden och ersatt den med likgiltighet. Han förtjänade ingen saknad.

Hon mindes vad hon sagt till honom på hotellrummet i Upper West Side när de varit på sin New York-resa, innan allt rasade.

Jag ger mig till dig, Lasse. Du får hela mig, allt av mig, och jag litar på att du tar hand om mig.

Så naiv hon hade varit. Hon skulle aldrig vara det igen. Ingen skulle få komma så nära.

Sofia tog på sig kavajen och gick.

Zinkensdamms idrottsplats

”Jaha, så får rösten ett ansikte till slut”, sa Jeanette Kihlberg, räckte fram sin hand och hälsade.

Le.

”Precis”, svarade Sofia Zetterlund leende. Kvinnan var i fyrtioårsåldern och betydligt kortare än Sofia hade föreställt sig.

Jeanette vände sig om och Sofia följde efter, bakom hennes smidiga, självsäkra steg. De slog sig ner på den stora, nybyggda betongläktaren på Zinkensdamms idrottsplats och såg ut över konstgräsmattan.

”Lite ovanligt ställe att luncha på”, sa Sofia.

”Zinken är klassisk mark”, sa Jeanette och besvarade leendet. ”Trevligare ställe får man leta efter. Ja, det skulle ju vara Kanalplan i så fall.”

”Kanalplan?”

”Ja, Nacka lirade där en gång i tiden. Numera är det Bajens damlag som spelar där. Men förlåt mina parenteser, det är väl bäst att vi sätter igång. Du kanske har en tid att passa?”

”Det är ingen fara. Vi kan sitta här hela dan om det behövs.”

Jeanette åt koncentrerat på en kycklingvinge. ”Bra, det kan nog ta en stund. Lundström är inte helt lätt att förstå sig på. Dessutom finns det en del oklarheter kring de fakta som kommit fram.”

Sofia la ifrån sig påsen på sätet bredvid.

”Har ni hittat han Anders Wikström, Lundströms vän från Ånge?”

”Nej, jag snackade med Mikkelsen i morse. Det finns visserligen en Anders Wikström i Ånge. Eller snarare en Anders Efraim

Wikström. Men han är över åttio år och har bott på ett äldreboende utanför Timrå i nästan fem år. Han har aldrig hört talas om någon Karl Lundström och har knappast med det här att göra."

Sofia blev inte förvånad över det Jeanette sa. Det överrensstämde med vad hon själv hela tiden trott. Anders Wikström var en produkt av Karl Lundströms fantasi.

"Okej. Nåt annat ni fått reda på?"

Jeanette knölade ner resterna av maten i påsen.

"Lundström har mer i bagaget. Igår kväll lämnade en ung flicka ett vittnesmål som kan få betydelse för mitt fall. Jag kan inte säga mer just nu, men det finns en koppling till morden jag utreder."

Jeanette tände en cigarett och hostade till.

"Fan, jag måste sluta... Vill du ha, förresten?"

"Jag tar gärna en..."

Jeanette räckte henne tändaren.

"Har ni frågat hans fru om hon kände till filmerna?"

Jeanette satt tyst en stund innan hon svarade.

"När Mikkelsen frågade henne om det hade hon bara förvirrade förklaringar. Hon vet inte, hon minns inte, hon var bortrest, och så vidare. Hon ljuger för att skydda honom. Vad gäller Karl Lundströms berättelser har jag svårt att få ihop det. Snacket om Anders Wikström och ryska maffian. Mikkelsen tror att han ljuger rakt av."

"Jag är inte så säker på att Karl Lundström bara ljuger", sa Sofia och drog ett djupt halsbloss. "Det var bland annat därför som jag ringde dig."

"Vad menar du?"

"Jag tror att det är mer komplicerat än så."

"Jaså? På vilket sätt?"

"Jag menar att det finns en möjlighet att han ibland talar sanning, därefter tar fantasierna över. Eller hellre inbillningarna, självbedrägerierna. Han har gjort nåt som är strängt tabubelagt: förgripit sig på sin egen dotter."

"Och då menar du att han måste hitta ett sätt att hantera sin skuld?"

”Ja. Han börjar förakta sig själv till den grad att han känner sig skyldig till en rad andra övergrepp han i själva verket aldrig begått.”

Sofia blåste iväg några rökringar.

”Under vårt samtal problematiserade han flera gånger begreppet fel när det gäller mäns dragning till småflickor, och det är uppenbart att han anser att denna dragning är mer eller mindre naturlig. För att slutligen övertyga sig själv uppfinner han en rad handlingar så extrema att de inte kan avfärdas.”

Sofia fimpade cigaretten.”Hur är det med Linnea?”

Jeanette såg eftertänksam ut. ”Förutom det man funnit i Lundströms dator hittade man också ett antal gamla VHS-band nere i källaren.”

”Hemma hos dem alltså?”

”Ja, och utöver Lundströms fingeravtryck på videokassetterna hittade man även Linneas.”

Sofia rös. ”Hon har alltså sett filmerna tillsammans med honom?”

”Ja, vi antar det. Efter analysen har det framkommit att de är, om du ursäktar uttrycket, klassisk barnpornografi. Enligt vad vi fått fram är de inspelade i Brasilien i slutet av åttiotalet. De har cirkulerat i pedofilkretsar länge och har, ursäkta mig igen, legendstatus hos samlarna...”

”De har alltså inget att göra med ryska maffian?”

”Nej, den ryska maffian liksom Lundströms fantasifigur Anders Wikström är i det här fallet fullständigt oskyldiga. Däremot överensstämmer handlingen i filmerna med dem han refererade till under ditt samtal med honom, med den väsentliga skillnaden att de som sagt är inspelade i Brasilien för tjugo år sen.”

”Det låter rimligt. Hans lögner om Anders Wikström var alltså inspirerade av existerande barnporrfilmer. Det förklarar varför lögnerna var så detaljrika.”

”I en av Lundströms skrivbordslådor hittade man dessutom en hårlock och ett par trosor som tillhör dottern. Kan du förklara för mig vad det handlar om?”

”Ja, jag känner till beteendet. Han samlar troféer”, sa Sofia.

NUTID

”Syftet är att utöva makt mot offret. Han kan med hjälp av föremålen i fantasin återvända till övergreppen och återuppleva dem.”

De satt tysta en stund. Kanske för att allt var så fruktansvärt.

Sofia tänkte på Linnea Lundström och vad hon kunde ha upplevt. Tankarna på Victoria Bergman återkom och Sofia undrade hur Linnea hanterade sina erfarenheter. Victoria hade lärt sig att kanalisera upplevelserna. Hur fungerade Linnea?

”Hur mår flickan nu?”

Jeanette slog ut med armarna och såg rådvill ut.

”Mikkelsen säger att han känner igen hennes reaktion från andra ungar han träffat. De är arga, men så jävla svikna. Litar inte på nån. När hon inte gråter skriker hon att hon hatar sin pappa men samtidigt är det inga tvivel om att hon saknar honom.”

Sofia tänkte på Victoria Bergman igen. En vuxen kvinna som fortfarande var ett barn.

”Jag förstår”, sa hon.

Jeanette såg ut över konstgräsplanen. ”Har du själv barn?” frågade hon och tände en ny cigarett.

Sofia blev förvånad över frågan.

”Nej... Det har inte varit läge för det. Har du?”

”Japp, en grabb.” Sofia noterade att Jeanette såg eftertänksam ut. ”Han...” Jeanette blev allvarlig. ”Han är i Linneas ålder. De är så jävla bräckliga då, om du förstår...”

”Jag vet.”

”Ja, enligt Mikkelsen är väl det ditt specialområde? Traumatiserade barn...” Jeanette slog ut med armarna och tillade: ”Ärligt talat så har jag svårt att begripa mig på den här sortens brottslingar. Vad i helvete är det som driver dem?”

Frågan var rak och Sofia kände att det förväntades ett lika rakt svar, men visste först inte vad hon skulle säga. Jeanettes energi och närvaro både intresserade och distraherade henne.

”Det är inte alltid helt enkelt att svara på”, sa hon efter en stund. ”Men apropå din fråga är det ett par saker som jag upplevde som lite udda hos Karl Lundström.”

”Vad då?”

”Jag vet inte om det betyder nåt, men han återkom ofta till kastrationer. En gång frågade han mig om jag visste hur man kastrerar en rentjur, och berättade sen att testiklarna krossas genom att man biter sönder dem. En annan gång gick han så långt att han sa att alla män borde könsstympas omedelbart efter födseln.”

Jeanette var tyst i några sekunder.

”Allt vi pratar om här måste stanna mellan oss. Men det du säger förstärker onekligen mina misstankar. Det råkar nämligen vara så att de tre pojkarna som vi hittat mördade har blivit stympade.”

”Det var som...”

Jeanette såg förebrående på Sofia. ”Synd att du inte berättade det där för mig första gången vi talades vid.”

”Det fanns ingen anledning för mig att frångå sekretessen när du först kontaktade mig. Jag hade helt enkelt svårt att se en direkt koppling till ditt fall.”

Jeanette gjorde en ursäktande gest med händerna.

Sofia insåg att Jeanette hade ett hett temperament och till sin förvåning upptäckte hon att hon tyckte om det.

Jeanette Kihlbergs ansikte dolde inga känslor och Sofia såg den anklagande blicken slockna och övergå i vemod.

”Ja, ja. Inget att tjafsa om. Har du nåt annat matnyttigt?”

”Xylocain och Adrenalin”, sa Sofia.

Jeanette satte röken i halsen och överfölls av en hostattack.

Sofia blev överrumplad av den häftiga reaktionen och visste först inte hur hon skulle fortsätta, men Jeanette förekom henne mellan hostningarna.

”Vad i helvete är det du säger?”

”Ja... Karl Lundström sa att Anders Wikström hade för vana att injicera Xylocain adrenalin i offren. Men just detta preparat är obekant för mig. Jag vet inte om man kan berusa sig på det.”

Jeanette ruskade på huvudet och drog ett djupt andetag. ”Det är inget man drogar sig på”, sa hon uppgivet. ”Det är ett bedövningsmedel. Samma bedövningsmedel som vi funnit i de döda pojkarna. Xylocain adrenalin används av tandläkare och Annette Lundström är ju tandläkare. Behöver jag säga mer?"

Det blev tyst igen.

"Oj. Det låter graverande, måste jag säga", sa Sofia efter en stund.

De avbröts av att Jeanette Kihlbergs mobiltelefon ringde och hon ursäktade sig.

Sofia kunde inte höra vad som sades i andra änden, men av allt att döma var det något som gjorde Jeanette upprörd.

"Satan också. Jaha ... och mer?"

Jeanette reste sig och började vanka av och an mellan bänkraderna på läktaren.

"Ja, jag fattar det. Men hur i helvete kunde det ske?"

Hon satte sig igen. "Okej. Jag kommer dit..." Sedan vek hon ihop mobiltelefonen och suckade uppgivet. "Helvete."

"Vad är det som har hänt?"

"Ja, här sitter vi och pratar om honom..."

"Vad menar du?"

Jeanette Kihlberg lutade sig tillbaka och svor tyst mellan blossen. Hennes ansikte var som en öppen bok. Besvikelse. Ilska. Uppgivenhet.

Sofia visste inte vad hon skulle säga.

"Det blir inga fler samtal med Lundström", muttrade Jeanette Kihlberg. "Han har hängt sig i häktet. Vad sägs om det?"

Dåtid

Snöstormen över amerikanska östkusten gör att flight 4592 får omdirigeras till Toronto Airport istället för att som planerat landa på John F Kennedy-flygplatsen. Som kompensation för förseningen blir de inbokade på ett fyrstjärnigt hotell och hänvisas till morgonflyget dagen efter.

Efter att ha tvättat av sig resdammet bestämmer de sig för att stanna kvar på hotellrummet och dela på en flaska champagne.

”Åh, fy fan vad skönt! Äntligen ledig.”

Lasse lutar sig tillbaka och sträcker ut sig på sängen. Sofia, som står i bara underkläderna och sminkar sig framför spegeln bredvid sängen, tar upp en blöt handduk som hon kastar på honom.

”Kom hit och gör barn med mig”, säger han plötsligt, fortfarande med handduken över ansiktet. ”Jag vill ha barn med dig”, upprepar han och Sofia stelnar till.

”Vad sa du?”

”Jag sa att jag vill att vi ska skaffa barn.”

Sofia vet inte om han bara driver med henne.

”Menar du det? På riktigt?”

Ibland kan han säga sådana saker bara för att sekunden senare ta tillbaka vad han just sagt. Men det är någonting i hans röst som är annorlunda.

”Ja, vad fan. Du närmar dig ju fyrtio och då börjar det bli för sent. Inte för mig, men för dig. Och jag känner att vi kanske ska gå vidare... Äh, du fattar vad jag menar.” Han tar bort handduken och hon ser att han är fullkomligt allvarlig.

”Älskling! Fattar du hur glad jag blir?”

Kanske är det alkoholen eller den långa ansträngande flygresan som påverkar henne och gör att hon börjar gråta. Antagligen är det en kombination av allt.

”Men vännen, gråter du?” Han reser sig från sängen och kommer fram till henne. ”Är det nåt fel?”

”Nej, nej, nej. Jag blir bara så himla glad. Självklart vill jag ha barn med dig. Det vet du att jag alltid har velat.” Hon ser honom i ögonen i spegeln.

”Ja, men då gör vi det då! Nu eller aldrig.”

Hon går fram till sängen. Han kramar om henne, kysser henne i nacken och börjar knäppa upp hennes behå.

Hans ögon lyser precis som förr och det pirrar till i henne.

Efteråt går de till en nattklubb nere på Nassau Street. Ett av få ställen längs gatan där kön inte är lång.

Klubben är dunkelt upplyst och består av en rad olika rum, åtskilda av röda sammetsdraperier. I det största av dem finns en liten scen som står tom när de anländer.

Det är inte särskilt mycket folk och de sätter sig i baren och tar en drink. Ett par timmar förflyter, allt medan hennes berusning tilltar, fler människor droppar in och musiken från scenen skruvas upp.

En man och en kvinna slår sig ner bredvid dem i baren.

Efteråt ska hon inte ens minnas vad de heter, men hon ska aldrig glömma det som sedan sker.

Till en början utbyter de bara blickar och leenden. Kvinnan komplimenterar Sofia för någon detalj i hennes klädsel.

Drinkarna blir fler och snart drar de sig alla fyra tillbaka till en soffa i en lugnare del av lokalen.

Ett stort rum.

Ljuset dämpat liksom musiken. Soffan formad som ett hjärta.

Då förstår hon vilket slags ställe Lasse har tagit henne till.

Det var han som föreslog ett klubbesök. Och verkade det inte som om han med bestämda steg tog med henne ner på Nassau Street?

Hon känner sig lite dum då det dröjt så länge innan hon inser var de befinner sig.

Sedan går allt så fort och så lätt.

Och det beror inte bara på alkoholen. Det beror på att det händer något mellan henne och Lasse i de två främlingarnas närvaro.

Han presenterar henne som sin livskamrat. Hans kroppsspråk säger att de hör ihop och hon förstår att det är för att han vill att hon ska känna sig trygg i situationen.

Vid ett tillfälle lämnar hon bordet för att uppsöka toaletten och när hon återvänder sitter kvinnan bredvid Lasse och platsen vid mannens sida är ledig. Hon känner genast upphetsningen komma och blodet pulserar i hennes tinningar när hon sätter sig ner.

Hon ser på Lasse och inser att han förstått att hon vet vad som försiggår och att hon inte har något emot det.

Hon kan visst tänka sig att dela honom med en annan. Hon är ju där och hon vet att han aldrig skulle göra något utan hennes medgivande.

Det finns inga hemligheter längre. De kommer att älska varandra lika mycket vad som än händer.

Tillsammans ska de också ha ett barn.

När Sofia vaknar nästa morgon har hon en fruktansvärd huvudvärk. Bara att gäspa innebär att hon ser stjärnor.

”Vakna, Sofia... Vi lyfter om en dryg timme.”

Hon kastar ett öga på klockan på hotellets nattygsbord.

”Fan, kvart i sex... Hur länge har jag sovit?”

”Sisådär en halvtimme”, skrattar Lasse. ”Du skulle ha sett dig själv igår.”

”Igår?”

Hon ler mot honom, trots att huvudvärken gör leendet till en smärtsam ansträngning.

”Alldeles nyss, menar du? Kom hit!”

Hon är naken och låter täcket glida av. Hon lägger sig på mage och drar upp ena benet under sig. ”Kom!”

Lasse skrattar igen. ”Fan, du är så vacker när du ligger så där... Men du har väl inte glömt att vi har besök?”

Hon hör hur duschen strilar inne i badrummet. Hon kan se de nakna kropparna genom glipan i dörren när hon vänder sig om för att kyssa honom.

”Skulle det vara nåt hinder?”

Har de gjort rätt? I vilket fall känns det bra för henne och han verkar också lycklig.

”Det får bli en snabbis”, viskar han. ”Flygplan väntar inte på galningar.”

Hennes huvudvärk känns nu bara angenämt yrslig.

De lämnar hotellet i all hast med taxi för att hinna till flyget. Mannen och kvinnan vinkar skrattande åt dem utan att de vare sig byter adress eller telefonnummer.

Under flygresan slumrar hon till lite, mycket tack vare de tre miniflaskor med vodka de har delat på till frukost.

Hon vaknar av att han försiktigt knuffar på henne.

”Sofia? Du måste se det. Det är nästan futuristiskt...”

Hon har somnat mot hans axel och hon rätar stelt på sig och ser ut genom fönstret. Där är New York, vitt av snön på båda sidor om Hudsonfloden som skär ett svart snitt tvärs över bilden nedanför. Gatunätet i Bronx och Bergen ser ut som smala linjer på ett vitt papper. Skuggorna från skyskraporna liknar diagram.

Det känns tryggt att han sitter bredvid.

När de anländer till hotellet på Manhattans Upper West Side skiner solen från en klarblå himmel. Sofia har varit i New York ett par gånger tidigare, men det är snart tio år sedan sist och hon har glömt hur vacker staden kan vara.

Hon och Lasse står omslingrade vid fönstret på hotellrummet och från femtonde våningen har de en fantastisk utsikt över Central Park som ligger inbäddad i det tjocka snötäcke som fallit under natten.

”Du ångrar inte det som hände igår?” frågar han och

stryker hennes hår ur pannan.

Hon vänder sig om och kysser honom på munnen.

”Lasse ... det är längesedan jag känt... Vi är så nära varandra nu.”

”Vill du träffa dem igen?”

Hon ser på honom med spelad förvåning. ”Vilka då?”

De skrattar och hon knäpper skämtsamt till honom på näsan med pekfingret.

Sedan blir hon allvarlig. ”Lasse, det spelar ingen roll, det var en natt och ... den var speciell. Den fick mig att känna som jag kände när vi nyss träffats.”

Hon gör en paus och stryker honom över kinden. ”Men det berodde inte på dem. Det var nåt som hände mellan dig och mig. Det var som förr ... fast det var bättre. Jag kände nåt nytt med dig också. Jag litar på dig nu ... ja, jag menar inte att jag inte har litat på dig förut, men nu känner jag att...” Hon finner inte riktigt orden.

”Ja?” Han ser både road och lite vemodig ut.

”Jag känner att jag ger mig till dig, Lasse. Du får hela mig, allt av mig, och jag litar på att du tar hand om mig.”

Hon ser honom rakt i ögonen och hon tycker att han ser sorgsen ut.

”Jag...” Han avbryter sig och ger henne en lång, hård kram. Hon får känslan av att han är på väg att berätta något.

”Jag älskar dig också”, säger han efter en stund, men hon tror att det egentligen var något annat han från början hade tänkt säga.

I spegeln inne i rummet kan hon se fönstret han är vänd mot. Hans ansikte syns i glaset och hon tycker att det ser ut som om han gråter. Hon tänker på hur hon kände för bara några veckor sedan. Det känns som en annan värld. Nu vill han ha barn med henne och allt ska bli annorlunda.

Så släpper han taget och ser på henne igen. Ja, han har gråtit. Men nu ler han med hela ansiktet. ”Vet du vad jag tycker vi ska göra nu?”

”Nej... Vad ska vi göra nu? Du har ju varit här hundra

gånger, så du borde väl veta", säger hon och skrattar hon också.

"Först ska vi äta en tidig lunch nere i hotellrestaurangen. Maten är enastående, åtminstone var den det när jag var här förra året. Sen ska vi ta igen oss i några timmar och efter det ska jag ta med dig nånstans. Till ett mycket speciellt ställe så här års."

"Så här års?"

"Ja, det är ingen sexklubb. Det här stället är spännande av andra anledningar. Du ska få se. Det är en överraskning."

De byter om och tar hissen ner till restaurangen.

När det är dags för desserten har hon lyckats övertala honom att hoppa över siestan och gå rakt på överraskningen istället. Då får han något illmarigt i blicken, ursäktar sig och försvinner ut ur restaurangen. Efter tio minuter kommer han tillbaka, men han går inte till deras bord utan fram till baren, böjer sig över disken och räcker något till mannen på andra sidan. De samtalar tyst en kort stund och sedan återvänder han leende till bordet.

Då hörs plötsligt tonen av en gitarr och en virveltrumma från högtalarsystemet. Det är ganska tomt i lokalen och Sofia förstår genast att musiken som spelas är tillägnad henne. Hon känner omedelbart igen låten, men kan först inte komma på var hon hört den.

Hon lägger ifrån sig skeden och ser på Lasse, som bara sitter där och ler.

"Fan, Lasse! Jag älskar ju den här ... hur visste du det?"

Då minns hon var hon hört musiken förut.

För något år sedan. Hon hade varit på bio och sett en asiatisk film, thailändsk eller vietnamesisk, i vilken låten spelats. Hon hade egentligen inte tyckt att filmen var så märkvärdig, men kunde inte glömma låten som spelats om och om igen medan paret i filmen nyvaket sträckte på sig, rökte cigaretter i morgonsolen eller låg med varandra.

När hon kommit hem från biografen hade hon redan glömt vad filmen hette, men hon minns att hon sagt till Lasse att det var en låt i den som hon tyckte om. Han hade skrattat åt henne när hon försökte sjunga den för honom, men tydligen hade han förstått precis vilken hon menade.

Men varför har han inte sagt något om det tidigare?

Han säger ingenting och Sofia blir otålig. ”Vem är det som sjunger? Det är ju från den där filmen ... men du har ju inte ens sett den?”

Han lutar sig fram. ”Nej, men jag har hört dig sjunga låten. Skåla med mig så ska jag berätta.”

Han fyller på deras glas och fortsätter. ”Flickan i låten kommer faktiskt från platsen dit vi ska. Och skivan, för den delen, har stått i skåpet under stereon i säkert tio år, men du har aldrig velat lyssna klart på den de få gånger du låtit mig spela den. För gubbigt, brukar du säga. Det här är sista låten på skivan.”

De skålar, men Lasse sitter bara där tyst framför henne. Hon ger sig till tåls, tänker efter och lyssnar på texten. Och snart förstår hon.

And the straightest dude I ever knew was standing right for me all the time... Oh, my Coney Island baby, now. I'm a Coney Island baby, now.

Hon suckar och lutar sig leende tillbaka i stolen. ”Coney Island? Ska vi till Coney Island? Mitt i vintern?”

Hennes uppfattning av Coney Island, som ligger bortom Manhattan längst ut i Brooklyn, är sandstränder och nedgångna nöjesfält från tjugotalet. På sommaren kanske man kan åka dit. Men inte sent i november.

”Lasse, du är inte riktigt klok.”

”Tro mig, det är fantastiskt där”, säger han och ser allvarlig ut. ”Du kommer att älska det.”

Hon smeker honom över handryggen. ”Stränder, karuseller, snömodd, blåst och fullständigt öde? Knarkare och herrelösa hundar? Skulle jag tycka om det? Och vem är idioten som sjunger?”

De kysser varandra länge och han berättar att det är Lou Reed.

DÅTID

”Lou Reed? Vi har väl ingen skiva med Lou Reed...”, säger hon frågande.

Han ler. ”Minns du inte omslaget? Lou Reed i kostym och fluga, ansiktet till hälften dolt bakom en svart hatt.”

Hon skrattar. ”Lasse, du driver med mig. Jag säger ju att vi inte har skivan hemma. Jag städar i skåpen då och då, till skillnad från vissa andra.”

Han ser förlägen ut. ”Men det är klart vi har den skivan, eller?”

Hans tvivel roar henne. ”Jag är helt säker på att vi inte har den och du har aldrig spelat den för mig. Men det gör inget. Det du just gjorde uppväger din vimsighet.”

”Det jag just gjorde?”

”Ja, spelade låten, knäpphuvud.” Hon skrattar igen. ”Du kom ihåg att jag tyckte om den.”

Han ser lättad ut och osäkerheten försvinner från ansiktet.

”Då så... Då dricker vi upp!”

De skålar igen och hon tänker på hur mycket hon älskar honom.

När hon sjöng låten för honom efter biobesöket hade han inte låtsats om att han kände till den. I själva verket har han ihärdigt väntat på rätt tillfälle att få spela den för henne.

I ett år har han sparat på tillfället, han har väntat och han har kommit ihåg.

Det är en detalj, men en detalj som hon fäster stor vikt vid. Han bryr sig om henne, även om han aldrig säger det rätt ut så säger han det på sitt eget sätt.

Sista dagen ägnar de åt shopping och att slappa på hotellrummet.

Coney Island hade varit underbart, precis som han sagt.

Nöjesfältet utanför Brooklyn hade varit stängt för vintern, men de hade besökt flera trevliga barer till sent på natten.

Stranden hade varit öde, och bara sjöfåglarna hade gjort

dem sällskap när de promenerat runt halvön framåt småtimmarna.

På flyget hem tänker Sofia på hur längesedan det var som de hade möjlighet att umgås så här avslappnat. Hon känner att hon just återfunnit en Lasse hon hela tiden vetat funnits där, men som hon inte sett på flera år.

Plötsligt är han där igen, den Lasse hon en gång blev kär i.

Tillbaka i Stockholm förbleknar dock allt. Efter bara några veckor hemma förstår Sofia att hur gärna hon än vill motsatsen, så kommer han alltid att dra undan mattan för henne.

Lika plötsligt som han kommit tillbaka till henne, försvinner han.

De sitter vid frukostbordet och läser tidningen.

”Du?”

”Mmm...” Han är upptagen av det han läser.

”Graviditetstestet...

Han ser inte ens upp från tidningen.

”Det var negativt.

Nu tittar han upp. Förvånad.

”Vad då?”

”Jag är inte med barn, Lasse.”

Han sitter tyst i några sekunder. ”Förlåt, det glömde jag...” Han ler skamset och återvänder till tidningen.

Hans vimsighet klär honom inte längre.

”Glömt? Har du glömt vad vi pratade om i New York?”

”Nej, då.” Han ser trött ut. ”Det har varit mycket med jobbet, bara. Jag vet knappt vad det är för dag längre.”

Prassel med tidningen.

Han stirrar ner i den men hon kan se att han inte läser. Ögonen är stilla och blicken ofokuserad. Han suckar och ser ännu tröttare ut.

Dagarna i New York börjar likna diffusa minnen av en dröm. Hans närhet, förtroligheten dem emellan, dagen de tillbringade på Coney Island, allt är borta.

DÅTID

Drömmen har ersatts av en grå, förutsägbar vardag i vilken hon och Lasse bara passerar förbi varandra som skuggor.

Hon tänker på hur han så tydligt tar henne för givet. Han har också glömt bort barnet de ska ha tillsammans. Hon kan inte förstå det.

Hon känner att hon snart kommer att explodera.

”Jo du, Sofia, det var en sak”, säger han och lägger äntligen undan tidningen. ”De ringde från Hamburg och sa att det kört ihop sig. De behöver mig därnere och jag kunde inte säga nej.”

Han sträcker sig efter juicen och ser osäkert på henne, häller först upp åt henne och sen åt sig själv.

”Du vet att tyskarna aldrig vilar. Inte ens över jul och nyår.”

Då brister det för henne.

”Men vad fan, nu får du väl ta och ge dig!” skriker hon och slänger tidningen mot honom. ”Midsommar var du borta. Lucia var du borta. Och så nu både jul och nyår! Det håller inte längre. Du är ju för fan chef och måste väl för i helvete kunna delegera ditt jobb över helgerna åt andra!”

”Men snälla Sofia, lugna dig.”

Han slår ut med armarna och ruskar på huvudet.

Hon tycker att han flinar. Inte ens när hon är arg tar han henne på allvar.

”Det är inte så lätt som du tror. Vänder jag ryggen till så rasar det bakom mig. Visst är tyskarna duktiga, men inte särskilt självständiga. Du vet, de gillar lag och ordning och att marschera i raka led.”

Han skrattar till och försöker leende närma sig henne. Men hon är fortfarande rasande.

”Det kanske inte bara är i Tyskland saker och ting rasar bakom din rygg om du inte är närvarande.”

”Vad då? Vad menar du?”

Han ser plötsligt rädd ut. ”Vad är det du menar med att det rasar? Har det hänt nåt?”

Hans reaktion är inte den hon förväntar sig och hennes ilska kommer av sig.

”Nej, jag vet inte vad jag menar, jag blev bara så himla arg och besviken över att återigen få fira en högtid ensam.”

”Jag förstår det men jag kan inte göra något åt det”, säger han och reser sig upp, vänder ryggen mot henne och börjar plocka in frukosten i kylskåpet. Han känns plötsligt oändligt avlägsen.

Senare när han står i duschen gör hon något hon tidigare aldrig har gjort under deras tio år tillsammans.

Hon går ut i hallen och tar hans jobbtelefon ur kavajfickan. Den som han alltid har på ljudlöst när han är ledig och hemma. Hon låser upp knapplåset och manövrerar sig fram till uppringda samtal.

De första fyra är tyska nummer, men det femte är till ett nummer i Stockholmsområdet.

Fler tyska nummer och så samma Stockholmsnummer igen.

Hon scrollar vidare nedåt och samma nummer återkommer med jämna mellanrum. Hon ser på datumen att han ringer någon i Stockholm flera gånger om dagen.

Hon hör från badrummet att Lasse duschat klart och hon stoppar tillbaka telefonen i hans kavaj.

Han döljer något.

Hon känner att ilskan kommer tillbaka.

Hon står kvar i hallen och hör att han vrider på kranen till handfatet. Han ska raka sig och hon vet att det tar honom ungefär fem minuter.

Hon tar upp telefonen igen, letar fram det främmande numret och låter signalerna gå fram medan hon sneglar mot badrumsdörren.

Det är en mjuk kvinnoröst som svarar.

”Hej älskling! Du skulle ju vara upptagen...”

Sofia blir iskall.

”Hallå... Är du där?” Rösten låter glad.

Hon trycker på avbryt.

Hon sätter sig vid köksbordet.

Bakom min rygg? tänker hon. Allt rasar bakom min rygg.

Lasse kommer ut med en handduk om midjan. Han ler mot henne och går in i sovrummet för att klä sig. När han är klar vet hon att han kommer att sätta på kaffe.

Hon öppnar kylen, tar fram mjölkpaketet och häller ut innehållet i vasken. Sedan knölar hon ner den tomma förpackningen bland soporna.

Han kommer ut i köket.

"Ska du ha kaffe får du gå och handla mjölk. Den är slut."

"Vad då slut, jag köpte ju ett nytt paket igår."

"Ja så är det i alla fall, inte vet jag. Jag använder inte mjölk."

Han suckar och öppnar kylen för att kontrollera att hon talar sanning.

"Om jag går och handlar så får du sätta på kaffet under tiden."

När hon hör att dörren slår igen går hon efter ut i hallen och ser att han bara har dragit på sig en tröja. Kavajen hänger kvar.

Hon tar upp telefonen och ser att det finns två missade samtal.

Antagligen är det den okända kvinnan som ringt, men hon vågar inte titta eftersom de då kommer att försvinna från displayen.

Hon går till meddelandemappen och öppnar inboxen.

När hon läst de trettiotal meddelanden Lasse och den främmande kvinnan under flera månader har skickat varandra är det som om hon går in i en vägg.

Kvarteret Kronoberg

Suckarnas gång förbinder Stockholms polishus med Rådhuset och utgör de häktades transportsträcka till domstolsförhandlingarna. Den ringlar sig genom kulvertarna under jorden och sägs vara skådeplats för flera självmord.

Karl Lundström hade hängt sig i häktescellen och låg för närvarande i koma.

Jeanette Kihlberg visste att det innebar att hans skuld kanske aldrig skulle kunna redas ut ordentligt.

Redan samma kväll som självmordsförsöket skett hade tevenyheterna rapporterat om händelsen och flera av de vanliga proffstyckarna hade ondgjort sig över den bristande säkerheten inom kriminalvården. Även psykologerna hade fått sig en känga då de haft fel i bedömningen att Lundström inte var självmordsbenägen.

Jeanette lutade sig tillbaka i den nötta kontorsstolen och såg ut genom fönstret.

Hon hade i alla fall gjort vad hon kunnat.

Nu var hon tvungen att ringa upp Ulrika Wendin och berätta för henne om de nya förutsättningarna.

Flickan lät inte förvånad när Jeanette berättade vad som hänt och förklarade att så länge Karl Lundström låg i koma skulle det självklart inte bli fråga om någon ny rättegång.

Åhlund och Schwarz hade tilldelats uppgiften att ta reda på om Karl Lundströms blåa Volvo kunde vara samma bil som skrapat i ett träd ute på Svartsjölandet, men den första analysen tydde inte på det.

Lackfärgen överensstämde inte. Olika nyanser av blått.

Karl Lundström, tänkte hon.

Utanför fönstret stekte eftermiddagssolen.

När telefonen ringde var det med ett besked om ett nytt lik.

Ungefär samtidigt som Karl Lundström knutit ett lakan runt sin hals på Kronobergshäktet hade man hittat en död pojke i ett vindsförråd på Södermalm.

Monumentet

Ivo Andrić skulle från början inte ha haft med den fjärde döda pojken att göra. Men nu var det så att rättsläkare Rydén som skulle undersöka kroppen behövde assistans sedan hans ordinarie medhjälpare var på semester och Ivo hade sagt ja när han fick en förfrågan om att hjälpa till.

Egentligen var det inte mycket som talade för att pojken, som man hade hittat på vinden i kvarteret Monumentet vid Skanstull, råkat ut för samma gärningsman som de tidigare offren, om det inte hade varit för att hans ansikte varit helt förstört.

Två tomma hål vittnade om var ögonen en gång suttit och man kunde bara ana vad som en gång varit näsa och läppar. Hela ansiktet var täckt av stora vätskefyllda blåsor och endast tussar av håret fanns kvar.

Den tunga järndörren till vinden öppnades och kriminalkommissarie Jeanette Kihlberg klev in.

”Tjenare, Rydén. Allt under kontroll hoppas jag?” sa hon och vände sig sedan mot Ivo Andrić. ”Jaha, så du har hamnat här du också.”

”Ser mest ut som en tillfällighet. Nån var på semester och jag kom hit.” Ivo Andrić kliade sig i huvudet.

Vid en första anblick kunde det för en lekman se ut som en brännskada, men eftersom kroppen i övrigt var intakt och kläderna inte visade spår av vare sig aska eller sot, var det självklart att dra en annan slutsats.

”Ser ut som syra”, sa Ivo Andrić och Rydén nickade bekräftande.

På golvet under pojken samt på väggarna fanns stänkmärken

och Rydén tog fram en tops som han doppade i en av de gula pölarna. Han luktade på topsen och såg fundersam ut.

"Så här omedelbart verkar det vara saltsyra och den verkar ha varit högprocentig med tanke på hur den har reagerat när den träffat hans ansikte. Undrar om den som gjorde det här förstod vilka risker han tog? Sannolikheten för att han själv skulle ha skadats borde ha varit ganska stor."

Ivo Andrić gned sig över hakan. "Den där väggen ser nygjord ut." Han pekade mot den vänstra väggen och fortsatte. "Murare brukar använda sig av nån form av syra. De tvättar de gamla tegelstenarna så att murbruket ska fästa, tror jag."

"Det låter rimligt", sa Rydén.

"Vet vi vem han är?" Jeanette vände sig mot dem.

"Det trodde jag var ditt jobb att ta reda på", svarade Rydén. "Jag och Ivo ska bara ta reda på hur. Inte av vem och absolut inte varför. Men grabben hade ett jäkligt udda halsband på sig. Vi plåtade det och avlägsnade det och inte för att jag kan nåt om etnologi men nog var det afrikanskt alltid."

"Vem hittade honom?" frågade Jeanette.

"En pundare som bor i huset och som sa att han skulle upp hit för att hämta ner en kartong med skivor som han skulle kränga. Men med tanke på att flera av förråden längre ner i korridoren är uppbrutna så var det väl antagligen det han höll på med när han upptäckte grabben hängande i taket. Måste ha varit jävligt obehagligt om du frågar mig."

Jeanette Kihlberg gick bort till Schwarz och Åhlund som stod och samtalade i andra änden av vinden.

"Så Piff och Puff är här?" Hon flinade.

Åhlund skrattade och bekräftade sedan att mannen som hittat pojken nu var på väg till Kungsholmen för förhör. Inget tydde på att han hade med det hela att göra, men det gick inte att utesluta.

Under de närmaste timmarna säkrades brottsplatsen och en mängd föremål placerades i plastpåsar och märktes med siffror. Snaran var en vanlig tvättlina och öglan var knuten med en kärringknut. Om halsen hade pojken den typiska snörfåran som såg ut som ett upp och nedvänt V, där spetsen var vid knuten som trängt in i huden nästan en centimeter. Märket efter linan var rödbrunt och läderaktigt intorkat. Vid sårkanten noterade Ivo Andrić små diskreta blödningar.

På golvet där kroppen hade hängt fanns en pöl av urin och avföring.

”Att han inte har tagit livet av sig står väl för var och en utom alla tvivel.” Rydén pekade på det som en gång hade varit pojkens ansikte.

”Om det nu inte är så att han först har fäst linan i taket, bundit snaran runt halsen och slutligen kastat en hink saltsyra i ansiktet på sig själv och det tycker jag verkar vara ohyggligt långsökt. Sen är det ju så att om en ung, psykiskt instabil pojke väljer att ta sitt liv, hur sjukt det än kan se ut, så finns det ingen anledning att misstänka brott om det inte, som i det här fallet, dessutom visar sig ha varit fysiskt omöjligt.”

”Hur menar du?” frågade Jeanette.

”Repet pojken hängde i är nämligen åtminstone tio centimeter för kort.”

”För kort?”

”Precis. Repet är inte tillräckligt långt för att han ska ha kunnat fästa det i taket medan han stod på bocken. Elementärt, min käre Watson.” Rydén pekade upp mot taket.

”Dessutom har man hängt upp honom medan han levde. Han har tömt tarmen och söker vi lite noggrannare kommer vi med största sannolikhet också upptäcka att han har haft sädesavgång.”

”Du menar att det gick för honom när han ströps?” Schwarz vände sig mot Rydén och Jeanette tyckte det såg ut som om Schwarz skulle börja skratta.

”Ja. Det brukar göra det. Men, som sagt. Nån har hängt upp honom i taket, antagligen med hjälp av stegen där borta.” Rydén pekade på en stege som stod lutad mot väggen en bit bort. ”Sen har man arrangerat bocken så att det ska se ut som om han stått på den och avslutningsvis har man slängt syra i ansiktet på honom, och varför gör man det?

”Bra fråga...”

”Min första tanke är att det är för att dölja hans identitet.” Ivo vände sig mot Jeanette. ”Men det är ju inte vårt jobb att utreda. Och sist den lite udda detaljen att repet var för kort. Det blir nåt att bita i.”

”Det märkvärdiga är att det här är andra gången på relativt kort tid som jag ser det här.” Rydén såg oförklarligt nöjd ut.

”Vad menar du?”

”Ja, alltså inte syran, men det där med repet och att det är för kort.”

”Ja, vadå?” Jeanette blev nyfiken.

”Ja det var samma sak då. Den döde då var en medelålders man som hade lurat sin sambo och haft två familjer. Det var bara detaljen med det korta repet som gjorde oss fundersamma, annars tydde allt på självmord.”

”Och ni tvivlade aldrig?”

”Nej, hans sambo berättade att hon kommit tillbaka från en resa och hittat honom. Det var också hon som underrättade polisen. Nedanför stolen låg en bunt telefonkataloger.”

”Så ni trodde alltså att han hade lagt telefonkataloger på stolen och ställt sig på den för att nå upp till snaran?”

”Ja, det var den slutsats vi drog. Hans sambo berättade att hon i sitt chocktillstånd flyttat katalogerna när hon skulle ta ner honom och det fanns ingen anledning att ifrågasätta det. I övrigt fanns inte några spår av att någon annan varit på platsen och som jag minns det så hade hon alibi. Det var nån parkeringsvakt och nån tågkonduktör som bekräftade hennes berättelse.”

”Gjorde ni blodanalys på honom?”

Jeanette hade en gnagande känsla att det var någonting hon inte såg, men som fanns där framför henne. Ett samband hon inte kunde sätta fingret på.

”Nej, inte vad jag vet. Det blev aldrig aktuellt. Det hela avskrevs som självmord.”

”Så du tror inte att det finns nåt som helst samband med det här?”

”Du är ute och cyklar Janne”, sa Rydén. ”Det är två helt skilda fall.

”Okej, kanske det. Men kör grabben till Solna och låt rättskem kolla om det finns några rester av bedövningsmedel.”

Rydén såg förbryllad ut. Ivo Andrić som genast förstod vad Jeanette var ute efter förtydligade.

”Vi har tre döda ute på patologen. Ja, mördade unga killar som vi tror har råkat ut för en och samma förövare. Visserligen är det mycket som skiljer den här killen från dem. De var alla svårt misshandlade och därutöver kastrerade. Men dessutom hade de bedövats och hade spår av narkotika i blodet och om vi kollar den här grabben så ...” Med en gest lämnade han över ordet till Jeanette.

”Ja, inte vet jag. Det är en känsla bara.” Hon log tacksamt mot Ivo.

NUTID

Patologiska institutionen

I pojkens innerficka hade man hittat en kallelse från socialen i Hässelby. Plötsligt hade man ett namn på pojken. Schwarz och Åhlund åkte genast ut och hämtade hans föräldrar och körde dem in till Solna för identifiering.

Smycket pojken hade runt halsen visade sig vara en släktklenod som i generationer gått i arv inom familjen.

Visserligen gick det inte, på grund av det sönderfrätta ansiktet, att med säkerhet fastställa identiteten, men när föräldrarna fått syn på pojkens tatuering var de helt övertygade om att det var deras son. RUF, inskuret med en glasbit på bröstet, var inte den vanligaste kroppssmyckningen i Stockholm och klockan elva och tjugotvå hade man skrivit under det papper som gav den döde pojken hans ansikte tillbaka.

Vad gällde syran så hade Rydén haft rätt. Det rörde sig om nittiofemprocentig saltsyra.

Blodproven hade visat att pojken fått i sig en kraftig dos amfetamin innan han hängts upp i taket.

Huruvida han även fått Xylocain adrenalin hade de ännu inte fått svar på.

Den nakne pojken låg uppskuren på obduktionsbordet, från halsen ner till penis, och Ivo Andrić noterade några små märken på pojkens vänstra bröst. Han hade inga märken efter injektioner och måste därför ha fått i sig preparaten via mat eller dryck.

När han tre timmar senare var klar med sin rapport ringde han upp Jeanette Kihlberg och berättade kortfattat vad han kommit fram till.

”Mycket påminner om de andra pojkarna”, började han. ”Så

här långt har vi bara hittat spår av amfetamin men i det här fallet har det inte injicerats.

”Inte?”

”Nej, han har fått i sig det på nåt annat sätt. Däremot hittade jag två små märken på hans bröst.”

”Vad då för märken?

”Ser ut som efter en elpistol, men jag är inte helt säker.”

”Och du är helt säker på att det inte fanns några likadana märken på de andra pojkarna?”

”Inte helt säker eftersom de ju var ganska illa tilltygade. Men, jag får väl helt enkelt ta fram dem igen och gå över dem en gång till. Jag hör av mig.”

De avslutade samtalet.

Elpistol, tänkte Jeanette Kihlberg.

Nu är det någon som spårat ur ordentligt.

Kvarteret Kronoberg

Pojken man hittat hängd på vinden i kvarteret Monumentet hette Samuel Bai, var sexton år och anmäld försvunnen sedan han rymt hemifrån. Socialen i Hässelby bifogade uppgifter som visade på drogmissbruk, stölder och misshandel.

Föräldrarna hade flytt kriget i Sierra Leone och varit föremål för flera utredningar. Familjens största problem hade varit deras äldsta son Samuel som visat tydliga symtom på krigstrauma och han hade i perioder behandlats på barnpsykiatriska mottagningen på Maria Prästgårdsgata samt av en privatpraktiserande terapeut vid namn Sofia Zetterlund.

Jeanette hajade till. Sofia igen. Först Lundström och så nu Samuel Bai. Om världen är liten så är Stockholm ännu mindre.

Underligt att den här kvinnan är inblandad hela tiden, tänkte Jeanette. Men kanske ändå inte. Fem poliser utgjorde den sammanlagda svenska expertisen på sexbrott mot barn. Hur många psykologer var specialiserade på traumatiserade barn?

Två eller tre stycken, kanske.

Hon lyfte luren och slog numret till Sofia Zetterlund.

”Hej Sofia. Det är Jeanette Kihlberg igen och den här gången gäller det Samuel Bai från Sierra Leone. Du har behandlat honom. Vi har hittat honom död.”

”Död?”

”Ja. Mördad. Kan vi träffas under eftermiddagen?”

”Du kan komma nu på en gång. Jag var på väg hem, men jag kan vänta.”

”Okej, då säger vi det. Jag är hos dig om en kvart.”

Tvålpalatset

Jeanette fick åka två varv runt kvarteren vid Mariatorget innan hon hittade en ledig parkeringsruta.

Hon tog hissen upp och möttes i foajén av en kvinna som presenterade sig som Ann-Britt och var Sofias sekreterare.

Jeanette förklarade sitt ärende och när kvinnan gick iväg för att hämta Sofia såg hon sig omkring i rummet. Den exklusiva inredningen med äkta konst och de påtagligt dyra möblerna gav henne intrycket av att det var här man skulle arbeta om man ville göra de stora pengarna. Inte, som hon, sitta och slava på Kungsholmen.

Sekreteraren återkom i sällskap med Sofia som frågade om Jeanette ville ha någonting.

”Nej, det är bra som det är. Jag vill inte uppta din tid i onödan, så jag tycker att vi börjar på en gång.”

”Det är verkligen ingen fara”, replikerade Sofia, ”kan jag hjälpa till så gör jag det gärna. Det känns bra att kunna stå till tjänst.”

Jeanette betraktade Sofia och kände instinktivt att hon tyckte om henne. Vid deras tidigare samtal hade det funnits en distans mellan dem, men nu, efter bara någon minut, uppfattade Jeanette en genuin vänlighet i Sofias blick.

”Jag ska försöka undvika freudianska felsägningar”, skämtade Jeanette.

Sofia log tillbaka. ”Vad gulligt av dig.”

Jeanette förstod inte vad som hände, varifrån den intima tonen kom, men där var den. Hon lät den smälta in, njöt av den ett ögonblick.

De slog sig ner på varsin sida om skrivbordet och inspekterade varandra nyfiket.

”Vad är det du vill veta?” frågade Sofia.

”Det gäller Samuel Bai, och ja... han är död. Han hittades hängd på en vind.”

”Självmord?” frågade Sofia.

”Nej, inte alls. Han blev mördad och...”

”Men, du sa ju att han...”

”Javisst. Men det är nån annan som hängt upp honom. Möjligen i ett misslyckat försök att få det att se ut som ett självmord, men... nej, det är inte ens ett försök att dölja att det var mord.”

”Nu förstår jag inte vad du menar. Antingen är det väl självmord eller så är det inte.” Sofia skakade oförstående på huvudet och tände en cigarett.

”Jag tror vi hoppar över detaljerna. Samuel blev mördad. Så är det bara. Vi kanske kan få möjlighet att prata mer om det vid ett annat tillfälle, men just nu behöver jag få veta lite om honom. Vad som helst som gör att jag kan få en uppfattning om vem han var.”

”Okej. Men, mer specifikt, vad är det du vill veta?”

Hon hörde att Sofia lät besviken, men det fanns inte tid att förklara alla detaljer.

”Till att börja med, varför träffade du honom?”

”Egentligen är jag inte utbildad barnpsykolog, men jag har arbetat i Sierra Leone och det var därför vi gjorde ett undantag.”

”Oj, låter tungt”, sa Jeanette medlidsamt. ”Du sa vi? Var det flera som var inblandade i beslutet?”

”Ja, jag fick en förfrågan av socialen i Hässelby om jag kunde tänka mig att behandla Samuel. Ja, han är ju från Sierra Leone, men det vet du väl antagligen redan?”

”Javisst.” Jeanette tänkte efter innan hon fortsatte. ”Vad vet du om hans upplevelser nere i...”

”Freetown”, fyllde Sofia i. ”Han berättade, bland annat, att han hade umgåtts i ett kriminellt gäng och försörjt sig genom rån och inbrott. Dessutom hade de då och då fått uppdrag av nån lokal maffiaboss att skrämma folk.” Sofia drog efter andan. ”Jag vet inte om du förstår, men Sierra Leone är ett land i kaos. Paramilitära grupper använder sig av barn för att utföra handlingar som ingen vuxen kan tänka sig att utföra. Barnen är lättledda och..."

Jeanette märkte att Sofia tyckte att ämnet var ansträngande att prata om, men det hjälpte inte. Hur mycket hon än ville bespara Sofia så måste hon få veta mer.

"Hur gammal var Samuel då?"

"Han sa att han redan som sjuåring hade dödat sin första människa. När han var tio hade han tappat räkningen över alla mord och våldtäkter han utfört. Allt under hasch- eller alkoholpåverkan."

"Fy fan vad vidrigt. Vad håller mänskligheten på med?"

"Inte mänskligheten. Bara män... resten kan du stryka."

De satt tysta och Jeanette funderade över vad Sofia själv kunde ha varit med om under sin tid nere i Afrika. Hon hade svårt att föreställa sig henne där. De där skorna, håret.

Hon var så ren.

"Är det okej om jag lånar en?" Jeanette pekade på cigarettpaketet som låg bredvid telefonen.

Sofia sköt långsamt över paketet med cigaretter och tittade rakt in i Jeanettes ögon under hela rörelsen. Askkoppen ställde hon mittemellan dem på skrivbordet.

"För Samuel blev omställningen till det svenska samhället enormt svår och han hade redan från dag ett stora problem med att anpassa sig."

"Ja, vem skulle inte ha haft det?" Hon tänkte på Johan som under en period hade haft koncentrationssvårigheter. Trots att han inte varit i närheten av något liknande det som Samuel upplevt.

"Nej, precis." Sofia nickade. "I skolan hade han svårt att sitta still. Han var högljudd och störde sina klasskamrater. Vid flera tillfällen blev han arg och våldsam efter att ha känt sig kränkt eller missförstådd."

"Vad vet du om hans fritid? Alltså när han inte var i skolan eller hemma? Fick du känslan av att han var rädd för någon?"

"Samuels rastlöshet i kombination med hans stora erfarenhet

av våld gjorde att han ofta hamnade i konflikt med polis och myndigheter. Så sent som i våras blev han själv misshandlad och rånad.” Sofia sträckte sig efter askkoppen.

”Varför rymde han hemifrån tror du?”

”När han försvann hade han och hans familj precis fått veta att han till hösten skulle placeras på ett ungdomshem, och jag tror att det antagligen var därför som han valde att sticka.” Sofia reste sig. ”Nu måste i alla fall jag ha en kopp kaffe. Ska jag hämta en åt dig också?”

”Gärna.”

Sofia gick ut till receptionen och Jeanette hörde surret från kaffemaskinen.

Jeanette tänkte på hur märklig situationen var.

Två fullt fungerande och intelligenta vuxna kvinnor satt och diskuterade mordet på en våldsam och dysfunktionell ung man.

De hade absolut ingenting gemensamt med pojkens verklighet, men ändå satt de här.

Vad var det som förväntades av dem? Att de skulle hitta en sanning som inte fanns? Förstå någonting som inte gick att förstå?

Sofia kom tillbaka med två rykande koppar svart kaffe som hon ställde ner på skrivbordet.

”Jag beklagar att jag inte kan vara till större hjälp, men om du ger mig några dagar att bläddra genom mina papper kanske vi kan träffas igen?”

Märklig kvinna, tänkte Jeanette. Det var som om hon kunde läsa hennes tankar. Det var både fascinerande och, fastän Jeanette inte riktigt kunde förstå varför, skrämmande.

”Vill du det? Jag skulle vara oerhört tacksam.” Hon log och kände hur hon fick större och större förtroende för Sofia. ”Om du inte misstycker så kanske vi kan förena nytta med nöje och äta middag tillsammans.”

Förvånad hörde Jeanette sin egen röst. Var fick hon det där med middag ifrån? Så här personlig brukade hon inte vara. Hon hade ju inte ens bjudit hem tjejerna från fotbollslaget trots att hon känt dem så länge.

Istället för att avfärda henne lutade Sofia sig fram och såg henne i ögonen. ”Jag tycker att det låter som en utmärkt idé. Det var evigheter sen jag åt middag med nån annan än mig själv.” Sofia gjorde en paus innan hon fortsatte, fortfarande utan att släppa Jeanette med blicken. ”I och för sig håller jag på och renoverar köket. Men om du nöjer dig med hämtmat skulle jag tycka det var trevligt om du kom hem till mig.”

Jeanette nickade. ”Ska vi säga på fredag?”

Tvålpalatset

Efter att ha följt Jeanette Kihlberg ut till hissen gick Sofia tillbaka in på sitt rum. Hon kände sig upprymd, nästan lycklig och tänkte på att hon faktiskt hade bjudit hem Jeanette på middag. Var det så smart egentligen?

Bara för att hon hade känt någonting för Jeanette innebar det ju inte att hennes känslor var besvarade. I vilket fall som helst skulle de nu träffas privat och vad som då kunde hända fick framtiden utvisa.

Hon tog fram kassetterna med Victoria Bergman och stoppade en av dem i bandspelaren och tryckte på play. När hon hörde Victorias röst tog hon blocket och la det i knäet, lutade sig tillbaka och slöt ögonen.

... så nog visste hon alltid den fega kossan fast hon inte låtsades som att det var konstigt att vakna ensam och hitta honom inne hos mig med kalsongerna på golvet med gula fläckar som luktade.

Sofia försökte värja sig mot de påträngande bilder som Victorias röst förmedlade. Jag måste vara professionell, tänkte hon, får inte bli personlig. Men ändå, en inre bild av pappan som smyger in till dottern.

Lägger sig bredvid henne.

Sofia föreställde sig doften av kön, fick svårt att andas och började må illa.

Överallt det unkna, det som inte går att tvätta bort.

... och skälla kunde jag ju inte göra för då skulle jag få mig en smäll och börja gråta till Ring så spelar vi. Gurkan på leverpastejen var tillräckligt salt utan mina tårar så då var det bättre att tiga

och nynna med och svara på frågorna. Det var kul att komma fram och jag vill hälsa till min kusin som bor i Östersund, Borgholm eller var som helst. Pappa sa att det fanns så mycket korkade människor att hälften vore nog och jag höll alltid med. Jag fortsatte nynna och satt kvar med skinnchokladen och hans hand var där igen när mamma inte såg…

Sofia kände att hon inte orkade lyssna längre, men någonting gjorde att hon inte kunde stänga av bandspelaren.

… och man kunde springa ännu längre och fortare men aldrig tillräckligt för att få pris man kunde ställa i bokhyllan bredvid korten på pojken som inte ville simma när han sett utsikten…

Rösten stegrade sig i intensitet, blev högre, men fortfarande lika monoton.

Frekvensomfånget och klangfärgen förändrades.

I början bas.

… och bara ville kramas men han redan hade hittat en ny som kunde följa med på semester…

Sedan alt.

… och pyssla om honom när hon skulle få åka ända upp till Padjelanta…

Mezzosopran, sopran, ljusare och ljusare.

… och knalla två mil om dagen och lukta på rosenrot som var det enda som kändes spännande eftersom det var nåt därunder som inte var fult…

Fortfarande blundande trevade hon över skrivbordet, hittade bandspelaren och knuffade ner den på golvet.

Tystnad.

Hon öppnade ögonen och såg ner på anteckningsblocket.

Två ord.

PADJELANTA, ROSENROT.

Vad var det Victoria berättade om?

Om kränkningen att utan förvarning ryckas ur sitt liv när man minst anar det?

Att söka skydd i integritet och bli onåbar?

Sofia kände hur hon famlade. Hon ville förstå, men det var som om Victoria befann sig i total upplösning. Vart Victoria än såg, var det sig själv hon stod öga mot öga med, och försökte hon hitta sig själv, fann hon bara en främling.

Sofia slog igen anteckningsblocket och gjorde sig redo att gå hem. Hon såg på klockan. Den var tjugo i tio och hon hade alltså sovit i nästan fem timmar.

Det förklarade varför hon hade huvudvärk.

Gamla Enskede

Efter mötet med Sofia Zetterlund hade Jeanette svårt att koncentrera sig på arbetet. Hon hade blivit berörd, men kunde inte sätta fingret på vad det egentligen var. Hon såg fram emot att få träffa henne igen. Ja, hon till och med längtade till fredagen.

När hon svängde av från Nynäsvägen höll hon på att krocka med en liten röd sportbil som kom farande från vänster och som enligt högerregeln borde ha lämnat företräde. I samma ögonblick som hon tutade ilsket såg hon att det var Alexandra Kowalska.

Jävla idiot, tänkte hon men vinkade glatt. Alexandra vinkade tillbaka och skakade ursäktande på huvudet.

När hon parkerat bilen på uppfarten och klev in genom dörren möttes hon av att Åke stod i köket och stekte köttbullar. Han var på ett sprudlande humör.

Jeanette slog sig ner vid det dukade bordet.

”Fattar du?” började han genast. ”Alex var här och berättade att utställningen i Köpenhamn är hängd och att jag redan sålt två tavlor. Kolla här!” Han tog upp ett papper ur fickan och slängde det på bordet. Hon såg att det var en check och att den var på åttiotusen svenska kronor.

”Det här är bara början”, skrattade han och rörde om i stekpannan innan han gick bort till kylen och tog fram två öl.

Jeanette satt tyst och tänkte. Det var alltså så här det gick till när saker och ting förändrades i grunden. I morse hade hon oroat sig för om pengarna skulle räcka månaden ut och nu, några timmar senare, satt hon här med en check på mer än två månadslöner.

”Jaha, och vad var det för fel nu då?” Åke stod framför henne och räckte henne en öppnad öl. ”Du tycker inte att det är roligt att jag äntligen tjänar lite pengar på det som du i alla år ansett vara en hobby?” Hon hörde hur besviken han lät.

”Men Åke, varför säger du så? Du vet väl att jag alltid har trott på dig.” Hon tänkte lägga sin hand på hans arm, men han drog sig undan och gick tillbaka till spisen.

”Ja, du säger det nu. Men det är väl inte mer än ett par veckor sedan som du gnällde på mig och tyckte att jag var ansvarslös.”

Han vände sig om log och mot henne. Men det var inte hans vanliga leende utan snarare ett överlägset.

Hon märkte hur vreden steg när hon såg hans självgodhet. Hade de inte gjort den här resan tillsammans? Var han totalt blind inför det faktum att det under hela deras tid tillsammans varit hon som sett till att det funnits mat på bordet och färg på hans palett?

Åke kom fram till henne och gav henne en kram.

”Förlåt mig. Det är jag som är dum”, sa han, men hon tyckte det lät ihåligt.

”Alex säger att DN ska ha en recension på söndag och sen vill de göra en intervju till lördagsbilagan. Fan, vad jag har förtjänat det här.”

Han sträckte upp armarna i luften som om han gjort mål.

Vita bergen

”Var det svårt att hitta?” sa Sofia när hon öppnade dörren för Jeanette.

”Inte alls”, svarade Jeanette. ”Min snutkarriär är äldre än GPS:en.”

Sofia fnissade till och bjöd Jeanette att komma in.

”Köket är som sagt obeboeligt för tillfället så vi är hänvisade till vardagsrummet.”

Jeanette gick in och kände den främmande doften som retade luktsinnet. Det som hemma dominerades av terpentin och gamla träningskläder präglades här av en vass, nästan kemiskt ren lukt uppblandad med en svag blomdoft och Sofias parfym. Hon tyckte om det, eller om det bara var skillnaden hon uppskattade.

Det var längesedan hon privat besökte någons hem och hon kände sig för första gången på väldigt länge välkommen.

”Vissa har det förspänt”, sa Jeanette när hon såg sig omkring i det stora, sparsamt möblerade vardagsrummet. ”Jag menar att bo så här mitt i stan och ensam dessutom.”

Sofia bad henne att sitta ner i soffan medan hon hängde upp hennes kappa.

Jeanette slog sig ner med en djup, befriad suck. ”Ibland skulle jag ge vad som helst för att få komma hem och bara sitta.” Hon lutade huvudet bakåt mot ryggstödet och såg på Sofia. ”Vilken dröm att slippa alla förväntansfulla blickar, alla tassande steg, alla middagsplaner, alla krystade samtal framför teven.”

”Kanske det”, sa Sofia med ett menande leende, ”men det kan bli ganska ensamt också.” Hon kom in i rummet. ”Det finns stunder då jag bara vill sälja lägenheten och flytta.” Hon plockade fram två glas ur vitrinskåpet och hällde upp vin innan hon satte sig ner bredvid Jeanette.

"Är du jättehungrig, eller kan vi vänta en stund? Det blir lite italiensk plockmat."

"Jag kan absolut vänta."

De såg på varandra.

"Vart skulle du flytta då?" återtog Jeanette.

"Ja, du. Visste jag det så sålde jag i morgon, men jag har ingen som helst aning. Utomlands kanske."

Sofia lyfte glaset och skålade.

"Det låter spännande", sa Jeanette och höjde sitt glas mot Sofia, "men jag vet inte om det låter så mycket mindre ensamt."

Sofia skrattade. "Jag har väl gått på myten om den inbundne svensken och tror att allt blir hjärtligt och gemytligt bara man kommit ner på kontinenten."

Jeanette skrattade tillbaka men förstod allvaret i påståendet. Kylan. Som om inte också hon känt den. "Jag frestas snarare av tanken på att slippa förstå vad folk säger."

Sofias leende la sig. "Allvarligt? Menar du det?"

"Nej, egentligen inte, men ibland vore det skönt att ha språket som ursäkt för att man inte förstår vad folk säger..."

Jeanette kände att hon kanske blottade sig för mycket. Men det var någonting med Sofia som gjorde att hon inte som vanligt censurerade sina tankar innan de blev ord och uttalades.

"Men om du fick välja plats i världen, vart skulle du flytta då?" frågade hon för att släta över det hon just sagt.

Sofia tänkte efter. "Amsterdam har alltid lockat, men egentligen har jag ingen aning. Jag kanske låter lite klyschig, men jag vill flytta till nåt och inte ifrån, om du förstår vad jag menar?"

"Att allt man längtar efter visar sig vara klyschor?" frågade Jeanette retsamt och Sofia skrattade till.

"Jag känner igen den där känslan och ska jag vara ärlig, och det ska man ju vara, så..."

Jeanette gjorde en paus och tog ny sats.

"Alltså, du och jag känner ju inte varandra så väl än." Hon såg Sofia djupt i ögonen och smuttade på vinet. "Kan du bevara en hemlighet?"

Omedelbart ångrade hon dramatiken hon skapade genom att uttrycka sig på det sättet. Som om de satt i ett tonårsrum och höll på att utforska världen tillsammans, som om ord var den enda garantin man behövde för att känna sig trygg.

Ska vi vara bästisar? kunde hon lika gärna ha frågat. Samma naiva vilja att försöka kontrollera den kaotiska verkligheten genom ord istället för att låta de faktiska förhållandena avgöra vad som sades.

Ord framför handling.

Ord istället för trygghet.

”Det beror på om det är nåt brottsligt. Men samtidigt vet du ju att jag har tystnadsplikt.” Sofia log.

Jeanette var tacksam över hur Sofia hanterade den pubertala frågan.

Sofia tittade på henne som om hon ville se. Lyssnade på henne som om hon ville förstå.

”Om du var kristdemokrat skulle du nog betrakta det som brottsligt.”

Sofia kastade huvudet bakåt i ett skratt. Hennes hals var lång och senig, liksom sårbar och stark i samma ögonblick.

Jeanette fnissade själv till, flyttade sig lite närmare och drog upp knäna i soffan. Hon kände sig som hemma. Hon funderade över om det var så enkelt som hon trott, att hennes vänner med åren blivit färre på grund av att hon alltid prioriterat arbetet.

Det här var någonting annat.

Något självklart.

”Jag har varit gift med Åke i tjugo år och börjar kunna det.” Hon vände sig så att hon satt rakt framför Sofia igen. ”Och ibland är jag så jävla less på att i förhand veta exakt vad han ska säga och hur han kommer att reagera.”

”En del skulle kalla det för trygghet”, sa Sofia med en professionellt ifrågasättande underton.

”I och för sig. Men det tragiska är att det är precis såna saker som han tycker om. Du och jag, Jeanette, säger han när vi samtidigt råkar säga samma sak. Och då svarar jag: Tror jag det. Du och jag. Det är ett ständigt försök att hitta en orsaksförklaring till att vi lever tillsammans. Han ser likheter där de egentligen inte finns och så upphöjer han det till något som har betydelse, eller så var det åtminstone tidigare. Nu vet jag egentligen inte. Ibland undrar jag om inte också han har tröttnat."

Sofia satt tyst och Jeanette såg att hon tänkte efter och såg allvarlig ut.

"Visst är det tryggt att ha nån så nära, men samtidigt... Det är som att leva med sin egen brorsa. Äh, jag vet inte vad närhet är... Det kan väl inte vara en rent geografisk fråga. Fan, vad taskig jag känner mig."

Jeanette slog uppgivet ut med armarna fastän hon visste att Sofia inte skulle klandra henne.

"Det är okej." Sofia log försiktigt och Jeanette log tillbaka. "Jag lyssnar gärna, bara du vill att jag gör det som vän."

"Självklart. Inte skulle jag ha råd att anlita en sån som dig. En fattig polis som jag. Du fakturerar väl tusen i timmen?"

"Ja, och det utan moms."

De skrattade och Sofia fyllde på deras tomma glas.

"Alltså, visst älskar jag Åke, men jag tror inte jag vill leva med honom. Eller nej, jag vet att jag inte vill det. Det är bara Johan, min son, som håller mig kvar. Han är tretton. Jag vet inte om han skulle klara en skilsmässa. Eller klara och klara. Han är stor nog att förstå att det är sånt som händer."

"Vet Åke om att du känner så här?"

"Han misstänker nog att jag inte är helt hundra på vår relation längre."

"Men ni har aldrig pratat om det?"

"Nej, det kan man väl inte säga. Det ligger mer som en stäm ning över oss. Jag sköter mitt och han sköter sitt."

Jeanette lät fingret stryka längs vinglasets kant. "Eller sitt... jag vet egentligen inte riktigt vad han håller på med. Han har inte tid att tvätta, inte tid att städa och nu verkar han inte ens ha tid för Johan längre."

"Ständigt närvarande och ständigt frånvarande?" sa Sofia sarkastiskt.

"Dessutom tror jag att han har ihop det med sin gallerist", hörde Jeanette sig själv säga.

Var det för att Sofia var psykolog som det gick så lätt att berätta?

”För att känna trygghet måste man väl också bli sedd?” Sofia tog en klunk vin. ”Men det är en fundamental brist i de flesta mellanmänskliga relationer. Man glömmer bort att se varandra, att uppskatta det den andre gör, eftersom den enda vägen som är eftersträvansvärd är den egna vägen. De egna intressena ska alltid komma först. Det är absolut inte konstigt, även om det är sorgligt. Jag skyller det på individualismen. Den har blivit som en religion. Egentligen är det förbannat konstigt att människor i en värld så fylld av krig och lidanden föraktar trygghet och lojalitet. Man ska vara stark, men man måste vara det på egen hand, annars är man, per definition svag. Det är en stor jävla paradox!”

Jeanette såg att något förändrades hos Sofia, hur hennes röst blev mörkare och hårdare. Hon hängde inte riktigt med i den plötsliga humörsvängningen.

”Förlåt, det var inte meningen att göra dig upprörd.”

”Det är ingen fara, men jag har själv erfarenhet av att ha blivit tagen för given.” Sofia reste sig upp. ”Nej, vad säger du, ska vi ta och äta lite?”

”Gärna, annars går väl vinet rätt upp i huvudet.”

Jeanette följde oroligt Sofia med blicken när hon reste sig och gick ut i köket. När hon kom tillbaka hade hon en bricka i händerna som hon ställde ner på bordet.

”Jag ber om ursäkt”, sa hon. ”Det var du som skulle prata, men jag vill bara säga att ibland kan jag bli så less på alla människor som inte förstår hur illa de kan göra varandra bara genom att vara nära någon annan.”

Jeanette märkte nu ännu tydligare hur Sofias röst blivit djupare och mindre melodiös. Jeanette förstod att hon petat i ett djupt sår.

”Jag menar”, fortsatte Sofia forcerat, ”vill man ha kickar så kan man väl åka till Afrika och göra nåt nyttigt om det är spänning och adrenalin man är ute efter? Nej, då hoppar man fallskärm eller klättrar i berg istället, eller bedrar sin fru, eller sviker den man lovat stå bakom ryggen på och skrattar åt att hon faller handlöst."

Sofia ställde fram tallrikarna och satte sig ner. De började båda plocka för sig av maten.

Jeanette förstod att hon sårat och ville ta konsekvenserna av det men hon insåg att hon glömt hur man gjorde. Om hon någonsin vetat. Hon tog en tugga av pastasalladen.

"Jag tror jag förstår vad du menar", sa hon sen försiktigt, "men tror du verkligen att det handlar om en simpel jakt efter spänning? Jag menar, förändring i sig är inte av ondo, det behöver inte vara fel att falla fritt ibland."

"Absolut inte, men man måste köra med öppna kort och försöka låta bli att såra mer än nödvändigt."

Sofia återfick sin normala röst och tog även hon en tugga av maten.

De åt under tystnad en stund. Jeanette märkte att Sofia lugnat sig.

"Men visst, det är inte så enkelt", sa hon efter ett tag för att försöka gå Sofia till mötes. "Åke är en bra man. Han är snäll mot mig och avgudar Johan. Men han är också en obotlig romantiker som tror gott om allt och alla, och är det nåt man som snut inte gör så är det precis det. Jag är alltid misstänksam. Han är en ekonomisk katastrof och jag kan inte låta bli att betrakta det som ett uttryck för, ja om inte ondska, så åtminstone en fullständig brist på empati."

Sofia fyllde på deras vinglas.

"Har du berättat för honom om hur du känner det? Ekonomisk stress är en av de vanligaste orsakerna till äktenskaplig osämja."

"Självklart har vi haft våra duster, men det är som om... jag vet inte, men ibland känns det som att han inte kan föreställa sig vad jag går igenom när vi inte kan betala räkningarna och jag måste ringa mina föräldrar för att låna pengar. Som om det bara var mitt ansvar."

Sofia tittade allvarligt på henne.

"På mig låter det som att han aldrig behövt ta ansvar själv. Att han alltid haft någon som tagit hand om allt åt honom.”

Jeanette nickade stumt. Det var som om bitar föll på plats.

”Nej, men du, nu lämnar vi det här”, sa hon och la armen på Sofias axel. ”Vi skulle ju träffas för att prata om Samuel, eller hur?”

”Det hinner vi nog med, även om det inte blir ikväll.”

”Vet du”, viskade Jeanette. ”Jag är jätteglad över att jag har träffat dig. Jag gillar dig.”

Sofia flyttade sig närmare och la handen på Jeanettes knä. Det susade i hennes huvud när hon tittade in i Sofias ögon.

Därinne skulle hon kanske kunna finna allt hon någonsin sökt, tänkte hon.

Jeanette lutade sig fram och såg att Sofia besvarade rörelsen. Deras läppar möttes, ömt och innerligt.

Samtidigt hörde hon hur någon av grannarna satte upp en tavla.

Det var någon som spikade.

Dåtid

När man kastar en blick tillbaka kan man ibland fastställa tidpunkten för en ny tids födelse, trots att det just då verkade som om den ena dagen avlöste den andra alldeles som vanligt.

För Sofia Zetterlund hade det börjat efter New Yorkresan. Sedan hade det varit två veckor hon sjukskriven legat hemma i sängen och funderat på såväl sin yrkessituation som sitt privatliv. När julhelgen kom tog tankarna på privatlivet allt mer plats i hennes medvetande.

Den första dagen efter helgen bestämmer hon sig för att ringa upp skattemyndigheten för att få fram mer detaljerade uppgifter om den man hon trott sig veta allt om.

Skattemyndigheten behöver bara personnumret för att allt som finns om Lars Magnus Pettersson ska skickas hem till henne.

Det spelar egentligen ingen roll att hon får vänta några dagar. Alla fakta har hela tiden funnits framför näsan på henne.

Varför har hon väntat?

Har hon inte velat se?

Har hon egentligen förstått?

På läkemedelsföretaget vet de först inte vem hon pratar om när hon frågar efter Lars Pettersson, men när hon insisterar blir hon till slut kopplad till säljavdelningen.

Receptionisten är tillmötesgående och gör allt för att hjälpa Sofia. Efter en stunds letande hittar hon en Magnus Pettersson, men han slutade för över åtta år sedan och hade bara arbetat en kort tid på Tysklandskontoret i Hamburg.

Hans senaste angivna adress är ute i Saltsjöbaden.

Pålnäsvägen.

Hon lägger på utan att säga adjö och tar fram lappen där hon har skrivit ner det främmande numret hon hittat i Lasses telefon. Enligt Eniros hemsida är abonnenten en Mia Pettersson på Pålnäsvägen i Saltsjöbaden. Under hennes adress finns ytterligare ett nummer som går till Petterssons Blommor i Fisksätra och trots att hon börjar förstå att hon delar sin man med en annan vill hon tro att det hela inte är någonting annat än ett gigantiskt misstag.

Inte Lasse.

Det är som hon står i en korridor där den ena dörren efter den andra öppnar sig framför henne. Under bråkdelen av en sekund har alla dörrar slagits upp och hon ser att korridoren är lika lång som evigheten och längst bort ser hon sanningen.

I ett och samma ögonblick ser hon allt, förstår allt och allt blir fullkomligt glasklart. Hon förstår varför hon står där hon står. Varför Lasse är där han är. Allting blir så tydligt samtidigt som hon överfalls av en overklighetskänsla så kraftig att hon får svårt att andas.

Lasse har alltså haft fullt upp med två familjer. En ute i Saltsjöbaden och en tillsammans med henne i lägenheten på Södermalm.

Självklart borde hon ha insett det här mycket tidigare.

Hans valkiga händer som vittnat om fysiskt arbete, trots att han påstått sig arbeta på kontor. En stor villa kräver antagligen mycket arbete och det är väl därför som han varannan vecka tycker att det är skönt att bara sitta i soffan och se på teve. En vecka med frun och en vecka med henne måste vara ett perfekt upplägg.

Osäkerheten och svartsjukan gnager i henne och hon märker att hon har slutat tänka logiskt. Är det bara hon som inte har förstått hur saker och ting hänger ihop?

Hon erinrar sig samtalet de haft i köket, strax efter hemkomsten från New York, då han plötsligt tyckts så skräckslagen. Trodde han då att hon listat ut något?

Genast blir allt klart.

Han är i behov av hjälp, tänker hon. Men inte av henne.

Hon kan inte rädda en sådan som honom, om det nu finns någon räddning.

Hon reser sig upp och går in i arbetsrummet där hon börjar leta i de skrivbordslådor som är hans. Inte för att hon vet vad hon hoppas hitta, men det borde väl finnas någonting där som kan kasta ytterligare ljus över vem mannen hon levt med egentligen är?

Om det är som hon misstänker så borde han med åren ha blivit allt oförsiktigare. Det brukar väl vara så? Det finns till och med personligheter som vill bli upptäckta och därför medvetet tänjer på gränserna till den grad att de till slut avslöjas.

Under några broschyrer med läkemedelsföretagets logotyp hittar hon ett kuvert från Södersjukhuset. Hon tar ut pappret och läser.

Det är en remiss, daterad nio år tidigare och som meddelar att Lars Magnus Pettersson har fått en tid på urologen för vasektomi.

Först förstår hon ingenting, men sedan inser hon att Lasse låtit sterilisera sig. För nio år sedan.

Han har alltså under alla år inte kunnat ge henne det barn hon längtat efter. Det han sa i New York om att han ville skaffa barn var inte bara en lögn, det var också omöjligt.

Lager på lager skalas bort och nu finns det snart ingenting kvar mer än det hon faktiskt kan vara helt säker på.

Och vad är det?

Att hon är Sofia, ja det vet hon.

Men i övrigt?

Kan hon lita på sina minnen? Nej, inte per automatik. Minnesbilder kan förändras med åren och idealisera eller demonisera en händelse. Hon är ju för i helvete psykolog.

Det är som om någon spänner ett rep över hennes bröstkorg och sakta drar åt allt hårdare och hon tror att hon ska svimma. Hennes erfarenhet av patienter som lider av panikångest gör att hon förstår att det är precis det hon upplever. Men hur rationellt hon än ser på sig själv kan hon inte låta bli att bli rädd.

Ska jag dö nu? tänker hon innan det svartnar för ögonen.

Fredagen den tjugoåttonde åker hon ut till Fisksätra. Det är snöblandat regn i luften och termometern på Hammarbyverken visar strax över noll.

Hon parkerar nere vid marinan och promenerar upp mot centrum. Omedelbart ser hon den lilla blomsteraffären, men tvekar om hon ska våga gå in. Inte för att hon tycker att hon har någonting att frukta, men hon är inte säker på hur hon kommer att reagera stående öga mot öga med den kvinna hon under tio år har delat sin man med.

Om den andra kvinnan inte känner till Lasses dubbelliv kan hon ju inte lastas eller ställas till svars. Så vad fan gör hon här egentligen?

Vad är det hon vill veta som hon inte redan vet?

Hon förmodar att det är så enkelt att hon bara vill få ett ansikte på den främmande kvinnan.

Men nu när hon står här ensam på torget känner hon sig inte lika säker längre. Hon tvekar, men om hon skulle återvända hem med ogjort ärende skulle det bara fortsätta att gnaga i henne.

Beslutsamt går hon in i affären men upptäcker till sin besvikelse att personen bakom kassan är en tjej mellan tjugo och tjugofem.

”Hej, och god fortsättning.” Flickan går runt disken och kommer fram till Sofia. ”Är det nåt speciellt du önskar?”

Sofia tvekar och vänder sig om för att gå sin väg, men i samma ögonblick öppnas dörren in till lagret och en mörk, vacker kvinna i femtioårsåldern kliver in i lokalen. På sitt vänstra bröst har hon en namnskylt som det står Mia på.

Kvinnan är nästan lika lång som Sofia och har stora mörka ögon. Sofia kan inte sluta stirra på de två kvinnorna som är påfallande lika varandra.

Mor och dotter.

I den unga kvinnan ser hon också tydliga drag av Lasse. Hans lite sneda näsa.

Det ovala ansiktet.

”Ursäkta, men är det nåt speciellt du är ute efter?” Den yngre kvinnan bryter den märkliga tystnaden och Sofia vänder sig mot henne.

”En bukett till min...” Sofia sväljer. ”Till mina föräldrar. Ja, de firar bröllopsdag idag.”

Kvinnan går fram till glasmontern med snittblommor.

”Då tror jag att en bukett sådana här skulle passa.”

Fem minuter senare går Sofia in på Pressbyrån bredvid Petterssons blommor och köper sig en stor mugg svart kaffe och en kanelbulle. Hon sätter sig på en bänk varifrån hon har uppsikt över torget och läppjar på kaffet.

Ingenting har blivit som hon tänkt sig.

Den unga kvinnan hade plockat ihop en bukett medan Mia gått tillbaka in på lagret. Sen ingenting mer. Sofia antar att hon hade betalat, men är inte helt säker. Men hon borde ha gjort det eftersom ingen kom efter henne. Hon minns ljudet från den lilla klockan på dörren och sen det frasande ljudet från snön. Någon har grusat torget.

Kaffemuggen bränner i handen och hon vaknar till. Det är inte mycket folk i rörelse trots att det är andra vardagen efter julhelgen och hon antar att de som inte är hemma och njuter av ledigheten har tagit sig in till City och mellandagsrean.

Blombuketten placerar hon bredvid sig på bänken. Det är röda, skära och brandgula rosor tätt knutna med liljor och orkidéer. Hon ser på papperslappen hon krampaktigt håller i handen.

Det är kvittot. Ja, hon har betalat i alla fall.

Hon tänker på Lasse och ju mer hon tänker på honom

desto overkligare blir han för henne.

Hon knölar ihop buketten och trycker ner den i soptunnan bredvid bänken. Kaffet får gå samma väg, det smakar ingenting. Värmer inte ens.

Hon känner att de förbannade tårarna är på väg och hon får anstränga sig för att hålla dem tillbaka. Hon gömmer ansiktet i händerna och försöker tänka på något annat än Lasse och Mia. Men det är omöjligt.

Mia som älskat med honom hela tiden. Och flickan som är Lasses dotter? Hans barn. Något han inte vill ha med henne. Allt Lasse har tillsammans med Mia vill han inte ha med henne, den andra. Hon ser sitt eget sura, morgontrötta ansikte bredvid Mias leende.

Hon tänker på skivan med Lou Reed, som han spelade för henne på hotellbaren i New York. Det går upp för henne att den naturligtvis står i hans skivsamling i Saltsjöbaden och att det är han och Mia som lyssnat på den.

Hon kommer genast att tänka på flera liknande situationer. Den vimsighet som hon uppfattat som ett charmigt personlighetsdrag hos honom, är i själva verket en produkt av det faktum att han levt dubbelliv.

Sofia känner hur den kalla träbänken kyler hennes rygg. Hon böjer huvudet bakåt som för att hindra tårarna att rinna nerför kinderna.

Hon förstår att hon måste göra ett avslut med Lasse. Sedan inget mer. Inga tankar, inget grubbel, ingenting mer. Låta honom sköta sitt bäst han vill, men för henne ska han vara som död. Det är bara att bestämma sig, annars kommer det bara att bli svårare och svårare.

Hon ska inte gorma eller skrika, inte ens försöka få upprättelse. Vissa saker måste man bara skära ut ur sitt liv för att överleva själv. Hon har gjort det förut.

Men det är en sak hon måste göra först. Hur ont det än kommer att göra.

Hon måste se dem tillsammans, Lasse, Mia och deras dotter.

DÅTID

Hon vet att hon måste se det, annars kommer hon aldrig att kunna sluta tänka på dem. Bilden av hur den lyckliga familjen ser ut tillsammans. Den kommer att förfölja henne, det förstår hon. Hon är tvungen att konfronteras med det.

Under de dagar som återstår till nyårsaftonen gör Sofia Zetterlund inte mycket. Hon pratar med Lasse bara en enda gång och samtalet varar inte mer än en halv minut, under vilken hon i spelad stress och uppgivenhet förklarar det prekära läget på arbetet.

Vid elva på nyårsaftonens kväll tar Sofia bilen och åker ut till Saltsjöbaden. Hon behöver inte leta länge förrän hon hittar Pålnäsvägen.

Hon parkerar bilen ett hundratal meter från det stora huset och går tillbaka till uppfarten. Det är en gul tvåvåningsvilla med vita vindskivor och en stor välskött trädgård. Till vänster om huset leder en stentrappa upp till baksidan där hon skymtar en altan.

Framför carporten står Lasses bil.

Hon går runt garaget och upp på baksidan. I skydd av några träd har hon full insyn genom det stora panoramafönstret. Det gula skenet är välkomnande och hemtrevligt.

Hon ser att Lasse kommer in i vardagsrummet med en champagneflaska samtidigt som han ropar någonting inåt huset.

Den mörka, vackra kvinnan från blomsteraffären kommer ut från köket med en bricka champagneglas. Från ett angränsande rum kommer dottern in tillsammans med en kille som liknar Lasse.

Har han en son också? Två barn? Om än vuxna nu.

De slår sig ner i den stora soffan och Lasse häller upp champagne åt dem alla och de skålar leende.

I trettio minuter står Sofia förlamad och bevittnar det skrattretande skådespelet.

Det är verkligt och samtidigt så falskt.

Hon minns hur hon en gång blivit visad runt på Chinateatern. Hon kommer inte ihåg namnet på föreställningen, men det hade varit en omtumlande upplevelse att se scenografin bakifrån.

Framifrån hade det varit en bar eller en restaurang och utanför fönstren ett hav och en solnedgång. Allt hade sett så genuint ut med de slitna möblerna och ljudeffekterna av måsar och vågskvalp.

När hon efteråt fick komma bakom kulisserna var allt så futtigt. Inredningen var byggd av spånskivor och hölls på plats med silvertejp och tvingar. Överallt låg stora sladdhärvor från lamporna som skapade illusionen av solnedgången och högtalarna med ljudeffekter.

Kontrasten mot det varma rummet på framsidan hade varit så stor att hon nästan känt sig lurad på upplevelsen.

Det hon nu bevittnar är samma scen. Inbjudande på ytan, men falsk inuti.

Strax före tolvslaget, samtidigt som hon ser hur det lyckliga sällskapet reser på sig för ytterligare en skål, tar hon upp sin mobil och slår hans nummer. Hon ser att han rycker till och förstår att han har sin telefon på vibrationssignal.

Han säger något och går upp på övervåningen. Hon ser hur det tänds i ett fönster och några sekunder senare ringer hennes telefon.

”Hej, älskling. Gott nytt år! Vad gör du?” Hon hör hur han anstränger sig för att låta jäktad. Han är ju ändå på kontoret i Tyskland och tvingas arbeta trots att det är nyår.

Innan hon hinner säga något blir hon tvungen att hålla luren åt sidan för att kräkas i en av buskarna.

”Hallå, vad gör du? Jag hör dig väldigt dåligt. Kan jag ringa lite senare? Det är lite stökigt runt mig just nu.”

Hon hör hur han spolar i handfatet så att den fina familjen på undervåningen inte ska uppfatta hans samtal.

Det är en fördämning som brister och ut kommer en flod av fult svek. Hon tänker aldrig acceptera att vara den andra.

Hon avbryter samtalet och går tillbaka till bilen.

Hon gråter hela vägen hem och ett snöblandat regn piskar mot bilrutan som blandar sig med hennes tårar. Hon känner den bittra smaken av mascara.

Uppgifterna från skattemyndigheten kommer bara att bekräfta det hon nu redan vet.

Fylla i några tomma luckor.

Pålnäsvägen.

Detaljer.

Hans frånvaro och hans kyla.

Blommorna som inte inhandlats på Arlanda utan tagits från Petterssons Blommor i Fisksätra.

Fru och två vuxna barn.

Hon har i tio år bollat gris med sig själv och när hon trott att han varit med och kastat tillbaka bollen har han bara stått där med armarna efter sidorna.

"Vad säger du Lasse, ska vi inte unna oss fyra veckor ledigt i sommar och hyra ett hus i Italien?"

"Du Lasse, vad skulle du säga om jag slutade med p-piller?"

"Är det inte på tiden att vi flyttar ut en bit utanför stan?"

"Jag tänkte..."

"Jag skulle vilja..."

Tio år av förslag och idéer då hon har blottat sig själv och sina drömmar. Lika många år av tveksamheter och undanflykter.

"Jag vet inte..."

"Det är mycket på jobbet..."

"Måste vara borta..."

"Det passar inte just nu, men snart..."

Hennes önskan att skaffa barn har bara varit hennes. Inte hans. Han har ju redan två och behöver inga fler. Hennes vilja att skaffa hus har bara varit hennes. Inte hans. Han har ju redan ett och behöver inte ett till.

I ett enda långsamt ögonblick tar han ifrån henne allt.

Hon känner sig apatisk. I timmar åker hon runt utan mål och det är först när bränslelampan tänds som hon kommer tillbaka till verkligheten. Hon stannar till och slår av motorn.

Allt som för bara några dagar sen har varit sant och påtagligt har visat sig vara en illusion, ett bländverk.

Ska hon passivt bara betrakta hur hennes liv monteras ner?

En lastbil passerar tutande med bara någon decimeter till godo och hon slår på bilens varningsblinkers. Ska hon dö, ska det i alla fall ske med stil och inte i ett skitigt dike i Västberga industriområde.

Victoria Bergman, hennes nya patient, skulle aldrig finna sig i att bli behandlad som något man bara kan slänga bort när man tröttnat, tänker hon.

Trots att de än så länge inte har setts så många gånger har Sofia förstått att Victoria äger en styrka hon själv bara kan drömma om. Trots allt har Victoria överlevt och förvandlat erfarenheterna till en insikt.

I ett plötsligt infall bestämmer sig Sofia för att ringa upp Victoria. Samtidigt ser hon att hon missat ett meddelande från Lasse: ”Älskade. Jag tar flyget hem. Vi måste prata.” Hon trycker bort det och slår numret till Victoria och väntar på kopplingstonen. Till hennes besvikelse är det upptaget. Sedan skrattar hon till när hon inser vad hon just varit på väg att göra. Victoria Bergman? Det är ju hon som går i behandling hos henne och inte tvärtom.

Hon tänker på Lasses meddelande. Hem? Vad är det egentligen? Och flyget, sen? Han kommer bara att ta bilen från Saltsjöbaden och inget annat. Men kanske anar han att hon vet. Någonting måste ha fått honom att vilja lämna sin riktiga familj så där hals över huvud. Det är ju trots allt nyårsafton.

Utan förvarning återkommer illamåendet och hon öppnar bildörren precis i tid för att hulka ut i den grå snömodden.

Hon startar bilen, vrider upp värmen på fullt och kör mot Årsta, ner i tunneln och vidare bort mot Hammarby Sjöstad.

På Statoil stannar hon för att tanka och när hon är klar

går hon in i butiken. Hon strosar runt bland hyllorna, funderar på vart hon ska ta vägen och förbannar sig själv för att hon låtit isolera sig så till den grad att hon nu är patetiskt ensam.

När hon står framme vid kassan ser hon ner i varukorgen och upptäcker att hon plockat ihop ett par torkarblad, en wunderbaum och sex paket ballerinakex.

Hon betalar och går mot utgången där hon stannar framför en ställning med billiga läsglasögon. Mekaniskt provar hon några med svagast möjliga slipning. Till slut hittar hon ett par med svarta bågar som får henne att se smalare, stramare och lite äldre ut. Sofia ser att expediten står med ryggen mot henne och kvickt stoppar hon ner dem i fickan. Vad är det som händer? Hon har aldrig stulit någonting förut.

När hon sätter sig i bilen igen tar hon fram mobilen, knappar fram Lasses senaste meddelande och trycker på Svara.

”Okej. Vi ses hemma. Vänta på mig om jag inte är där.”

Sedan kör hon in mot City och parkerar bilen i parkeringsgaraget på Olof Palmes gata. Med kreditkortet löser hon en parkeringsbiljett som räcker i ett dygn.

Det kommer att vara fullt tillräckligt.

Däremot placerar hon inte biljetten på instrumentbrädan utan stoppar istället ner den i plånboken.

Klockan har nu hunnit bli halv sex på nyårsdagens morgon och när hon kommer fram till Centralstationen går hon in i avgångshallen och ställer sig framför den stora tavlan med avgångar. Västerås, Göteborg, Sundsvall, Uppsala och så vidare. Hon går fram till en av biljettautomaterna, tar fram kreditkortet igen och köper en tur och retur till Göteborg med avgång klockan åtta.

I pressbyrån köper hon två paket cigaretter innan hon går och sätter sig på ett café i väntan på avgång.

Göteborg? tänker hon.

Plötsligt inser hon vad hon är på väg att göra.

Gamla Enskede

Söndagsmorgonen var strålande vacker och Jeanette vaknade tidigt. För första gången på länge kände hon sig riktigt utvilad.

Helgen hade avlöpt utan alltför stora påfrestningar. Åkes föräldrar hade varit på besök och det hade gått förvånansvärt smärtfritt även om hans mamma hade tyckt att fläskfilén varit lite för torr och att potatissallad inte skulle köpas på Ica.

I övrigt hade de haft det trevligt. Sett på teve och spelat spel.

Svärföräldrarna skulle åka med förmiddagståget, sedan skulle hon ha resten av dagen för sig själv. Hon låg kvar i sängen och planerade vad hon skulle använda ledigheten till.

Absolut inget arbete.

Pyssla, läsa lite och kanske ta en lång promenad.

Hon hörde hur Åke vaknade. Han andades tungt och skruvade på sig.

”Är alla uppe?” Han lät trött och drog täcket över huvudet.

”Jag tror inte det. Klockan är bara halv åtta, så vi kan ligga kvar ett tag. Vi hör när din mamma börjar stöka nere i köket.”

Åke reste sig ur sängen och började klä på sig.

Gå du bara, det finns ändå inget kvar, tänkte hon och såg Sofias ljusa ansikte framför sig.

”När går deras tåg?”

”Strax före tolv. Vill du att jag skjutsar in dem?” sa Jeanette och försökte låta oberörd.

”Vi kan väl göra det tillsammans”, svarade han i ett uppenbart försök att låta vänlig.

En halvtimme senare gick hon ner till köket och åt gemensam frukost med de andra. När de var klara och hade dukat av tog hon en mugg kaffe och gick ut i trädgården.

Hon kände sig, trots allt, ganska glad.

Mötet med Sofia hade utvecklat sig till någonting helt annat än hon väntat sig och hon hoppades att Sofia kände samma sak. De hade kyssts och hon hade för första gången känt för en kvinna det hon tidigare bara känt med män.

Är det kanske så att sexualitet inte behöver vara knutet till kön? tänkte hon och kände sig förvirrad. Kanske är det så banalt att det är personen som är det viktiga. Man eller kvinna spelar ingen roll.

Så enkelt det skulle vara. Och samtidigt så komplicerat.

Hon drack upp kaffet och återvände in.

Åke och hans pappa satt framför teven och såg på något naturprogram medan Johan hjälpte farmor med disken ute i köket.

När det var dags att åka in till Centralen bar Jeanette ut väskorna till bilen eftersom hon inte ville vara i vägen när svärföräldrarna packade ihop det sista och tog ett känslosamt adjö av Johan.

Jeanette körde in på Centralplan och parkerade mellan två taxibilar. De hjälptes åt att lyfta ur resväskorna och efter ytterligare ett tårdrypande avsked på perrongen, vinkade de farväl och Jeanette kände hur det blev lättare att andas. Hon tog Åke i handen och promenerade sakta tillbaka till bilen.

De jobbiga tankar hon tidigare haft under dagen var som bortblåsta. Hon hörde trots allt ihop med Åke och han med henne.

Vad kunde Sofia ge henne som hon inte kunde få av Åke? tänkte hon.

Spänning och nyfikenhet är inte allt.

Det är väl bara att bita ihop.

På tillbakavägen stannade de till vid en kiosk och köpte en Dagens Nyheter. Tidningen skulle innehålla en recension av Åkes utställning. Han hade helst av allt köpt tidningen före frukost, men eftersom han inte ville att hans föräldrar skulle läsa en eventuell sågning hade han avvaktat.

Tillbaka hemma satte de sig tillsammans vid köksbordet och bredde ut tidningen framför sig. Jeanette såg att han var nervösare än hon någonsin sett honom tidigare.

Han skrattade och låtsades överdrivet obekymrad.

”Här är det”, sa han, vek tidningen på mitten och placerade den mellan dem.

De satt tysta och läste var och en för sig. När Jeanette insåg att det var hennes Åke som beskrevs började det snurra för henne.

Den manlige recensenten var fullkomligt lyrisk. Enligt honom var Åke Kihlbergs måleri det viktigaste som hänt svenskt konstliv det senaste decenniet och Åke förutspåddes en lysande framtid. Utan tvekan skulle han bli nästa stora svenska kulturexport och vid en jämförelse framstod konstnärskollegorna Ernst Billgren och Max Book som banala epigoner.

”Jag måste ringa Alex.” Åke reste sig och gick ut i hallen för att hämta telefonen. ”Sen måste jag tillbaka in till stan. Kan du skjutsa mig?”

Jeanette satt kvar och visste inte vad hon skulle känna.

Det var som en dröm.

”Ja, javisst”, svarade hon och insåg att från och med nu skulle ingenting bli som vanligt.

Hon hade ingen aning om hur rätt hon hade även om det inte skulle bli på det vis hon trodde.

Allhelgonagatan

Dragspelsmusik dränkte Dalslandsgatans högljudda trafik i välbekanta toner. Från ett öppet fönster dånade *Balladen om briggen Blue Bird av Hull* och Sofia Zetterlund stannade till och lyssnade innan hon fortsatte bort mot Mariatorget.

Några förbipasserande log nickande och en kvinna började sjunga med i den sorgliga texten om skeppspojken som surrades vid stormasten och sedan glömdes kvar medan skeppet sjönk.

Musiken blev till ett oväntat avbrott och fungerade som en verbal katalysator i ett land där ingen pratar med någon utan anledning. Alla kan sin Evert Taube eftersom man får honom tillsammans med sillen och modersmjölken.

Efter kvällen med Jeanette kände sig Sofia förvirrad. Det som från början hade varit tänkt som ett möte som skulle handla om hennes arbete hade utvecklats till något väldigt privat. Jeanette hade berört henne känslomässigt, och fysiskt hade Sofia upplevt en spänning hon aldrig känt tidigare. Jeanette hade fått henne att känna sig attraktiv på ett sätt som inte ens Lasse förmått.

Samtidigt skrämde det henne att en person så påtagligt kunde påverka hennes välbefinnande och på så sätt få kontroll över henne. Under tiden tillsammans med Mikael hade han aldrig trängt så djupt in i henne som Jeanette hade lyckats göra och hon hade tyckt om det.

Njutit av det och gett sig åt henne.

Men nu var hon inte längre lika säker på att det varit en bra idé.

En relation med Jeanette skulle göra allt så mycket mer komplicerat.

När hon kom ut på Allhelgonagatan stannade hon, plockade upp det lilla fickminnet ur väskan och satte på sig hörlurarna. På kassettfodralet läste hon att inspelningen var gjord fyra månader tidigare.

Sofia tryckte på play och gick vidare.

”*... så tog jag färjan till Danmark tillsammans med Hannah och Jessica, de där två hycklande brudarna jag lärt känna i Sigtuna, och de skulle nödvändigtvis åka till Roskildefestivalen och lämna mig ensam i tältet med de där fyra vidriga tyska killarna som höll på hela natten och pillade och gned och tryckte och stönade, samtidigt som jag hörde Sonic Youth och Iggy Pop långt där borta och inte kunde röra mig eftersom de turades om att hålla fast mig...*”

Fullkomligt avskärmad vandrade hon in i ett sömnlikt tillstånd där hon varken såg eller hörde människorna runt omkring.

”*... visste att mina så kallade vänner stod längst framför scenen och fullständigt sket i att jag låg utslagen av deras söta dessertvin och blev våldtagen och sen inte hade lust att berätta varför jag var ledsen och bara ville åka därifrån...*”

Magnus Ladulåsgatan. Allt gick av sig själv. Timmermansgatan. Orden blev till bilder hon aldrig tidigare sett, men som ändå var välbekanta.

”*... och fortsätta till Berlin där jag tömde deras ryggsäckar på allt och ljög och sa att vi blivit rånade samtidigt som jag låg och sov när de var ute för att köpa ännu mer vin som om vi inte druckit för mycket redan. Men de passade väl på när deras fina föräldrar inte var med, utan var hemma i Danderyd och jobbade ihop de pengar som skickades ner till Tyskland så att vi kunde fortsätta tågluffen...*”

Så förstår hon vad det är Victoria ska berätta om och minns att hon faktiskt har lyssnat till just det här kassettbandet flera gånger tidigare. Vid säkert ett tiotal tillfällen har hon lyssnat till berättelsen om Victorias resa genom Europa.

Hur kan hon ha glömt?

”*... till Grekland och sitta fast i tullen och få packningen* *genomsökt av hundar och kroppsvisiteras av kåta gubbar i uniform som stirrade på brösten som om de aldrig sett bröst förut, och sen tycka att det var lämpligt att använda plasthandskar när de stoppade upp fingrarna i en. Sen gick det onda över när man drack vodka och fick minneslucka av i stort sett hela Italien och Frankrike och vaknade till liv nånstans i Holland. Då tyckte de båda svikarna att det fanimej fick vara nog och sa att de skulle åka hem och jag lämnade dem på Gare du Nord och stack till en en snubbe i Amsterdam som inte heller kunde hålla fingrarna i styr och det var därför han fick en blomkruka i huvudet. Det var inte mer än rätt att sno hans plånbok och pengarna räckte mer än väl till ett hotellrum i Köpenhamn, där allt skulle ta slut och rösten skulle tystas och man skulle visa att man vågade. Men skärpet gick av och man föll i golvet där tanden gick av och ...*"

Plötsligt känner hon hur någon tar henne i armen och hon rycker till.

Hon vacklar, tar ett steg åt sidan.

Någon sliter av henne hörlurarna och för en sekund är allt fullkomligt tyst.

Hon upphör att existera och hon blir lugn.

Det är som när man kommer upp till vattenytan efter att ha dykt alltför djupt och äntligen kan fylla lungorna med frisk luft.

Sedan hör hon bilarna och skriken och hon ser sig förvirrat omkring.

"Hur är det fatt?"

Hon vänder sig om och stirrar in i en mur av människor på trottoaren och hon upptäcker att hon själv står mitt på Hornsgatan.

Ögon som betraktar henne och granskar henne kritiskt. Bredvid henne en bil. Föraren tutar ilsket, hytter med näven och rivstartar.

"Behöver du hjälp?"

Hon hör rösten men kan inte avgöra vem i folkmassan den tillhör.

Det är svårt att fokusera.

Snabbt går hon tillbaka upp på trottoaren och bort mot Mariatorget.

Hon tar upp fickminnet för att ta ut bandet och lägga tillbaka det i fodralet. Hon trycker på eject.

Förvånat stirrar hon in i det tomma kassettbandsfacket.

NUTID

Tidigare, Borgmästargatan

Mambaa manyani... Mamani manyimi...

Sofia Zetterlund vaknar med en sprängande huvudvärk.

Hon har drömt att hon fjällvandrat tillsammans med en äldre man. De hade letat efter någonting, men hon kan inte minnas vad. Mannen hade visat henne en liten oansenlig blomma och sagt åt henne att gräva upp den. Marken var stenig och det gjorde ont i händerna. När hon till slut fick upp hela blomman sa mannen åt henne att lukta på roten.

Den hade luktat som en hel bukett av rosor.

Rosenrot, tänker hon och går ut i köket.

Under den senaste tiden har huvudvärken varit sporadisk och gått över efter bara någon timme, men nu känner hon att den blivit permanent.

Den är en del av henne.

Medan kaffebryggaren puttrar bläddrar Sofia i blocket med anteckningar från samtalen med Victoria Bergman.

Hon läser: BASTU, FÅGELUNGAR, TYGHUND, FARMOR, SPRINGA, TEJP, RÖST, KÖPENHAMN, PADJELANTA, ROSENROT.

Varför har hon skrivit ner just de orden?

Antagligen för att de hade varit detaljer som hon uppfattat som viktiga för Victoria.

Hon tänder en cigarett och bläddrar vidare. På näst sista sidan ser hon några nya anteckningar, men de är skrivna uppochner, som om hon har börjat skriva från andra hållet i blocket: BRÄNNA NER, PISKA. LETA GODHET I KÖTTET...

Först känner hon inte igen handstilen. Den är spretigt barnslig och näst intill oläsbar. Hon plockar upp en penna ur väskan och provar att skriva ner orden med fel hand.

Hon inser att det är hon själv som skrivit orden, men med vänster hand.

Bränna ner? Piska? Leta godhet?

Sofia känner sig yr och hör ett svagt hummande inuti huvudet, bakom huvudvärken. Hon funderar på om hon ska ta en promenad. Kanske kan lite frisk luft få hennes tankar att klarna.

Hummandet tilltar och hon får svårt att koncentrera sig.

Barnens skrik från gatan tränger genom fönsterrutorna och en frän doft sticker henne i näsan. Det är hennes egen svett.

Hon reser sig för att sätta på kaffebryggaren, men när hon ser att den redan är påsatt hämtar hon istället en mugg från skåpet. Hon fyller muggen och går tillbaka till köksbordet.

På bordet står redan fyra koppar.

En är tom, men de andra tre är fyllda till bredden.

Hon känner hur hon får svårt att minnas.

Som om hon upprepar sig själv och har fastnat i en och samma rörelse. Hur länge har hon varit vaken? tänker hon. Har hon överhuvudtaget gått och lagt sig?

Hon försöker samla sig, tänka efter, men det är som om hennes minne kan delas upp i två delar.

Först dåtid och det som handlar om Lasse, och om resan till New York. Men vad hade hänt sedan de kommit hem?

Minnena från Sierra Leone är lika påtagliga som samtalen med Samuel, men vad hade hänt efter det?

TIDIGARE, BORGMÄSTARGATAN

Det dånar från gatan och Sofia börjar oroligt vanka av och an över köksgolvet.

Den andra delen av minnet är mer som stillbilder eller förnimmelser. Platser hon besökt. Människor hon träffat.

Men inga vyer eller ansikten. Bara snabba klipp. En måne som såg ut som en glödlampa, eller om det var tvärtom?

Hon går ut i hallen och tar på sig sin kappa och ser sig i spegeln. Blåmärket efter Samuels händer har börjat blekna. Hon drar scarfen ytterligare ett varv runt halsen för att dölja det.

Klockan är strax före tio och ute är det högsommarvärme, men det är som om det inte berör henne. Hennes blick är vänd inåt och hon försöker förstå vad det är som händer med henne.

Det blixtrar till av tankar hon inte känner igen.

Victoria Bergmans formuleringar om att utsätta sin kropp för våld. Hennes tankar om vem som bestämmer när den enskildes fantasi, drifter och lustar når gränsen för det socialt accepterade och blir destruktiva.

Victorias prat om gott och ont, där det onda precis som cancer lever och växer i en till synes frisk organism. Eller var det Karl Lundström som sagt det?

Vid Björns Trädgård sätter hon sig ner på en bänk. Hummandet är nu öronbedövande och hon vet inte om hon ska klara av att gå hem.

Så åter Victorias malande röst.

Törs du? Törs du? Törs du idag då, din fega jävel?

Nej, hon måste hem och lägga sig. Ta en tablett och sova lite till. Antagligen är hon bara utarbetad och hon längtar till det ensamma mörkret i lägenheten.

När åt hon senast? Hon minns inte.

Hon lider av näringsbrist. Ja, så måste det vara. Trots att hon inte har någon aptit ska hon tvinga sig själv att äta och sen göra allt för att få behålla det. Hon ska inte kräkas.

Samtidigt som hon reser sig passerar flera polisbilar med påslagna sirener i hög fart. Efter dem kommer tre stora stadsjeepar med svarta, tonade rutor och blinkande blåljus. Sofia förstår att det måste ha hänt något.

På McDonalds vid Medborgarplatsen köper hon två påsar med mat och av de andra gästernas upphetsade samtal får hon veta att det skett ett värdetransportrån längre ner på Folkungagatan. Någon talar om skottlossning och en annan om flera skadade.

Sofia tar sin mat och går ut.

Hon ser inte Samuel Bai när hon kommer ut på gatan och börjar gå hemåt.

Men han ser henne och följer efter.

Hon passerar förbi polisavspärrningarna och vid Östgötagatan svänger hon höger, förbi Kocksgatan och sen vänster upp efter Åsögatan.

Vid den lilla parken kommer Samuel ikapp henne och knackar henne i ryggen.

Hon rycker till och vänder sig om.

Snabbt går han runt henne och hon får snurra ett helt varv innan hon ser vem det är.

“Hi! Long time no seen, ma’am!” Samuel ler sitt bländvita leende och tar ett steg bakåt. ”Hav’em burgers enuff’or me? Saw’ya goin’donall for two.”

Det är som om hennes andning upphör.

Lugn, tänker hon. Lugn.

Hennes hand letar sig reflexmässigt mot halsen.

Lugn.

Hon känner igen Frankly Samuels engelska och förstår att han iakttagit henne en stund.

Le.

Hon ler och säger att det finns tillräckligt med mat åt honom också och föreslår att de kan äta tillsammans hemma hos henne.

Han ler tillbaka.

Underligt nog försvinner rädslan lika snabbt som den kommit.

Plötsligt vet hon vad hon ska göra.

TIDIGARE, BORGMÄSTARGATAN

Samuel tar påsen och de börjar promenera upp mot Renstiernas gata och sedan in på Borgmästargatan.

Hon ställer påsen med hamburgare på vardagsrumsbordet. Han frågar om han får låna duschen för att blaska av sig lite innan de äter och hon plockar fram en ren handduk till honom.

Han stänger dörren om sig.

Vad är det som händer?

Bastu, fågelungar, springa, tejp, röst, Köpenhamn, Padjelanta, rosenrot, bränna ner, piska.

Det brusar i rören.

”Sofia, Sofia lugn Sofia”, viskar hon till sig själv och försöker ta djupa lugna andetag.

Fågelungar, springa, tejp.

Hon väntar en stund innan hon går tillbaka in i vardagsrummet. Det osar unket, bränt kött om hamburgarna.

Bränna ner, piska.

Ett illamående kommer över henne och hon sätter sig tungt ner i soffan med ansiktet i händerna.

Bastu.

Duschen strilar och huvudet larmar av Victorias röst. Det är som om den äter sig in i henne och gnager på hennes hjärnbark.

Det är en röst som hon har lyssnat till hela sitt liv, men aldrig vant sig vid.

Törs du, törs du idag då?

På vingliga ben reser hon sig och går mot köket för att hämta ett glas vatten. Kom igen, tänker hon, jag måste lugna ner mig.

Hon möter sin spegelbild i hallen och konstaterar att hon ser trött ut. In i märgen trött.

Hon sätter på kökskranen, men det är som om vattnet inte vill bli tillräckligt kallt och för sin inre blick ser hon hur det hämtas upp ur urberget, djupt under henne, där det är varmt som i helvetet.

Hon bränner sig på strålen, som om den är av magma och det brinner framför hennes ögon.

Barnen framför lägerelden.

Mambaa manyani… Mamani manyimi…

Sofia ryser vid minnet av den barnsliga sången.

Hon går ut i hallen och rotar i väskan, trevar efter kartan med Paroxetin.

Hon försöker samla saliv nog för att svälja ner tabletten. Hon är uttorkad men stoppar ändå in en tablett i munnen. Beskan är överrumplande och när hon försöker svälja fastnar det lilla pillret i halsen. Hon sväljer igen och igen och känner hur tabletten stötvis åker ner genom strupen.

Törs du idag då? Törs du?

”Nej, jag vågar inte”, mumlar hon tyst och sjunker ner längs hallväggen. ”Jag är livrädd.”

Hon kryper ihop där, väntar på att medicinen ska verka. Försöker vagga sig själv till ro.

Väntan. Bruset hon inte kommer undan.

Bastu, fågelungar, tyghund.

Hon klamrar sig fast vid tanken på tyghunden, lugnet. Tyghund, tyghund, repeterar hon för sig själv för att få rösten att tystna och återfå kontrollen över sina egna tankar.

Plötsligt ringer mobiltelefonen ute i hallen, men det är som om ljudet kommer från en annan värld.

En värld hon inte längre har tillgång till.

Med möda reser hon sig för att svara på det telefonsamtal som slumpen kastar åt henne när hon är på väg att förlora greppet. Telefonsamtalet är vägen tillbaka, utgör länken mellan henne och verkligheten.

Bara hon klarar att svara kan hon landa igen och hitta hem. Hon vet att det är så och den övertygelsen ger henne styrka nog att svara.

”Hallå”, mumlar hon och hasar ner längs väggen igen. Hon har klarat det. Hon har lyckats få tag i livlinan.

”Hallå? Är det nån där?”

”Ja, jag är här”, svarar Sofia Zetterlund och tror att hon

TIDIGARE, BORGMÄSTARGATAN

är hemma igen. Att hon är trygg.

"Ja, hej... Jag söker en Victoria Bergman. Har jag kommit rätt?"

Hon lägger på och brister ut i skratt.

Mambaa manyani... Mamani manyimi...

Hon känner plötsligt igen Victorias röst, reser sig och ser sig omkring.

Tror du inte jag vet vad du håller på med din svaga jävel.

Sofia följer ljudet in i vardagsrummet, men rummet är tomt.

Hon känner att hon behöver en cigarett och sträcker sig efter paketet. Fumlar, men får till slut fram en, stoppar den darrande i munnen, tänder den och drar ett djupt bloss i väntan på att Victoria ska ge sig till känna.

Hon hör Samuel stöka i badrummet.

Så du röker inte under köksfläkten idag?

Sofia rycker till. Hur fan kan Victoria veta att hon brukar göra det? Hur länge har hon varit här egentligen? Nej, försöker hon stilla sig. Det är omöjligt.

Vad är det som händer i ditt kök egentligen?

"Victoria, vad menar du när du säger så?" Sofia anstränger sig för att återgå till sin professionella roll. Vad som än händer får hon inte visa att hon är rädd, hon måste hålla sig lugn, återfå kontrollen.

Dörren till badrummet öppnas.

"Talkin' to ya'self?"

Sofia vänder sig om och ser Samuel stå naken i dörröppningen. Det droppar av duschvattnet när han betraktar henne. Han ler.

"Who you talking to?" Han ser sig om i rummet. "Nobody here." Samuel tar några steg ut i hallen och går fram till tröskeln. "Who's there?"

"Forget about her", säger Sofia. "We're playing hide and seek." Hon tar Samuel i armen.

Han ser förvånad ut och för handen mot hennes ansikte.

"What's happend to ya'face, ma'am? Look strange..."

”Klä på dig och skynda dig att äta innan det kallnar.” Hon öppnar byrålådan och räcker honom ännu en handduk. Han sveper den om sig och går tillbaka in i badrummet.

Hon stänger dörren om honom, tar upp asken med Pentobarbital ur handväskan och tömmer den i muggen med Coca-Cola.

Ska du låsa in honom också?

”Victoria, snälla”, säger Sofia bedjande,”Jag förstår inte vad du pratar om. Vad menar du?”

Du har en liten pojke inlåst här i lägenheten. I rummet bakom bokhyllan.

Sofia förstår ingenting och obehaget växer sig allt starkare.

Så minns hon innebörden av den sång hon första gången hört när hon suttit bunden i en grop i djungeln.

Mambaa manyani... Mamani manyimi...

Fågelskrämma knulla barn... Måste ha smutsig fitta...

Din feta äckliga hora. Hjälpte det inte att skära i armarna med rakblad?

Sofia tänker på hur hon suttit bakom tant Elsas hus och skurit sig.

Dolt de blodiga såren med långa tröjor.

Nu köper du för trånga skor istället. Bara för att påminna dig själv om smärtan.

Sofia ser ner på sina fötter. På hälarna har hon stora sår efter att i åratal ha plågat sig själv. På armarna ljusa ärr efter rakbladen, glasbitarna och knivarna.

Plötsligt öppnar sig den andra delen av hennes minne och det som tidigare varit suddiga stillbilder blir till hela sekvenser.

Det som varit dåtid blir till nutid och allt faller på plats.

Pappas händer och mammas fördömande blickar. Martin i pariserhjulet, bryggan nere vid Fyrisån och sedan skammen över att ha tappat bort honom. Akademiska sjukhuset i Uppsala, medicinen och terapin.

Minnet från Sigtuna och de maskerade flickorna i en ring runt henne.

TIDIGARE, BORGMÄSTARGATAN

Förnedringen.

Pojkarna som våldtog henne i Roskilde och så flykten till Köpenhamn och det misslyckade självmordsförsöket.

Sierra Leone och barnen som inte visste vad de hatade.

Gropen i mörkret, mjuk jord mot fötterna och månen genom tyget.

Ett redskapsskjul i Sigtuna, jordstampat golv och en glödlampa genom en ögonbindel.

Samma bild.

Sofia har grävt i Victorias inre och ibland sett sådant Victoria själv vigt hela sitt liv åt att glömma. Nu går Victoria runt i hennes hem, i hennes privata sfär. Hon finns överallt och ingenstans.

Och bandspelaren som du suttit med i timmar och pratat och pratat och pratat. Inte undra på att Lasse lämnade dig. Han orkade väl inte med allt ältande om din taskiga barndom. Det var du som ville gå på sexklubb i New York, du som ville ha gruppsex. Tacka fan för att han inte ville ha barn med dig.

Sofia gör en ansats att protestera, men kan inte få fram ett ljud. Han hade ju steriliserat sig, tänker hon.

Du är ju pervers. Du försökte stjäla hans barn. Mikael är Lasses son! Har du glömt det!?

Rösten är så hög att hon ryggar tillbaka och sjunker ihop i soffan. Det känns som om trumhinnorna håller på att sprängas.

Mikael? Lasses son? Det kan ju inte stämma…

Du är en gökmamma!

Bilden av den lyckliga familjen på nyårsafton i huset i Saltsjöbaden. Sofia ser Lasse skåla med Mikael.

Efter att du dödade Lasse raggade du upp Mikael. Minns du inte det? Telefonkatalogerna du slängde på golvet för att få det att se ut som ett självmord. Repet var för kort, eller hur var det nu?

Avlägset hör Sofia att Samuel återkommer från badrummet och suddigt ser hon hur han slår sig ner vid soffbordet.

Han öppnar påsen med mat och börjar äta medan hon sitter tyst och betraktar honom.

Samuel dricker girigt av läsken.

"Who ya talking to, lady?" Han skakar på huvudet.

Sofia reser sig upp och går ut i hallen."Eat and shut up", fräser hon åt honom, men hon kan inte avgöra om han uppfattat hennes röst eftersom han inte reagerar.

Hon ser sitt eget ansikte i spegeln ovanför hallbordet. Det är som om ena sidan av det har förlamats. Hon känner inte igen sig själv. Så gammal hon ser ut.

"Vad i helvete", mumlar hon åt spegelbilden och tar ett steg närmare och ler, för fingret mot munnen och drar det över framtanden som gick sönder när hon för tjugo år sedan försökte hänga sig på hotellrummet i Köpenhamn.

Mimesis.

Relationen mellan det hon ser och det som är hon går inte att ifrågasätta.

Nu minns hon allt.

Då ringer det åter i mobiltelefonen.

Hon ser på displayen.

10.22.

"Bergman", svarar hon.

"Victoria Bergman? Dotter till Bengt Bergman?"

Hon tittar in i vardagsrummet. Sömnmedlet har slagit ut Samuel i soffan. Hans ögon rör sig sakta i medvetslösheten.

"Ja, det stämmer."

Min far är Bengt Bergman, tänker Sofia Zetterlund.

Jag är Victoria, Sofia och allt som finns där emellan.

En röst hon tycker sig känna igen frågar om hennes far och mekaniskt svarar hon på frågorna, men när hon lägger på minns hon ingenting av vad hon sagt.

Hon håller krampaktigt i telefonen och betraktar Samuel. Så mycket på sitt samvete, men ändå så oskyldig, tänker hon och går fram till bokhyllan och hakar av haspen som håller den på plats. När hon öppnar lönndörren slår den instängda, unkna luften emot henne.

TIDIGARE, BORGMÄSTARGATAN

Gao sitter i ett hörn med armarna om knäna. Han kisar mot ljuset som tränger in från dörröppningen. Allt är under kontroll och hon går ut, rullar tillbaka bokhyllan och börjar klä av sig. Efter en snabb dusch lindar hon ett stort, rött badlakan omkring sig och låter vädra lägenheten med korsdrag i några minuter. Hon tänder en rökelse, häller upp ett glas vin och sätter sig i soffan bredvid Samuel. Hans andetag är djupa och regelbundna och försiktigt smeker hon honom över huvudet.

Av alla vidrigheter han begått som barnsoldat i Sierra Leone är han inte skyldig till någon, tänker hon. Han är ett offer eftersom han inte har en aning om vad han gjort.

Hans avsikter har varit rena, obefläckade av känslor som hämnd eller avundsjuka.

Samma känslor som varit hennes drivkrafter.

Solen börjar gå ner, det skymmer utanför fönstret och rummet vilar i ett dunkelt gråaktigt sken. Samuel rör på sig, gäspar och sätter sig upp. Han ser på henne och ler sitt bländande leende. Hon lösgör badlakanet lite och flyttar sig så att hon sitter mitt emot honom. Hans blick söker sig upp längs hennes vader och in under handduken.

Nu har du ett fritt val, tänker hon. Antingen följer du dina drifter eller så kämpar du emot.

Det är du som väljer.

Hon besvarar hans leende.

"Vad är det där", säger hon och pekar på hans halsband. "Var har du fått det ifrån?"

Han skiner upp, tar av sig smycket och håller upp det framför sig.

"Evidence of big stuff."

Hon spelar imponerad och när hon böjer sig fram för att studera halsbandet närmare märker hon att han ser på hennes bröst. "Så, vad har du gjort för att förtjäna en så fin sak?"

Nu lutar hon sig tillbaka och drar upp badlakanet ytterligare så att han kan se att hon inte har några trosor. Han

sväljer och flyttar sig närmare henne.
”Killed a monkey.”
Han ler och lägger handen på hennes nakna lår.
Eftersom han har blicken fäst någon annanstans ser han aldrig när hon tar fram hammaren hon hela tiden haft gömd under en kudde.
Kan man vara ond om man inte känner skuld? tänker hon och slår med full kraft hammaren i Samuels högra öga.
Eller är skuldkänsla en förutsättning för ondska?

TIDIGARE, BORGMÄSTARGATAN

Kvarteret Kronoberg

Sofia Zetterlund lägger på luren och undrar vad som hänt.

Jeanette sa att hon behövde prata. Hon hade låtit angelägen och berättat att det framkommit nya fakta i fallet Samuel Bai.

Vad är det Jeanette behöver prata med henne om och har hon kanske fått veta någonting?

Hon känner sig orolig.

Inträngd i ett hörn.

Har någon sett henne tillsammans med Samuel?

Sofia går in i vardagsrummet och ser att bokhyllan står på plats. Nu är det bara Gao kvar därinne och han är inget problem.

Tillbaka i hallen kontrollerar hon sin makeup innan hon tar handväskan och går ner på gatan. Folkungagatan, fyra kvarter och så tunnelbanan. En alldeles för kort promenad för att hinna tänka efter.

För att ändra sig.

Hon har vant sig vid Victorias röst, men huvudvärken är fortfarande ny och den skaver mot pannan.

Osäkerheten tilltar ju närmare polishuset hon kommer, men det är som om Victoria knuffar henne framåt. Talar om för henne vad hon ska göra.

En fot i taget. Den ena framför den andra. Upprepa rörelsen. Övergångsställe. Stanna. Se till vänster, till höger och så vänster igen.

Sofia Zetterlund anmäler sig i receptionen på polishuset och släpps efter en mindre säkerhetskontroll in till hissarna.

Öppna dörren. Gå rakt fram.

Efter ett par minuters väntan möts hon av en strålande Jeanette.

”Vad bra att du kunde komma så snabbt”, säger hon när de står ensamma i hissen. Hon smeker Sofia på axeln. ”Jag har tänkt mycket på dig och blev glad när jag fick anledning att ringa dig.”

Sofia känner sig osäker. Hon vet inte hur hon ska reagera.

Inuti hennes huvud finns två röster som kämpar om hennes uppmärksamhet. Den ena säger åt henne att krama om Jeanette och berätta vem hon egentligen är. Ge upp, säger rösten. Få ett slut på det här. Se det som ett tecken att du träffat Jeanette.

Nej, nej, nej! Inte än. Du kan inte lita på henne. Hon är som alla andra och kommer att svika dig så fort du visar dig svag.

”Det har varit mycket...” Jeanette ser på Sofia.”Vi är pressade från alla håll och det här med Samuel blir bara konstigare och konstigare. Men vi tar det sen. Vill du ha kaffe?”

De tar var sin kopp ur kaffeautomaten, går vidare genom en lång korridor och kommer till slut fram till rätt dörr.

”Ja, här har du mitt lilla krypin”, säger Jeanette.

Rummet är trångt, fyllt med pärmar och högar med papper. I det smala fönstret står en uttorkad blomma och slokar bredvid ett fotografi på en man och en pojke. Sofia förstår att det är Åke och Johan.

”Vad var det du ville prata om?” Sofia är torr i munnen och hon hör att hennes röst är hesare och mörkare än normalt.

Jeanette lutar sig fram över skrivbordet. ”Vi har fått svar på DNA-testet och vet nu med säkerhet att det var Samuel som hängde där på vinden.”

Jeanette tar upp ett papper som ligger på skrivbordet.

”Minns du om Samuel berättade att han blivit misshandlad? För ungefär ett år sen.”

Hon betraktar Sofia intensivt. Letar efter någonting.

Minns detaljerna, Sofia.

Sofia tänker efter. ”Ja, han berättade att han hade blivit överfallen i närheten av Ölandsgatan...”

”Vid Monumentet”, fyller Jeanette i. ”Det var vid Monumentet han blev misshandlad. På samma ställe där han sen hittades hängd.”

”Var det så? Ja, kanske det. Men nu minns jag att han sa nåt om att en av dem som överföll honom hade ormar tatuerade på armarna.”

”Inte ormar. Spindelväv.” Jeanette slänger den tomma kaffemuggen i papperskorgen. ”Killen var nynazist i tonåren och i deras kretsar är det status med spindelväv på armbågarna. Ska visst betyda att man mördat nån, vilket jag i hans fall starkt betvivlar. Men det hör inte hit.”

Jeanette reser sig och öppnar fönstret.

Man kan höra barn leka i Kronobergsparken.

Sofia ser framför sig hur Gao skoningslöst misshandlade Samuel som varit alltför skadad för att göra motstånd. Samuel hade stapplat omkring och inte gjort någonting annat än taffliga försök att värja sig mot Gaos sparkar och slag.

Sofia tittar ut genom fönstret och tänker på hur blodförlusten från Samuels trasiga öga gjorde att han till slut förlorade medvetandet. Att han måste ha förstått att det varit detsamma som att dö.

I samma ögonblick som han svimmade skulle det galna djur han hade framför sig kasta sig över honom och slita honom i stycken. Han hade sett det hända hemma i Sierra Leone och visste att det var en katt-och-råtta-lek med en förutbestämd utgång.

Telefonen på skrivbordet ringer och Jeanette ursäktar sig innan hon svarar.

”Javisst, hon sitter här bredvid mig och vi kommer så fort vi kan.”

Jeanette lägger på luren och ser forskande på Sofia.

”Killen med spindeltatueringarna heter Petter Christoffersson och är här i huset. Han är anhållen för misshandel och har fått för sig att han ska kunna köpslå genom att berätta nånting. Han måste ha sett för många dåliga amerikanska filmer och tror att det funkar på samma sätt här.”

Sofia känner hur det snurrar i huvudet och hur hon börjar svettas.

”Jag tänkte att du skulle hänga med och lyssna på honom.

Han säger att han har något att berätta om Samuel. Han ska tydligen ha sett honom dagen innan han hittades död. Utanför McDonalds vid Medborgarplatsen i sällskap med en kvinna. Tydligen vet han vem kvinnan är och..." Jeanette tystnade. "Ja, du fattar själv."

Sofia tänker på hur enkelt Gao hade styckat upp den lilla pojken de hittat vid vägkanten ute på Ekerö. Samtidigt som Jeanette varit på besök hemma hos henne hade Gao slagit sönder kraniet med en hammare. Senare hade de slängt benflisorna i soporna tillsammans med resterna från en grillad kyckling.

Ljug. Hitta på. Var offensiv.

"Alltså jag vet inte om det är så lämpligt. Jag är inte säker på att det är tillåtet... Men visst, jag hänger med."

Sofia ser att Jeanette uppmärksamt betraktar hennes reaktion. Det är som om hon testar henne.

"Du har rätt. Det är inte tillåtet. Men du skulle kunna sitta utanför och se på. Lyssna på vad han har att säga."

De reser på sig och går ut i korridoren.

Förhörslokalen ligger en trappa ner och Jeanette visar in Sofia i ett litet angränsande rum. Genom ett fönster kan man se in i förhörsrummet där Petter Christoffersson sitter bakåtlutad och till synes avspänd. Hon betraktar hans tatueringar och minns.

Det är han.

Sist hon såg honom hade han haft en tröja med två svenska fanor tryckta över bröstet. Han hade levererat byggmaterial till det rum hon byggt bakom bokhyllan. Frigolit, plankor, spik, lim, presenningar och silvertejp.

Hur kan hon råka ut för ett sådant infernaliskt sammanträffande? Hon känner hur svetten rinner längs ryggen.

"Spegelglas." Jeanette pekar på fönstret. "Du kan se honom, men han kan inte se dig."

Sofia letar i kappfickan och hittar en pappersservett som hon torkar av sina fuktiga händer med. Hon mår inte bra.

Skorna skaver och det växer i halsen.

"Hur är det, Sofia?" Jeanette ser på henne.

"Jag blev plötsligt bara så illamående. Det känns som om jag måste kräkas."

Jeanette ser bekymrad ut. ”Vill du gå tillbaka till mitt rum?”

Sofia nickar.

”Det kanske inte var nån bra idé det här. Jag är tillbaka om en halvtimme.”

Sofia går tillbaka ut i korridoren.

Hon har klarat sig.

Tillbaka på Jeanettes rum går hon fram till den väggfasta bokhyllan och nästan omedelbart finner hon en tjock mapp märkt THORILDSPLAN - OKÄND. Efter ytterligare letande hittar hon de andra: SVARTSJÖLANDET - JURIJ KRYLOV och DANVIKSTULL - OKÄND.

Hon vänder sig om och ser på det röriga skrivbordet. Bredvid telefonen finns det en hög med CD-skivor och när hon tar upp bunten ser hon att det är inspelade förhör.

Hon bläddrar lite förstrött utan att egentligen läsa vad som står på fodralen, men när hon kommer till sista skivan stelnar hon plötsligt till.

Först tror hon att hon sett fel, men när hon går tillbaka i högen hittar hon en skiva märkt BENGT BERGMAN.

Snabbt letar hon efter plastasken med tomma CD-skivor som hon antar borde finnas och hon hittar den överst på bokhyllan bredvid en glasburk med gummiband och gem.

Hon går runt skrivbordet, sätter sig ner sig framför datorn, stoppar in originalskivan respektive den blanka skivan och när hon får frågan copy CD trycker hon på yes.

Sekunderna segar sig fram och hon tänker på hur hon tillsammans med Gao kört liket av Samuel till Mikaels hus i kvarteret Monumentet.

Hur de bar upp honom på vinden och hur arbetet förenade de två när de tillsammans hängde upp kroppen i taket.

Efter mindre än två minuter spottar datorn ut de båda skivorna och hon lägger tillbaka originalet där hon hittat det. Kopian stoppar hon ner i handväskan.

Sofia sätter sig ner och tar upp en tidning.

Det hade varit Gao som upptäckt syran och det hade varit han som slängt hela hinken över ansiktet på Samuel.

Jeanette kommer tillbaka tio minuter senare och finner Sofia läsande ett gammalt nummer av SVENSK POLIS.

”Står det nåt kul?” undrar hon och ser fundersam ut.

Det är som om Jeanette betraktar Sofia med en ny kunskap, och hon känner hur osäkerheten kommer tillbaka.

”Det skulle i så fall vara korsordet”, svarar Sofia, ”men jag kunde inte hitta nåt, så jag kikade på bilderna istället. Hur gick det med spindelmannen? Fick du reda på nåt intressant?”

Jeanette ser fortfarande konfunderad ut.

”Hur länge har du bott på Borgmästargatan?” säger hon plötsligt och Sofia rycker till.

”Nu förstår jag inte riktigt vad du menar.”

”Jo, jag undrade hur länge du har bott på Borgmästargatan på Söder?”

Sofia känner sig obehagligt utsatt.

”Sen nittiofem... Jag har bott där i tretton år. Fan vad tiden går fort.”

”Har du lagt märke till nåt konstigt under tiden du bott där? Speciellt det senaste halvåret?”

Det är som om det är ett förhör och att hon är misstänkt för något.

”Vad menar du med konstigt?” Sofia sväljer. ”Det är ju Stockholm och Södermalm med allt vad det innebär av fyllon, slagsmål, enstöringar som pratar för sig själva, sönderslagna bilar och ...”

”Försvunna pojkar...”

”Ja, det också. Och döda pojkar på vindar. Men du får nog förtydliga dig lite om jag ska kunna bistå med nåt av intresse.”

Sofia känner hur Victoria tar över. Lögnerna kommer av sig själva, utan att hon behöver tänka efter. Det hela är som ett skådespel och hon kan rollen utantill.

”Det är så att Petter Christoffersson i vintras hade en praktikplats på Fredells byggvaruhus ute i Sickla. Han säger att han minns att de strax efter nyår hade kört ut ett lass med nån form av isolering till en lägenhet på Söder. Han kommer inte ihåg exakt var det var men vet att det var nånstans i det område som idag populärt kallas för Sofo. Han påstår med bestämdhet att kvinnan som tog emot byggmaterialet var samma kvinna som Samuel hade sällskap med dagen innan han hittades död."

Sofia harklar sig.

"Kan du lita på att han talar sanning och inte bara försöker göra sig märkvärdig? Du sa ju tidigare att han försökte köpslå?"

Jeanette lägger armarna i kors och gungar på stolen. Hennes blick släpper inte Sofias.

"Det är precis det jag också undrar över. Men det är nånting övertygande med hans berättelse. Vissa detaljer som gör den trovärdig."

Hon böjer sig fram och sänker rösten något.

"Visserligen är hans signalement väldigt vagt. Kvinnan var ljus, lite över medellängd och blåögd. Han sa att han tyckte hon var snygg, till och med snyggare än normalt, sa han. Men i övrigt skulle det kunna passa in på många. Ja, som det lät på honom skulle det till och med kunna vara du."

Le.

Sofia skrattar och gör en min som visar hur dumt hon tycker påståendet är.

"Jag ser att du inte mår så bra", säger Jeanette. "Det är kanske lika bra att du åker hem."

"Ja... Jag tror det."

"Vila en stund. Jag kan komma hem till dig efter jobbet."

"Vill du det?"

"Absolut. Gå hem och lägg dig nu. Jag köper med mig lite vin. Blir det bra?"

Jeanette smeker Sofias kind.

Vita bergen

Tunnelbanan från Rådhuset till Centralen, byte till grön linje mot Medborgarplatsen. Sedan samma promenad hon gjort ett par timmar tidigare, fast åt andra hållet. Folkungagatan, fyra kvarter och sedan hemma. Etthundratolv trappsteg.

När hon kommer hem stoppar hon in skivan hon kopierat i sin laptop.

”Första förhöret med Bengt Bergman. Klockan är tretton och tolv. Förhörsledare är Jeanette Kihlberg och bisittare är Jens Hurtig. Bengt, du är misstänkt för flera brott, men det här förhöret handlar i första hand om våldtäkt alternativt grov våldtäkt, samt misshandel alternativt grov misshandel, vilket betyder minst två års fängelse. Ska vi börja?”

”Mmm…”

”Fortsättningsvis vill jag att du talar tydligt och in i mikrofonen där. Om du nickar hörs det ju inte på bandet. Vi vill att du uttrycker dig så klart som möjligt. Bra. Då börjar vi.”

Det blir en tyst paus och Sofia hör att någon dricker och sedan ställer ner glaset på bordet.

”Hur tycker du att det känns, Bengt?”

”För det första undrar jag vad du har för formell utbildning egentligen?”

Hon känner genast igen sin pappas röst.

”Vad gör dig lämplig att fråga ut mig? Jag har åtminstone åtta års högskoleutbildning och en fil. kand, och har dessutom läst en hel del psykologi på egen hand. Känner du till Alice Miller?”

Hans röst får Sofia att rycka till och reflexmässigt backar hon tillbaka, höjer armarna för att skydda sig.

Även som vuxen är hennes kropp så präglad att den reagerar instinktivt. Adrenalinet pumpar och hennes kropp gör sig redo för flykt.

”Nu, Bengt, måste du förstå att det är jag, och inte du, som leder det här förhöret. Är det klart?”

”Jag vet inte riktigt...”

Jeanette Kihlberg avbryter honom direkt. ”Är det klart, frågade jag?”

”Ja.”

Sofia förstår att hans trotsighet beror på att han fortfarande är van att styra och ställa och att han känner sig obekväm i rollen som brottsling.

”Jag frågade hur du tycker att det känns?”

”Tja, vad tror du? Hur skulle du tycka att det var att sitta här och vara oskyldigt anklagad för en massa vidrigheter?”

”Antagligen skulle jag tycka att det var fruktansvärt och göra allt som stod i min makt för att försöka reda upp saker och ting. Är det så du känner det också? Att du vill berätta för oss varför du greps.”

”Som du säkert redan vet blev jag stoppad av polisen söder om stan, när jag var på väg hem till Grisslinge. Vi bor där, på Värmdö. Jag hade plockat upp den där kvinnan som stod vid vägkanten och var alldeles blodig. Min enda avsikt var att hjälpa henne och köra henne till Södersjukhuset så att hon kunde få adekvat vård. Det kan väl inte vara straffbart?”

Hans röst, hans sätt att uttala orden, överlägsenheten, pauseringen och det spelade lugnet får henne att bli tio år på nytt.

”Du hävdar alltså att du är oskyldig till att ha orsakat målsäganden Tatyana Achatova de skador som finns dokumenterade på det papper som du redan läst?”

”Det här är ju fullkomligt absurt!”

”Har du lust att läsa vad som står på pappret?”

”Nu är det så här att jag avskyr våld. Jag ser aldrig på teve annat än på nyheterna och om jag mot förmodan skulle se en film eller gå på bio så väljer jag kvalitetsfilmer. Jag vill helt enkelt inte beblanda mig med ondskan som finns utbredd i det här...”

Känslan av den barrtäckta stigen ner till sjön. Hur hon redan som sexåring lärt sig hur man ska ta på honom för att han ska vara snäll och hon kommer ihåg den söta smaken av tant Elsas karameller. Det kalla brunnsvattnet och den styva borsten mot huden.

Jeanette Kihlberg avbryter honom igen. ”Vill du läsa eller ska jag göra det?”

”Ja, jag skulle föredra om du gjorde det, jag vill som sagt inte...”

”Enligt den läkare som undersökte Tatyana Achatova kom hon in till Södersjukhuset i söndags kväll, cirka klockan nitton, och uppvisade följande skador: Kraftiga bristningar i anus samt ...”

Det är som om man pratar om henne och hon minns smärtan.

Hur ont det hade gjort trots att han sagt att det var skönt.

Hur förvirrad hon varit när hon förstått att det hon gjorde med honom var fel.

Sofia orkar inte lyssna längre och stänger av.

Hans vidriga handlingar har tydligen hunnit ikapp honom, tänker hon. Men det är inte för det han gjort mot mig som han ska straffas. Det är inte rättvist. Jag tvingas överleva med mina ärr medan han bara kan gå vidare och fortsätta.

Sofia lägger sig ner på golvet och stirrar upp i taket. Hon vill bara sova. Men hur ska hon kunna det?

Hennes namn är Victoria Bergman och han finns fortfarande.

Bengt Bergman. Hennes pappa. Han lever fortfarande.

Knappt tjugo minuter ifrån henne.

När de kramar om varandra känner Sofia att Jeanette är nyduschad och luktar av en annan parfym än tidigare. De går in i vardagsrummet och Jeanette ställer en bag-in-box på soffbordet.

”Sätt dig ner. Jag ska fixa fram glas. Jag antar att du vill ha vin.”

”Ja, gärna. Det har varit en jävla vecka.”

Ta karaffen. Fyll upp den med vin. Fyll glaset.

Sofia häller upp lite vin.

NUTID

Läs av situationen. Fråga något personligt.

Sofia lägger märke till hur våta Jeanettes ögon är och hon förstår att det inte bara är av trötthet.

”Hur mår du egentligen? Du ser ledsen ut.”

Ögonkontakt. Visa medlidande. Kanske ett litet leende.

Hon ser Jeanette i ögonen och ler förstående.

Jeanette ser tyst ner i bordet. ”Jävla Åke”, säger hon plötsligt. ”Jag tror att han är förälskad i sin gallerist. Hur dum får man bli, egentligen?”

Ta hennes hand. Smek den.

Sofia tar Jeanettes hand. Hon känner att Jeanette är spänd, men att hon snart slappnar av och besvarar Sofias handtryckning.

”Ärligt talat vet jag inte om jag ens bryr mig. Jag är less på honom.” Jeanette avbryter sig och drar efter andan. ”Men du, vad är det som luktar?”

Sofia tänker på glasburkarna i köket, på Gao bakom bokhyllan och uppfattar samtidigt den syrliga stanken av kemikalier som fyller lägenheten.

”Det är nåt med avloppet. Grannarna håller på att bygga om toaletten.”

Jeanette ser skeptisk ut, men verkar nöja sig med förklaringen.

Styr in samtalet på någonting annat.

”Har ni hört nåt mer om Lundström? Eller ligger han fortfarande i koma?”

”Ja, det gör han. Men egentligen förändrar det ingenting. Åklagaren har tagit fasta på medicinen och allt där... Ja, du vet ju...”

”Har ni kollat upp det där som han spindelmannen pratade om?”

”Du menar Petter Christoffersson. Nej, vi har inte kommit vidare med det än. Jag vet inte riktigt vad jag ska tro. Om jag ska vara ärlig så verkade han mest intresserad av mina bröst.” Hon skrattar och det smittar av sig.

Sofia känner sig lättad.

”Men fick du någon uppfattning om honom?”

”Ja, det är väl det vanliga. Komplexfylld, osäker, sexfixerad”, börjar Jeanette. ”Troligen våldsam, i alla fall när det gäller sånt som är viktigt för honom. Och då menar jag allt som går emot hans vilja eller ifrågasätter hans ideologi. Han är absolut inte ointelligent, men hans intelligens är destruktiv och verkar självnedbrytande.”

”Du låter ju som en psykolog.” Sofia dricker av vinet. ”Och jag måste erkänna att jag blir lite nyfiken på din diagnos av den unge mannen...”

Jeanette sitter tyst ett tag innan hon med spelat allvar fortsätter. ”Ponera att Petter Christoffersson ställs inför ett val att tolka innebörden av en situation, säg ... otrohet. Säg att hans flickvän kanske har sovit över hos en killkompis. Han ser det som ett svek och han kommer alltid att välja det alternativ han finner mest negativt för sig själv och alla inblandade...”

”Men egentligen har hon sovit ensam på kompisens soffa”, inskjuter Sofia.

”Och...” Jeanette fyller i fortsättnigen, ”att övernatta hos en kompis blir för honom att knulla med kompisen, och det i alla ställningar hans hjärna kan fantisera fram...”

Jeanette avbryter sig själv och överlåter åt Sofia att avsluta.

”Och efteråt har de pratat om vilken tönt han är som sitter hemma och inte fattar ett skit.”

De brister ut i skratt och när Jeanette kastar sig bakåt i soffan ser Sofia en brunröd fläck på det ljusa tyget. Snabbt tar hon en kudde och slänger den på Jeanette som parerar, tar upp den och lägger den bredvid sig och omedvetet döljer fläcken efter Samuels blod.

”Fan, du låter ju som en kollega. Är det säkert att du inte har en psykologiexamen?” Sofia lutar sig fram och lägger sin hand på Jeanettes samtidigt som hon med den andra handen lyfter vinglaset och för det till munnen.

Jeanette ser nästan generad ut.

”Och vad tror du om den där kvinnan han säger sig ha sett?”

”Jag tror att han har sett en ljus, snygg kvinna tillsammans med Samuel. Han har till och med stirrat på kvinnans häck. Han är ung och har sex på hjärnan hela tiden. Registrera, stirra, registrera, stirra, fantisera och sedan onanera." Jeanette skrattar. "Däremot tror jag inte att det är samma kvinna som han levererat byggmaterialet till."

Verka intresserad.

"Nähä, och varför inte?"

"Det här är en kille som bara ser en kvinnas bröst eller hennes häck. Alla kvinnor blir en och samma."

"Det som möjligen kan förvåna mig är att han inte säger att kvinnan flirtat med honom, eller något liknande. Det vore mer likt hans sanning, eller tolkning av situationen, om du förstår vad jag menar. Det skulle nästan vara mer trovärdigt."

Jeanette ruskar på huvudet och skrattar igen. "Det faktum att han inte ljuger gör alltså hans berättelse en aning mindre trovärdig? Om det är det som är psykologi så förstår jag varför du arbetar med det. Du måste bli förvånad varje dag..." Hon sväljer det sista av vinet och häller upp ett tredje glas.

De sitter tysta en stund och ser på varandra. Sofia tycker om Jeanettes ögon. Blicken är fast och nyfiken. Intelligensen syns i ögonen. Sedan är det något annat också. Mod, karaktär. Det är svårt att sätta fingret på det.

Sofia inser att hon blir allt mer fascinerad av henne. Inom loppet av tio minuter har alla Jeanettes känslor och egenskaper synts i hennes ögon. Skratt. Självförtroende. Intelligens. Sorg. Besvikelse. Tvekan. Frustration.

I en annan tid, på en annan plats, tänker hon.

Hon måste bara se till att Jeanette inte får se hennes mörker.

Hon är tvungen att hålla det tillbaka när de träffas och Jeanette ska aldrig få träffa Victoria Bergman.

Men hon och Victoria är fjättrade vid varandra som siamesiska tvillingar och därför också beroende av varandra.

De delar samma hjärta och blodet som flyter i deras kroppar är samma blod. Men när Victoria föraktar hennes svaghet, beundrar hon Victoria för hennes styrka. Och hon vet att hon gör det med den underdåniges beundran för den starke.

Hon minns hur hon slutit sig inom sig själv när man retat

henne. Hur hon snällt åt upp maten och lät honom ta på henne.

Hon hade anpassat sig, vilket Victoria aldrig kunnat göra.

Victoria hade gömt sig långt därinne.

Victoria har väntat och bidat sin tid. Avvaktat det ögonblick då Sofia blev tvungen att släppa henne fri för att inte själv gå under.

Hade hon bara sökt i sig själv hade hon kanske funnit styrkan. Men istället hade hon försökt radera Victoria ur minnet. I nästan fyrtio år hade Victoria försökt göra Sofia uppmärksam på att det var hon och inte Sofia som hade kartan och ibland hade Sofia faktiskt lyssnat.

Som när hon fick tyst på den lille pojkens tjatande nere vid ån.

Som när hon tog hand om Lasse.

Sofia känner hur huvudvärken släpper, hur gummibandet som är hennes samvete dras ut så långt att det nu är på väg att brista. Hon känner att hon vill berätta allt för Jeanette. Berätta om hur hennes pappa har förgripit sig på henne. Beskriva nätterna när hon inte vågat somna, rädd för att han skulle komma in till henne. Om skoldagarna då hon inte kunnat hålla sig vaken.

Hon vill berätta för Jeanette hur det känns att proppa i sig mat och sedan kräkas upp den. Att njuta av smärtan från ett rakblad.

Hon vill berätta allt.

Så kommer plötsligt Victorias röst tillbaka.

”Du får förlåta mig, men nu gör sig vinet påmint och jag måste gå på toaletten.”

Sofia reser sig och känner hur alkoholen rusar upp i huvudet, hon fnittrar till och tar stöd mot Jeanette som svarar med att lägga sin hand över hennes.

”Du...” Jeanette ser upp på henne. ”Jag är jätteglad att jag har träffat dig. Det är det bästa som hänt mig på... ja, jag vet inte på hur länge.”

Sofia stannar upp, överrumplad av ömhetsbetygelsen.

”Vad händer med oss när vi inte längre måste träffas? Genom jobbet alltså.”

Le. Svara ärligt.

Sofia ler. ”Jag tycker att vi ska träffas igen.”

NUTID

Jeanette fortsätter. ”Sen skulle jag vilja att du träffar Johan. Du skulle gilla honom.”

Sofia stelnar till. Johan?

Hon har helt glömt bort att det finns andra personer i Jeanettes liv.

”Är det tretton han är?” säger hon.

”Ja, precis. Han börjar i högstadiet till hösten.”

I år skulle Martin ha fyllt trettio.

Om inte hans föräldrar av en slump hade sett en annons om ett hus att hyra i Dala-Floda.

Om han inte hade önskat åka pariserhjul.

Om han inte hade ändrat sig och ville bada istället.

Om han inte tyckt att vattnet varit för kallt.

Om han inte hade ramlat i vattnet.

Sofia tänker på hur Martin försvunnit efter åkturen i pariserhjulet.

Hon ser Jeanette djupt i ögonen samtidigt som hon hör Victorias röst inne i huvudet.

”*Vad säger du om att vi tar med oss Johan på Gröna Lund nån helg?*”

Sofia betraktar Jeanettes reaktion.

”Det låter jättekul. Vilken bra idé”, säger hon och ler. ”Du kommer att älska honom.”

Vita bergen

Jeanette tänder en cigarett. Vem är Sofia Zetterlund egentligen? Hon känner en närhet till henne, men samtidigt är hon så ogripbar. Ibland så oerhört närvarande, för att plötsligt utan förvarning förbytas till en annan.

Kanske är det anledningen till att hon fängslas av henne. Någon som förvånar, som inte är förutsägbar.

Och är det inte så att till och med hennes röst skiftar i tonläge ibland?

När Sofia stängt toalettdörren bakom sig reser sig Jeanette ur fåtöljen och går fram till bokhyllan. Du är vad du läser, tänker hon. En klyscha visserligen, men hon är nyfiken och betraktar bokryggarna med stort intresse.

Flera tjocka volymer om psykologi, psykoanalytisk diagnostik och om barnets kognitiva utveckling. En stor mängd filosofi, sociologi, biografier och skönlitteratur. *Suckar från djupen, Sodoms 120 dagar* och *Förräderiet mot mannen*, rygg mot rygg med Jan Guillous politiska romaner och Stieg Larssons deckartrilogi.

Längst till vänster i hyllan står en bok vars titel gör henne intresserad. *Lång väg hem, En barnsoldats berättelse*. När hon plockar ut boken från hyllan noterar hon att det på utsidan av gaveln sitter en liten hasp. Märkligt att ha en låsanordning på bokhyllan, tänker hon i samma stund som Sofia kommer in i rummet.

”Är hyllan så tung att du måste låsa fast den i väggen?” Jeanette fingrar på haspen och ler åt Sofia.

”Ja, faktum är att den rasade en gång när grannen spikade upp en tavla.” Sofia skrattar. ”En säkerhetsåtgärd bara.”

Jeanette mönstrar henne med blicken. Hon tycker att skrattet låter ansträngt.

”Så du gillar Stig Larsson?” säger Sofia.

”Vilken av dem? Stig eller Stieg? Den onde eller den gode?”

Jeanette skrattar och visar henne omslaget. Stig Larssons *Nyår*. ”Den onde, förmodar jag?”

”Jag ser att du har två utgåvor av Valerie Solanas *Scum Manifest* också.”

”Ja, jag var ung och arg då. Nu tycker jag att boken är riktigt underhållande. Det jag tog på fullaste allvar då skrattar jag åt nu.”

Jeanette ställer tillbaka boken. ”*SCUM. The Society of Cutting Up Men*. Jag är inte så insatt, även om jag läst den. Jag var också ung, tonåring antar jag. På vilket sätt är den underhållande, menar du?”

”Den är radikal och underhållningen återfinns i det radikala. Det är en hatskrift mot män som är så konsekvent när det gäller mannens alla dåliga sidor att mannen som sådan framstår som en så löjlig varelse att jag bara måste skratta. Jag var tio när jag läste den första gången och då köpte jag allt. Bokstavligen. Nu skrattar jag åt både detaljerna och helhetsbilden i boken, det är bättre.”

Jeanette sveper det sista av vinet. ”Du var tio år sa du? För min del blev jag tvingad att läsa *Sagan om ringen* av min romantiska farsa när jag var nio eller tio. Vad har du för uppfostran egentligen som läste såna böcker när du var så liten?”

”Det var på eget bevåg, faktiskt.”

Sofia står tyst en stund och andas djupt.

Jeanette ser att Sofia är illa berörd och frågar vad det är för fel.

”Det är boken du höll i när jag kom in”, svarar hon. ”Den har gjort ett starkt intryck på mig.”

”Du menar den här?” Jeanette tar fram boken om barnsoldaten och tittar på omslaget. En ung pojke som bär ett gevär över axlarna.

”Ja, precis. Samuel Bai var barnsoldat i Sierra Leone. Han som har skrivit boken har nästan samma namn. Ishmael Beah. Jag blev tillfrågad om att faktagranska den men var tyvärr för feg för att genomföra det.”

Jeanette ögnar igenom texten på baksidan av boken.

”Läs högt”, säger Sofia. ”Understrykningarna på sidan tvåhundrasjuttiosex.”

Jeanette slår upp boken och läser.

”*Det var en gång en jägare som gav sig in i djungeln för att skjuta en apa. Då han kommit tillräckligt nära tog han skydd bakom ett träd, höjde geväret och siktade. Just som han skulle krama avtryckaren sa apan: 'Om du skjuter mig kommer din mor att dö, och om du låter bli kommer din far att dö.' Apan satte sig tillrätta, mumsade på sin mat och kliade sig förnöjt. Vad skulle du göra om du var jägaren?*”

Jeanette riktar blicken mot Sofia och lägger ifrån sig boken.

”Jag skulle låta bli”, säger Sofia.

NUTID

Grisslinge

Sofia Zetterlund tar tunnelbanan från Skanstull till Gullmarsplan där hon redan dagen innan har parkerat sin bil, eftersom hon inte vill att den ska registreras av de kameror som på vardagarna, mellan halv sju på morgonen och halv sju på kvällen, övervakar in- och utfarterna till Stockholms innerstad.

Årstaskogen färgar utsikten från Skanstullsbron i mörkt gröna nyanser, nere i småbåtshamnen råder febril aktivitet och Skanskvarnens uteservering är redan fullsatt.

Efter flera månader utan aptit kan Sofia inte längre särskilja smärtorna. Det fysiska illamåendet, som tvingar henne att kräkas flera gånger om dagen har sammansmält med den psykiska smärtan. De trånga skorna skaver. Allt som gör ont har blivit till en helhet och under sommaren har mörkret i henne blivit allt mer kompakt.

Hon har fått svårare och svårare att uppskatta saker som hon tidigare funnit intressanta och saker som hon tidigare tyckt om har plötsligt börjat gå henne på nerverna.

Hur hon än tvättar sig tycker hon alltid att hon luktar svett och att hennes fötter börjar stinka bara någon timme efter att hon duschat. Hon iakttar noga sin omgivning för att se om andra visar tecken på att ha noterat hennes kroppslukter. När reaktionen uteblir antar hon att det bara är hon själv som störs av dem.

Tabletterna med Paroxetin är slut och hon har inte orkat ta kontakt med någon för att skaffa fler.

Hon orkar inte ens använda bandspelaren längre.

Efter varje session hade hon blivit helt utmattad och det kunde ta flera timmar innan hon blev sig själv igen.

Från början kändes det skönt att ha någon som lyssnade, men till slut fanns det inget mer att säga.

Hon behöver ingen analys. Den tiden är förbi.

Hon behöver handling.

Sofia tar fram bilnycklarna, öppnar dörren och sätter sig i förarsätet. Motvilligt tar hon tag i växelspaken för att lägga i friläget. Det bär emot och hon börjar känna sig yr. Minnet av toalettpappersrullen bredvid växelspaken och hans andetag blir så tydliga. Hon hade varit tio år när han svängde av motorvägen strax före Bålsta på väg till Dala-Floda.

Hon känner växelspakens kalla läder mot insidan av handen. Den räfflade ytan kittlar hennes livslinje och hon tar ett hårt grepp om knoppen.

Hon har bestämt sig.

Det finns ingen tvekan kvar.

Inga tvivel.

Hon lägger beslutsamt i ettans växel, rivstartar bilen och kör Hammarbyvägen bort mot Värmdöleden. När hon passerar Orminge börjar det duggregna och luften är fuktigt kylig. Varje andetag tar emot.

Hon har svårt att andas igen.

Nu är väntan slut, tänker hon och kör in i skymningen.

Gatubelysningen leder henne framåt.

Bilen blir sakta varmare, men hon är iskall ända in i märgen och värmen lägger sig bara som en svettig hinna över henne. Den tränger inte in.

Når inte in i den iskallt klara övertygelsen.

Ingenting kan mjuka upp henne. Hon är knivsuddsvass.

Det tar en kvart att komma till Willys i Gustavsberg där hon svänger in och ställer bilen på kundparkeringen. Här är minnet rent. Den här platsen fanns inte då. Det hisnar i henne av insikten att saker kan förändras så radikalt ett par hundra meter ifrån den plats där tiden står och stampar. Där hennes liv stått och stampat.

Förr var det här en dunge där det påstods finnas fula gubbar och alkisar. Men främlingar ville väl. Bara de som stod henne nära kunde göra henne riktigt illa.

Skogen hade varit en trygg plats.

Hon minns gläntan vid torpet. Den hon aldrig återfann. Solglittret i löven, nyanserna i den vita mossan som förgjorde allt som var hårt och vasst.

I baksätet har hon en gammal sportjacka som är alldeles för stor för henne. Hon ser sig omkring, kränger på sig jackan och låser bilen. Redan tidigare har hon bestämt att hon ska gå den sista biten.

Den sträckan kräver mobilisering.

Den kräver eftertanke och eftertanke kan föda försoning, men för Sofia Zetterlund har bilresan från Gullmarsplan ut till Värmdö bara stärkt hennes beslutsamhet och hon avser inte att besinna sig. Hon förkastar alla tankar på förlikning.

Han har gjort sina val.

Nu är det hennes tur att agera.

Varje gatsten är kantad av minnen och allt hon ser påminner henne om det liv hon flytt ifrån.

Hon vet att det hon nu ska göra är oåterkalleligt. Allt ska avgöras nu. Det finns inget sedan.

Hon har nått punkten där den rörelse han påbörjat ska avslutas. Det har aldrig funnits några alternativ.

Som man sår får man skörda, tänker hon.

Hon drar upp huvan och börjar gå längs Skärgårdsvägen bort mot Grisslinge. När hon passerar badplatsen ser hon båtarna som ligger uppdragna för vintern.

Hon minns hur hon själv legat i ekan i Dala-Floda den sommaren hon träffade Martin.

Bussen från stan passerar och hon ser hur den stannar till vid busshållplatsen femtio meter framför henne. Hon tar till vänster, går upp för backen och vid pizzerian tar hon till vänster igen.

Eftersom hon inte vill bli sedd skyndar hon sig bort mot uppfarten. Hon hör klappret från barndomens träskor förfölja henne, de ekar mellan husen.

Hon tänker på alla gånger hon sprungit gatan upp och gatan ner, i den period som borde ha varit den lekfulla.

Barnet hon en gång var vill hindra henne från att göra det hon ska. Det vill fortsätta finnas.

Men barnet måste raderas.

Föräldrahemmet är en funkisvilla i tre plan. Den känns mindre nu än den gjorde då, men sträcker sig fortfarande lika hotfullt upp mot himlen. Huset tittar ner på henne med sina gardinförsedda fönster och de välskötta blommorna kryper längs rutorna som om de inget hellre ville än att komma därifrån.

En vit Volvo står parkerad nedanför huset och hon förstår att de är hemma.

Till vänster om sig ser hon rönnbärsträdet som föräldrarna planterat den dag hon föddes. Det har vuxit sedan hon sist såg det. När hon var sju hade hon försökt att tända eld på det, men det ville inte brinna.

Det höga staket han byggt för att minimera insynen från grannarna ger henne ett perfekt skydd och hon smyger tyst längs husväggen, upp på altanen och ser in genom det lilla källarfönstret.

Hon hade haft rätt. Deras rutiner är fortfarande skrattretande regelbundna och de ska, som alla andra onsdagskvällar, bada bastu.

Innanför fönstret ser hon deras kläder ligga prydligt vikta på bänken. Hon kväljs vid tanken på lukten från hans byxor, ljudet från gylfen som dras ner, stöten av sur svett som när byxorna faller till marken.

Försiktigt öppnar hon den olåsta entrédörren och kliver in i hallen. Det första hon känner är den kvalmiga doften av pepparmyntste. Det luktar sjukdom härinne, tänker hon. En sjukdom som krupit in i väggarna. Hon tvekar innan hon tar av sig tennisskorna, känner stanken av sig själv. Hon luktar rädsla och hon luktar vrede.

Hennes skor står nu bredvid hans igen.

För ett ögonblick övermannas hon av en känsla av att allt är som förut. Att hon återvänt från en vanlig dag i skolan och att hon fortfarande tillhör det här livet.

Hon skakar av sig känslan innan den biter sig fast.

Den här världen är inte min, intalar hon sig själv.

Vi har gjort vårt val.

Hon tassar in i vardagsrummet och ser sig omkring. Allt är som vanligt. Inte en sak som inte står där den alltid har stått.

Stora rummet är inrett med en enkelhet hon alltid upplevt som unket torftig och hon kommer ihåg hur hon hade undvikit att ta hem kompisar eftersom hon hade skämts.

På de vita väggarna finns några få målningar med folkloremotiv, bland annat en reproduktion av en Carl Larsson som de av någon anledning alltid varit oerhört stolta över. Nu hänger den bara där i all sin futtighet.

Hon ser rakt igenom alla deras lögner och vanföreställningar.

Matsalsmöblerna hade han ropat in dyrt på en auktion i Bodarna. De hade krävt omfattande reparationer och en tapetserare i Falun hade bytt ut det slitna sofftyget mot ett som var nästan identiskt med originalet. Allt hade varit skenbart perfekt, men nu har tidens tand bitit även i det nya sofftyget.

Det luktar svagt av förruttnelse av det liv som gått i stiltje.

På bordet står en fotogenlampa och en sockerskål i kristall. Hon stryker ett finger över skålen och lämnar ett fingeravtryck i den kladdiga hinnan av stekflott och damm som tycks täcka allt härinne.

I ena hörnet finns den rödmålade spinnrocken hon brukade leka med och på väggen ovanför sitter några gamla instrument. En fiol, en mandolin och en cittra.

Han hatar förändringar och vill att allt ska vara som han är van vid. Han avskyr när mamma möblerar om.

Det är som om han vid ett specifikt ögonblick hade ansett att allt var perfekt och sen hade själva tiden frusit.

Han levde i illusionen av att det perfekta var ett evigt tillstånd som inte krävde underhåll.

Han är blind för förfallet, tänker hon, skabbigheten som omgärdar hans liv och som hon nu ser så tydligt.

Smutsen.

De unkna dofterna.

Intill trappan upp till övervåningen hänger hennes inramade stipendium. Det döljer tomrummet efter den afrikanska mask som en gång hängt där och som för alltid är borta.

Hon går tyst upp, svänger vänster och öppnar dörren in till sitt gamla flickrum.

Hon kan inte andas.

Rummet ser ut som det gjorde den dagen då hon i vredesmod lämnade det i tron att aldrig återvända. Där står sängen, bäddad och orörd. Där står skrivbordet med sin stol. En död blomma i fönstret. Ännu ett fruset ögonblick, konstaterar hon.

De hade konserverat minnet av henne, stängt dörren om det liv som var hennes och aldrig öppnat den igen.

Hon öppnar dörren till garderoben där hennes kläder fortfarande hänger kvar. På en spik längst in hänger nyckeln hon inte använt på över tjugo år. På golvet står den lilla rödmålade träkista med kurbitsmotiv som hon fick av tant Elsa sommaren då hon lärde känna Martin.

Hon låter fingrarna löpa över mönstret på locket, försöker stålsätta sig innan hon låser upp.

Hon vet inte vad hon kommer att finna där.

Eller, hon vet exakt vad hon kommer att finna, men vet inte vad det kommer att göra med henne.

I lådan ligger ett kuvert, ett fotoalbum och ett slitet kramdjur. Ovanpå kuvertet ligger videokassetten hon en gång skickade till sig själv.

Hennes blick söker sig till skrivbordsunderlägget där hon har ritat en mängd olika hjärtan och skrivit ner en massa namn. Fingret följer de inristade bokstäverna och hon söker efter de ansikten namnen symboliserar. Hon minns inte något av dem.

Det enda namn som betyder något är Martins.

Hon hade varit tio år och han tre när de lärde känna varandra under veckan i torpet.

Hon minns hur hans små ögon tittat på henne och att de varit de mest öppna ögon hon någonsin sett. I dem fanns ingenting av det andra. Ingen skam, ingen skuld.

Ingen ondska.

Första gången han la sin hand i hennes hade han gjort det utan att vilja något mer.

NUTID

Han hade bara velat röra hennes hand.

Sofia lägger handen över Martins namn på skrivbordsunderlägget, känner sorgen stiga som sav ur bröstet. Hon hade haft honom i sina händer, han hade följt hennes minsta vink. Så full av kärlek. Så full av förtroende.

Hon ser sig själv framför sig.

Tio år gammal.

Hon ser sig bredvid Martins pappa. Det där hotet hon trodde att han var. Hur hon försökt spela spelet hon behärskade så väl. Att hon ständigt väntade på det där ögonblicket, den där stunden då han skulle fånga in henne och göra henne till sin. Hur hon hade velat skydda Martin från de där vuxna armarna, den där vuxna kroppen.

Hon fnissar åt sin egen minnesbild och åt den naiva föreställningen om att alla män är likadana. Hade det inte varit för att hon sett Martins pappa ta på honom hade allt blivit annorlunda. Det var det ögonblicket som definitivt hade bekräftat att alla män är hämningslösa och kapabla till allt.

Men med honom hade hon haft fel.

När hon tänker tillbaka förstår hon det.

Martins pappa hade varit som vilken pappa som helst. Han hade tvättat sin son. Inget annat.

Skuld, tänker hon.

Bengt och de andra männen gjorde Martins pappa skyldig. Den tioåriga Victoria såg männens kollektiva skuld i honom. I hans ögon och i sättet han tog på henne.

Han var man, det hade räckt.

Det behövs ingen analys.

Bara konsekvenserna av sitt eget tänkande.

Sofia drar handen över skrivbordet och tänker på alla timmar Victoria suttit här och gjort sina läxor. All den tid hon målmedvetet ägnat sina studier, eftersom det var genom dem hon skulle kunna ta sig härifrån. Hon brukade sitta här och lyssna efter steg i trappan, få ont i magen när hon hörde hur de bråkade där nere på undervåningen.

Hon läser på videobandet hon håller i handen.

Sigtuna-84.

En bil passerar i hög fart ute på Skärgårdsvägen och hon tappar videokassetten i golvet. Hon uppfattar ljudet som öronbedövande och står helt stilla, men ingenting varslar om att de har hört henne nerifrån bastun.

Än är det tyst och tanken slår henne att allt kanske har upphört sedan hon försvann ur deras liv.

Kanske är det hon som var roten till allt ont?

Är det så har hon ingen mall att följa, ingen tidsplan att lita blint på. Trots ovissheten kan hon inte motstå att se filmen. Hon måste återuppleva allting en gång till.

Förlösning, tänker hon.

Hon sätter sig ner på sängen, stoppar kassetten i videobandspelaren och slår på teven.

Sofia minns att Victoria upplevt en känsla av att ha full kontroll över alla inblandades känslor och ageranden, som en regissör eller författare måste känna när de med några enkla rader kan förändra ödet för någon av karaktärerna.

Det brusar till när filmen går igång och hon sänker volymen på teven. Bilden är klar och visar ett rum upplyst av en ensam, naken glödlampa.

Hon ser tre knäböjda flickor framför en rad av grismasker.

Till vänster är hon själv, Victoria, svagt leende.

Det surrar från den gamla videokameran.

”Bind dem!” väser någon och brister ut i skratt.

Samtidigt som de tre flickornas händer bakbinds med silvertejp förses de med ögonbindlar. En av de maskerade flickorna tar fram en hink med vatten.

”Tystnad. Tagning!” säger flickan med kameran. ”Välkomna till Sigtuna humanistiska läroverk!” fortsätter hon, samtidigt som hinkens innehåll töms över de tre flickornas huvuden. Hannah hostar till, Jessica ger upp ett tjut medan Sofia ser att hon själv sitter fullkomligt tyst.

En av flickorna kliver fram, tar på sig en studentmössa och böjer sig ner, gör en svepande gest mot kameran och vänder sig sedan mot flickorna på golvet. Fascinerat ser Sofia hur Jessica börjar gunga fram och tillbaka.

”Jag är ombud för studentkåren!”

Alla de andra brister ut i ett högljutt skratt och Sofia lutar sig fram och sänker volymen på teven ytterligare samtidigt som flickan fortsätter sitt tal.

”Och för att bli fullvärdiga medlemmar måste ni äta av välkomstgåvan från vår skolas högt uppburne rektor.” Skrattandet ökar i styrka och Sofia hör att det låter tillgjort. Som om flickorna skrattar av tvång och inte för att de är uppriktigt roade. Hetsade av Fredrika Grünewald.

Kameran zoomar in och nu syns bara Jessica, Hannah och Victoria sittande på golvet.

Grisslinge

Sofia Zetterlund sitter stum framför teveflimret och känner vreden välla fram i henne. De hade kommit överens om att de skulle serveras chokladpudding, men Fredrika Grünewald hade serverat dem riktig hundskit för att befästa sitt övertag över de yngre flickorna.

När hon ser sig själv på filmen känner hon en stolthet. Hon hade trots allt gett igen, hon hade rott hem segern genom att stå för den sista chocken.

Hon hade spelat rollen fullt ut.

Hon var van vid att ta skit.

Sofia tar ut kassetten och lägger tillbaka den i kistan. Det brusar i rören och varmvattenberedaren slår igång nere i källaren. Från bastun hörs hans upprörda röst och mammas försök att lugna honom.

Sofia tycker att det luktar instängt och försiktigt öppnar hon fönstret. Hon ser ut över den kvällsdunkla trädgården. Hennes gamla gunga hänger kvar i trädet där nedanför. Hon minns att den en gång varit röd, men av färgen finns inget kvar. Bara torra, gråbruna flagor.

En värld av fasader, tänker hon och ser sig omkring i rummet. På väggen hänger ett porträtt av henne själv, från när hon gick i nian. Hennes leende är bländande och ögonen fulla av liv. Ingenting röjer vad som egentligen utspelade sig i henne.

Hon hade lärt sig att spela spelet.

Sofia känner att hon är på väg att börja gråta. Inte för att hon ångrar något utan för att hon plötsligt kommer att tänka på Hannah och Jessica, de som drabbades av Victorias lek men som

aldrig fått reda på att det varit hennes idé från början.
Det hade blivit till ett experiment i skuld. Ett skämt hade blivit till fullaste allvar.
Hon hade antagit rollen av offer inför Hannah och Jessica, när hon i själva verket varit motsatsen.
Det var ett svek.
I tre år hade hon delat skammen med dem.
I tre år gjorde tanken på hämnd att de höll ihop.
Hon hade hatat Fredrika Grünewald och alla de namnlösa överklasstjejerna från Danderyd och Stocksund, som med sina föräldrars pengar kunde köpa alla de snyggaste och dyraste märkeskläderna. Som tyckte de var märkvärdiga med sina fina namn.
Fyra år äldre.
Fyra år mer vuxna än hon.
Vem bar på mest ångest idag? Har de glömt allt, förträngt det?
Sofia sätter sig ner på den ljusblå, mjuka heltäckningsmattan och lutar tillbaka huvudet. Hon ser upp i taket och konstaterar att sprickorna i putsen är sig lika. Men hon ser också att nya har tillkommit sedan hon sist var här.
Hon undrar vem som behöll kontraktet de upprättade och skrev under med sitt eget blod.
Hannah? Jessica? Hon själv?
I tre år höll de ihop, sedan hade de tappat kontakten.
Sista gången hon såg dem var på tåget från Gare du Nord i Paris.
Hon tar upp det slitna fotoalbumet och slår upp första sidan. Hon känner inte igen sig själv på bilderna. Det är bara ett barn som inte är hon och när hon tänker tillbaka på sig själv som liten känner hon ingenting.
Den där är inte jag, och inte heller den som var fem år eller den som var åtta. De kan inte vara jag för jag känner inte som de kände och tycker inte som de tyckte.
De är alla döda.
Hon minns hur åttaåringen som just lärt sig klockan legat i sängen och låtsats vara en klocka.
Men hon hade aldrig lyckats lura tiden. Istället hade tiden

tagit henne under armen och fört henne därifrån.

I albumet hon har framför sig åldras hon varje gång hon vänder blad. Årstider och födelsedagstårtor avlöser varandra.

Efter fotona från Sigtuna har hon klistrat in ett interrailkort bredvid en biljett från Roskildefestivalen. På andra sidan finns tre suddiga bilder på i tur och ordning Hannah, Jessica och henne själv. Hon fortsätter att titta på fotografierna samtidigt som hon då och då lyssnar efter ljud från källaren, men det verkar som han har lugnat ner sig.

De hade varit de tre musketörerna, även om de mot slutet hade vänt henne ryggen och visat sig vara av samma skrot och korn som alla andra. Visst hade de till en början delat på allt och tillsammans löst de problem som dök upp, men när det sedan verkligen gällde så hade också de visat sig vara svikare. Ytliga kappvändare som inte förstod vad som egentligen räknades. När det blev allvar och dags att visa karaktär så hade de, som småflickor, gråtande sprungit hem till mamma.

Hon hade tyckt att de var omåttligt korkade. Nu tittar hon på fotografierna av dem och inser att de bara varit oförstörda. De hade trott gott om människor. De hade litat på henne. Det var allt.

Sofia rycker till när hon hör slag och skrik från källaren. Bastudörren öppnas och för första gången på flera år hör hon hans röst. ”Inte för att jag tror att du nånsin kommer att bli ren, men det här ska väl åtminstone ta bort lukten!”

Hon antar att han som vanligt tagit ett fast grepp i mammas hår och dragit ut henne ur bastun. Ska han skålla henne eller tvinga henne att i flera minuter stå i iskallt vatten?

Sofia blundar och funderar på vad hon ska göra om de nu beslutar sig för att avsluta bastustunden. Hon ser på klockan. Nej, han är en vanemänniska så tortyren fortsätter i åtminstone en halvtimme till.

Sofia undrar över vad mamma brukar säga till sina arbetskamrater. Hur många gånger kan man slå upp ögonbrynet på ett köksskåp och hur ofta brukar man halka i badkaret? Borde man inte gå lite försiktigare i trappan om man ramlat där fyra gånger det senaste halvåret? Folk måste väl undra, tänker hon.

Vid ett enda tillfälle hade han höjt armen mot Victoria som för att slå, men när hon istället drämt en kastrull i huvudet på honom hade han dragit sig tillbaka som en haj, stöddig tills han mötte starkare motstånd.

Han hade skapat sin egen överman och i flera månader hade han klagat över huvudvärken.

Mamma slog aldrig tillbaka, hon grät istället och kom och kröp ner hos Victoria för att bli tröstad. Victoria gjorde alltid sitt bästa och låg vaken tills hon somnat.

Vid ett av bråken hade mamma tagit bilen och bott på hotell i flera dagar. Pappa som inte visste vart hon hade tagit vägen blev orolig och Victoria fick lugna honom medan han grät mot hennes bröst.

Dagar som dessa gick hon inte till skolan utan cyklade omkring i flera timmar och när frånvarolappen dök upp skrev de på utan att fråga. Det hade trots allt funnits fördelar med allt bråk.

Sofia skrattar åt minnet. Den där känslan av att ha ett övertag, en hemlighet.

Victoria bar deras svagheter djupt inom sig. De visste båda att hon när som helst skulle kunna använda dem emot dem. Hon gjorde det aldrig. Hon valde att betrakta dem som luft. Den som inte får någon uppmärksamhet, får inte heller någon möjlighet att försvara sig.

Hon sätter sig på sängen, tar upp den lilla svarta hunden av äkta kaninskinn och borrar in näsan i den. Den luktar damm och husmögel. De små gula ögonen av glas stirrar på henne och hon stirrar tillbaka.

Som liten brukade hon hålla hunden intill sig och se den djupt i ögonen. Efter en stund öppnade sig en liten värld, oftast en strand, och hon utforskade den lilla miniatyrvärlden ända tills hon somnade.

Men nu ska hon inte somna.

Den här resan ska frigöra henne för alltid.

Hon ska bränna alla broar.

Hon kramar om sin hund igen. Det var som om hon trott att

ingen kunde såra henne då, om hon bara höll inne allt och spelade med, försökte vara smartare. Som om hon trott att man vann segrar genom att förgöra andra.

Det hade varit hans logik när han fick sina anfall.

”Pappa, pappa, pappa”, mumlar hon för sig själv i ett försök att tömma begreppet på betydelse.

Där nere i bastun sitter han och ingen har vågat lämna honom. Utom Victoria. Det enda han ympat in i henne är viljan att fly. Han hade aldrig lärt henne att vilja stanna.

Flykten framför allt, tänker hon. Självbevarelsedriften gick hand i hand med destruktiviteten.

Minnesbilderna attackerar henne inifrån. De svider i halsen. Allt gör ont. Hon är inte förberedd på flödet, att bilderna från en tid hon inte tänkt på på över tjugo år ska framstå så tydliga framför henne. Hon inser att hon då borde ha känt så mycket mer än hon gjorde, men vet att hon nonchalant skrattande gått från händelse till händelse. Från förnedring till förnedring.

Hon hör hur det låtit, det där skrattet. Ljudet av det stiger och blir öronbedövande. Hon vaggar fram och tillbaka i sitt flickrum. Hon hummar tyst för sig själv. Det är som om rösten inne i hennes huvud sipprar ut genom hennes sammanbitna läppar. Ljudet av en läckande cykelslang.

Hon lägger händerna över öronen för att försöka stänga ute ljudet av det maniska, det hon trott varit lycka.

Han där nere i bastun hade förstört allt som hade kunnat vara, ömsom genom sin sjuka, sadistiska läggning, ömsom genom sin gråtmilda självömkan.

Sofia tar upp kuvertet ur kistan. Det är märkt med bokstaven M och innehåller ett brev och ett fotografi.

Brevet är daterat den nionde juli 1982. Martin har uppenbarligen fått hjälp att skriva men har skrivit sitt namn själv och hälsar att det är soligt och varmt och att han har badat nästan varje dag. Sedan har han ritat en blomma och något som liknar en liten hund.

Därunder står RAUKEN OCH SPINDELBLOMMAN.

På baksidan av fotografiet läser hon att bilden är tagen i Ekeviken på Fårö, sommaren 1982. På bilden står Martin, fem år gammal, under ett äppelträd. I famnen håller han en vit kanin som ser ut att vilja hoppa därifrån. Han ler och kisar mot solen med huvudet lite på sned.

Hans skosnören är oknutna och han ser lycklig ut. Hon stryker lätt med fingret över Martins ansikte och tänker på de där skosnörena som han aldrig lärde sig knyta ordentligt och därför snubblade på hela tiden. Och hon tänker på skrattet som gjorde att hon inte kunde låta bli att krama honom.

Hon förlorar sig i fotografiet, hans ögon, hans hud. Hon kan fortfarande minnas hur hans hud luktade efter en dag i solen, efter kvällsbadet, på morgonen när avtryck från kudden fortfarande syntes på hans kind. Hon tänker på deras sista timmar tillsammans.

Alla känslor gör henne illamående. Hon reser sig upp från sängen och smyger ut i hallen och in på den lilla gästtoaletten som föräldrarna aldrig använder. Försiktigt vrider hon på kranen och hör hur det gurglar i rören. Rostbrunt vatten strilar ner i handfatet och hon formar sina händer till en skål och dricker. Det ljumma vattnet smakar järn, men illamåendet försvinner. Hon hittar ett tandborstglas i skåpet ovanför tvättstället, sköljer ur det och tappar upp lite av det missfärgade vattnet innan hon går tillbaka in på sitt rum.

Sofia sätter sig på sängkanten igen och sluter sina ögon.

Hon knyter armarna över sitt bröst, kramar om sig själv.

Sedan blir minnesbilderna otydligare och hon känner illamåendet komma tillbaka. Hon sträcker sig efter glaset med det grumliga vattnet och tar en djup klunk.

Det börjar brusa vatten i rören bredvid sängen. Sofia ställer sig upp med ett ryck och i den häftiga rörelsen tappar hon glaset som krossas mot golvet.

Helvete, tänker hon. Helvete.

Sedan hör hon fotsteg i trappan.

Fotsteg vars tyngd hon känner igen.

Hennes hjärta slår så hårt att hon nästan inte kan andas.

Det var inte jag, tänker hon. Det var du.

Hon hör att han skramlar med något inne i köket och öppnar vattenkranen. Sedan stänger han av den och hans steg försvinner tillbaka ner till källaren.

Hon orkar inte minnas mer och vill bara få ett avslut på allt. Det enda som återstår är att gå ner till dem och göra det hon kommit för att göra.

Hon går ut från rummet och ner för trappan, men hejdar sig utanför köksdörren. Hon går in i köket och ser sig omkring.

Det är någonting som är annorlunda.

Där det tidigare hade varit ett tomt utrymme under diskbänken står det nu en ny och blänkande diskmaskin. Hur många timmar har hon inte suttit därinne bakom skynket och lyssnat till de vuxnas samtal?

Men något annat finns fortfarande där, precis som hon anat.

Hon går bort till kylskåpet och ser på tidningsurklippet från Upsala Nya Tidning som nu efter nästan trettio år är rejält gulnat.

TRAGISK OLYCKA: 9-ÅRIG POJKE FUNNEN DÖD I FYRISÅN.

Sofia tittar på tidningsurklippet. Efter att i flera år dagligen ha läst artikeln om och om igen kan hon den utantill. Hon överrumplas av ett plötsligt obehag, olikt det hon brukat känna inför notisen.

Obehaget liknar inte sorg utan något annat.

Liksom förr ger det henne tröst att läsa om hur den nioåriga Martin oförklarligt drunknat i Fyrisån. Att polisen inte misstänker något brott utan ser det som en tragisk olycka.

Hon känner hur lugnet sprider sig i kroppen och skuldkänslorna sakta försvinner.

Det hade varit en olycka.

Ingenting annat.

NUTID

Dåtid

Nere på bryggan för hon handen fram och tillbaka i vattnet.

”Det känns inte särskilt kallt”, ljuger hon.

Men han vill inte gå ut till henne.

”Det luktar så konstigt här”, säger han. ”Och jag fryser.”

Hon suckar åt honom. De har trots allt bemödat sig med att ta sig ner hit, och det var ju när allt kommer omkring han som ville bada från början.

”Kan vi inte gå tillbaka? Det luktar och jag fryser.”

Hon retar sig på hans osäkerhet. Först var det pariserhjulet, sedan plötsligt inte. Sedan skulle det badas, och nu ska det inte badas.

”Men håll för näsan om du tycker det luktar. Titta på mig så ska du få se att det inte är kallt!”

Hon ser sig om för att försäkra sig om att ingen är i närheten. De enda som eventuellt kan se henne är de som sitter däruppe i pariserhjulet, men hon ser att det för tillfället står stilla och tomt.

Hon tar av sig den stickade koftan och tröjan och sätter sig ner på bryggan. Sedan drar hon av sig byxorna och strumporna, och i bara trosor sträcker hon ut sig raklång på bryggan. Hennes hud knottrar sig när ett kyligt vinddrag stryker över hennes rygg.

”Du ser ju att det inte är så kallt. Snälla du, kom hit!”

Han går försiktigt fram till henne och hon vänder sig på sidan och knyter upp hans skor.

”Vi har ju jackor med oss och behöver inte frysa. Förresten är det varmare i vattnet än på land.”

Hon böjer sig fram och plockar ner det kvarglömda badlakanet från bryggstolpen. ”Titta här, vi har till och med ett badlakan att torka oss med. Det är inte ens blött och du kan få torka dig först.”

Så hörs plötsligt en gäll signal från Kungsängsbron borta vid reningsverket. Martin blir skrämd och rycker till. Hon skrattar eftersom hon vet att det bara är signalen för att bron snart ska öppnas för båttrafiken. Den första signalen följs av ytterligare flera, tätare signaler, och det är så pass dunkelt där nere vid bryggan att det röda ljusets rytmiska blinkande avspeglas i träden ovanför dem. Men själva bron syns inte.

”Var inte rädd. Det är bara bron som ska öppna sig så att båtarna kan komma fram.”

Han ser vilsen ut där han står.

När hon märker att han fortfarande fryser, drar hon honom till sig och kramar honom hårt. Hans hår kittlar henne i näsan och hon fnittrar till.

”Du behöver inte bada om du inte törs...”

När stoppsignalen på bron tystnar hörs ett mekaniskt gnissel följt av ett dovt brakande. Klaffbron öppnas och snart glider en liten träbåt med tända lanternor förbi, följd av en större sportbåt med täckt förarhytt.

De ligger kvar på bryggan nära omslingrade medan båtarna passerar. Hon tänker på hur tomt det ska bli när hösten kommer och han inte längre ska finnas där hos henne. Ska hon bara skita i allt och flytta till Skåne hon med? Nej, det kommer inte att gå.

”Du är min lilla pojke.”

Han ligger tyst en god stund, tätt hopkrupen hos henne.

”Vad tänker du på?” frågar hon.

Han tittar upp på henne och hon ser att han ler.

”Det ska bli så roligt att flytta till Skåne”, säger han.

Hon blir alldeles kall.

”Min kusin bor i Helsingborg och vi kan leka nästan varje dag. Han har en jättelång bilbana och jag ska få en av hans bilar. Kanske en Ponsack Fajrebird."

Hon känner hur hennes kropp börjar bli liksom lös och förlamad. Vill han flytta till Skåne?

Hon försöker resa sig, men det går inte. Hon tänker på hans föräldrar. De där ... Han är ju inte en av dem. Inte egentligen!

Tusen tankar flyger genom hennes huvud. Hon tänker på deras ideliga prat om flytten, hon tänker på att de kommer att ta honom ifrån henne och hon tänker på hur hon själv kommer att försvinna ur hans liv.

"Och sen när det blir sommar igen ska vi åka på semester utomlands. Min nya barnflicka ska också med. Vi ska åka flygplan."

Hon vill säga något, men kan inte få ur sig ett ljud. Det är inte han som säger allt det där, tänker hon.

Hon tittar på honom. Han ligger där bredvid henne med en drömsk blick riktad upp i himlen.

Han har en skugga över ansiktet som liknar en fågelvinge.

Hon vill resa sig, men det är som om någon håller henne i ett järngrepp runt armarna och bröstkorgen.

Vart ska jag ta vägen? tänker hon vettskrämd. Hon vill ta bort allt han sagt och hon vill ta med sig honom därifrån.

Hem till sig.

Sedan händer något.

Det svindlar för ögonen och hon känner att hon håller på att kräkas.

Så låter det som om en kråka kraxar rakt i örat på henne.

Hon tittar förskräckt upp och alldeles intill är hans skrattande ansikte.

Men nej, det är inte han, det är hans pappas ögon och hans fuktiga, äckliga läppar som hånfullt skrattar åt henne. Och nu är kråkan inuti hennes huvud och svarta vingar fladdrar för hennes blick. Varenda muskel i kroppen spänns och livrädd börjar hon att försvara sig.

Kråkflickan tar tag i hans hår, så hårt att det lossnar i stora tussar.

Hon slår honom.

I huvudet, i ansiktet, på kroppen. Från hans öron och näsa rinner blod och i hans ögon ser hon först bara skräck, men sedan också något annat.

Längst inne i ögonen förstår han inte vad som händer.

Kråkflickan slår och slår, och när han inte rör sig längre blir slagen svagare.

Hon gråter och böjer sig ner över honom. Han ger inte ett ljud ifrån sig, bara ligger där och stirrar på henne. Ögonen uttrycker ingenting, men de rör på sig och han blinkar. Hans andning är snabb och det rosslar ur strupen.

Hon känner sig yr och tung i kroppen.

Som i dimma reser hon sig, lämnar bryggan och hämtar en stor sten nere vid åstranden. Det snurrar för hennes ögon när hon går tillbaka till honom med stenen.

När den träffar hans huvud låter det som när man trampar på ett äpple.

”Det är inte jag”, säger hon. Så låter hon hans kropp sjunka ner i vattnet.

”Nu måste du simma...”

Grisslinge

Sofia Zetterlund tar ner tidningsklippet, viker försiktigt ihop det och stoppar det i fickan.

Det var inte jag, tänker hon.

Det var du.

Hon öppnar kylskåpet och konstaterar att det som alltid är fyllt med mjölk. Allt är som det brukar, allt är som det ska. Hon vet att han brukar dricka två liter om dagen. Mjölk är rent.

Hon minns hur han hällt ett helt paket över henne när hon inte ville åka med till torpet. Mjölken hade runnit från hennes huvud ner över kroppen och ut på golvet, men hon hade följt med honom i alla fall och sedan hade hon träffat Martin för första gången.

Det borde ha varit tårar som rann, tänker hon och stänger kylskåpsdörren.

Plötsligt hör hon ett surrande ljud, men inte från kylskåpet utan från hennes ficka.

Telefonen.

Hon låter den ringa ut.

Hon vet att de snart är klara där nere och att hon måste skynda sig om hon ska hinna, men ändå går hon tyst tillbaka upp på sitt rum. Hon måste vara säker på att det inte finns något hon vill behålla. Något hon kommer att sakna.

Luffaren, tänker hon och bestämmer sig för att rädda den lilla hunden av kaninskinn.

Den har inte gjort något ont, tvärtom har den under många år tröstat henne och lyssnat till hennes tankar.

Nej, det går inte att lämna honom.

Hon tar hunden från sängen. För ett ögonblick tänker hon också ta med sig fotoalbumet, men nej, det ska förstöras. Det är Victorias fotografier, inte hennes. Från och med nu ska hon bara vara Sofia, även om hon för all framtid kommer vara tvungen att dela sitt liv med en annan.

Innan hon tassar tillbaka ner för trappan går hon en vända in i föräldrarnas sovrum. Precis som i vardagsrummet ser det ut som det alltid har gjort. Till och med det brunblommiga sängöverkastet är detsamma, även om det är lite slitnare och lite blekare än hon minns det. I hallen stannar hon till och lyssnar. Av deras mummel från bastun drar hon slutsatsen att de är mitt uppe i försoningsfasen. Återigen ser hon på klockan och inser att det den här gången är fråga om en av maratonsittningarna.

Hon går tillbaka ner till vardagsrummet och hör att det bullrar till i källaren och att någon går ut ur bastun.

Varje bastusession hade haft sin egen inneboende dramaturgi som följde ett givet mönster.

Fas ett hade varit tystnad och fjärilar i magen och även om hon visste att fas två skulle komma, så hade hon aldrig slutat hoppas att just denna gång skulle vara ett undantag och att de skulle bada bastu som vanligt folk. När han började skruva på sig och dra handen över sitt tunna hår var det övergången till nästa akt och ett tecken till mamma. Hon hade genom åren lärt sig tyda och förstå signalen som uppmanade henne att avlägsna sig och lämna dem ensamma.

”Nej, nu är det för varmt för mig”, brukade hon säga. ”Jag tror jag drar mig tillbaka och går upp och sätter på tevattnet.”

Nu kommer den feta kossan inte längre undan.

Av det hon hört från bastun förstår hon att fas två numera domineras av våld, till skillnad från hur det varit när hon varit den som lämnats kvar.

På hennes tid hade det tagit honom omkring tjugo minuter innan han gick in i fas tre, vilken var den jobbigaste delen när han grät och ville få försoning, och om man inte skötte sina kort väl så kunde det leda till att man fick gå igenom fas två ytterligare en gång.

NUTID

Innan hon går ner till dem ser hon sig omkring en sista gång. Från och med nu ska det bara finnas minnen kvar, inget fysiskt att återvända till som kan bekräfta hågkomsterna.

I vardagsrummet tar hon ner tavlan från väggen och lägger den på golvet. Försiktigt trycker hon med ena foten så att glaset krossas. Sedan drar hon ut litografin ur den trasiga ramen och medan hon sakta river sönder den betraktar hon motivet en sista gång.

En interiör av ett hus i Dalarna.

I förgrunden står hon själv, naken med långa, svarta ridstövlar som når henne till knäna. Bakom ryggen gömmer hon ett smutsigt lakan. I bakgrunden sitter Martin på golvet, ointresserad av henne.

Nu ser hon bara en leende flicka och ett sött barn som leker förstrött med en burk eller en kloss. Ridstövlarna som hon tvingades bära en gång när han förgrep sig på henne är två vanliga strumpor och lakanet med hennes blod och hans vätskor är ett rent nattlinne.

Det är en Carl Larsson.

Bara hon vet att idyllen var falsk.

Alla andra såg en dekorativ bild, ingenting annat.

Hon andas djupt och känner den unkna mögeldoften kittla i näsan.

Hon hatar Carl Larsson.

På vägen nedför källartrappan undviker hon vant de trappsteg hon vet kan knarra och går in i det angränsande hobbyrummet.

Nere i källaren har han byggt en gillestuga med heltäckningsmatta och brun väggpanel. I rummet bredvid har han ställt upp ett pingisbord, ett Stiga proffsbord med tjockare ben än de som amatörerna har. Under en period spelade de nästan dagligen, men när hon blivit för bra så hade han tröttnat. En av matcherna hade slutat med att han fuskat och hon hade blivit så förbannad att hon slängt racketen på honom. Den hade träffat hans hand så olyckligt att tummen brutits. Efter det hade de aldrig spelat mer.

Hon tar en bräda som är tillräckligt lång och går sedan in i duschrummet utanför bastun. Nu kan hon tydligt höra dem. Det är bara han som pratar.

”Fan, du blir inte smalare med åren. Kan du inte dra handduken om dig?”

Hon vet att mamma kommer att göra som han säger utan att protestera. Gråta har hon slutat med för länge sen. Hon har accepterat att livet inte alltid blir som man tänkt sig.

Ingen sorg.

Bara likgiltighet.

”Om det inte vore för att jag tycker så synd om dig så skulle jag be dig gå härifrån. Och då menar jag inte bara ut från bastun, utan ut. Bort. Men hur i helvete skulle du klara dig? Va!?”

Mamma tiger. Även det har hon alltid gjort.

För ett ögonblick tvekar hon. Kanske är det bara han som ska dö.

Men nej, mamma ska få betala för sitt tigande och sin undfallenhet. Utan dessa egenskaper hade han inte haft möjlighet att fortsätta. Tystnaden hade varit en förutsättning.

Den som tiger samtycker.

”Men säg nåt då, för helvete!”

De är så upptagna därinne att de inte hör hur hon trycker brädan mot bastudörrens trähandtag och spänner den mot den motsatta väggen.

Hon tar upp sin cigarettändare.

NUTID

Kvarteret Kronoberg

Telefonen ringer och Jeanette ser att det är Dennis Billing.

”Hej Jeanette”, börjar han och hans inställsamma tonfall gör henne genast misstänksam.

”Hej Dennis, min vän”, svarar hon ironiskt och kan inte låta bli att lägga till: ”Vad gör mig den storslagna äran?”

”Åh, lägg av med det där”, fnyser han ”Det klär dig inte!”

Den falska fasaden krackelerar och Jeanette känner sig med ens tryggare.

”I mer än två månader har jag nu läst dina rapporter utan att förstå vart du är på väg och så får jag det här.” Polischefen tystnar.

”Det här?” frågar Jeanette och låtsas omedveten.

”Ja, den här fullkomligt lysande sammanställningen om de fruktansvärda händelserna med de döda…” Han kommer av sig.

”Du syftar på min senaste rapport om vad jag kommit fram till när det gäller morden på pojkarna?”

”Ja, precis.” Dennis Billing harklar sig. ”Du har gjort ett fantastiskt jobb och jag är glad att det är över. Släng in en semesteransökan till mig och du kan ligga på stranden redan nästa vecka.”

”Jag förstår inte…”

”Vad är det du inte förstår? Allt pekar ju på att det är Karl Lundström som är skyldig. Han ligger fortfarande i koma och även om han vaknar upp kommer det inte att bli möjligt att åtala honom. Enligt läkarna är hans hjärnskador omfattande. Han kommer att bli en grönsak. Vad gäller offren så är ju två av dem oidentifierade… och ja vad säger man?” Han letar efter rätt formulering.

”Barn, kanske?” föreslår Jeanette och känner att hon inte orkar hålla tillbaka sin uppdämda ilska.

”Kanske inte så, men hade de inte varit här illegalt så...”

”Hade läget varit annorlunda”, fyller Jeanette i innan hon fortsätter. ”Och då hade vi avsatt ett femtiotal utredare på det här fallet istället för som nu. Jag och Hurtig, med lite hjälp av Schwarz och Åhlund. Är det så du menar?”

”Snälla Janne, nu får du väl ta och ge dig. Vad är det du insinuerar?”

”Jag insinuerar ingenting, men jag förstår att du ringer för att berätta att fallet är nedlagt. Hur gör vi med Samuel Bai? Till och med von Kwist måste ju förstå att Lundström omöjligt kan ha haft ihjäl honom.”

Billing tar ett djupt andetag. ”Men ni har ju inga misstänkta!” hojtar han i luren. ”Det finns ju inte ett spår i detta som pekar åt nåt håll. Det kan ju lika gärna röra sig om organiserad människosmuggling och hur ska vi komma åt det hade du tänkt dig?”

”Jag förstår”, säger Jeanette och suckar. ”Så du menar att vi ska packa ihop det vi har och skicka till von Kwist?”

”Alldeles riktigt”, svarar Billing.

Jeanette fortsätter. ”... och von Kwist läser igenom våra papper och lägger därefter ner fallen eftersom det inte finns någon eller några misstänkta.”

”Alldeles riktigt. Du kan ju om du bara vill.” Polischefen skrattar. ”Och sen går du och Jens på semester. Alla är nöjda och glada. Ska vi säga så? Utredningen tillsammans med din semesteransökan på mitt bord i morgon runt lunch?”

”Vi säger så”, svarar Jeanette och lägger på luren.

Hon bestämmer sig för att det är bäst att meddela Hurtig de nya direktiven och går in på hans rum.

”Jag har just fått veta att vi ska avsluta vårt arbete.”

Hurtig ser först förvånad ut, sedan böjer han sig fram och slår ut med armarna. Nu verkar han mest besviken. ”Det är ju för fan absurt.”

Jeanette sätter sig tungt ner och känner en stor trötthet. Hon upplever det som om kroppen rinner ut i stolen och ner på golvet.

NUTID

”Är det verkligen det?” svarar hon. Hon känner att hon inte orkar spela djävulens advokat, men vet att det är hennes uppgift som överordnad att försvara sina chefers beslut.

”Ingenting har ju hänt på länge. Inte ett spår. Det är ju mycket möjligt att det rör sig om människosmugglare, precis som Billing säger, och då är det ju liksom inte vårt bord längre.”

Hurtig ruskar på huvudet.

”Karl Lundström, då?”

”Han ligger ju i koma för i helvete, och är väl knappast till nån hjälp.”

”Du är en dålig lögnare, Janne! Självklart har den där pedofilen...”

”Så är det, i alla fall. Inget jag kan göra nåt åt.”

Hurtig himlar med ögonen. ”En mördare går fri och vi sitter här med händerna bakbundna av nån jävla lagvrängare. Bara för att det rör sig om pojkar som ingen saknar! Det är åt helvete! Och den där Bergman då? Ska vi ändå inte försöka ta ett snack med hans dotter? Hon verkade ju ha en del att säga.”

”Nej, Jens. Det är uteslutet och det vet du med. Jag tror att vi gör bäst i att släppa det. I alla fall för tillfället.”

Hon kallar honom för Jens bara när han irriterar henne. Men irritationen lägger sig genast när hon ser hur besviken han är. De har ju trots allt arbetat med det här tillsammans och han har varit lika engagerad i fallen som hon.

Nu ska hon åka hem och somna i soffan.

”Jag sticker nu”, säger hon. ”Jag har ju lite ledighet att ta ut.”

”Visst, visst.” Hurtig vänder sig om.

Gamla Enskede

Alla rörelser sker slentrianmässigt eftersom hon redan utfört varje moment tusentals gånger tidigare.

Hon passerar Globen.

Höger i rondellen vid Södermalms Bröd. Enskedevägen.

Hennes hjärna behövs inte.

Allt går på rutin och när Jeanette Kihlberg svänger in på uppfarten framför garaget är hon, för tredje gången på kort tid, nära att krocka med den röda sportbilen som tillhör Alexandra Kowalska. Liksom vid det första tillfället står bilen slarvigt parkerad utanför garaget och Jeanette tvingas tvärnita.

”Fan!” skriker hon högt när bältet skär in i hennes axel. Ilsket backar hon tillbaka och parkerar invid häcken, stiger ut och drar igen framdörren med en smäll.

Sommarkvällen i Enskede doftar bränt kött och när hon kliver ur bilen möts hon av oset från hundratals kolgrillar. Den söta, kväljande doften sprider sig över området, in i trädgården och Jeanette tycker att det har en prägel av familjelycka och gemenskap. Att grilla förutsätter sällskap och är inget man gör i ensamhet.

Den sköra tystnaden bryts av rösterna från grannarna, skratten och de upphetsade skriken från fotbollsplanen. Hon tänker på Sofia och undrar vad hon gör.

Jeanette går upp för trappan till villan. När hon ska öppna trycks handtaget ner inifrån och hon får hoppa undan för att inte träffas av dörren.

”So long, snygging.” Alexandra Kowalska står bortvänd från henne i dörröppningen och vinkar till Åke som leende står i hallen.

Hans leende dör när han får syn på Jeanette.

Alexandra vänder sig om. ”Men hej du”, ler hon obekymrat. ”Jag skulle just gå.”

Jävla häxa, tänker Jeanette och går in utan att svara.

Hon stänger dörren och hänger av sig jackan. Snygging?

Hon går in i köket där Åke står vid fönstret och vinkar. Han ser osäkert på henne när hon slänger väskan på köksbordet.

”Sätt dig”, säger hon skarpt medan hon öppnar kylskåpet. ”Snygging?” fortsätter hon och fnyser. ”Nu får du fan i mig förklara. Vad handlar det här om?” Jeanette undviker att höja rösten men känner hur ilskan vibrerar i henne.

”Vad menar du? Vad vill du att jag ska förklara?”

Hon bestämmer sig för att gå rakt på sak. Hon får inte låta sig luras av hans hundblick, den som alltid kommer fram i stunder som dessa.

”Berätta nu varför du inte kom hem igår och inte ens hörde av dig.” Hon ser på honom. Mycket riktigt, hundögonen är där.

Han försöker le, men misslyckas. ”Jag ... eller jag menar vi. Vi var ute. Operakällaren. Det blev lite många drinkar...”

”Och?”

”Ja, jag sov över i stan och Alexandra skjutsade hem mig.” Åke vänder bort huvudet och ser ut genom fönstret.

”Varför ser du så skamsen ut? Ligger ni med varandra?”

Han är tyst alldeles för länge, tänker Jeanette.

Åke placerar armbågarna på bordet, gömmer ansiktet i händerna och stirrar tomt framför sig.

”Jag tror att jag är kär i henne...”

Japp, det var det, tänker Jeanette och suckar. ”Fan, Åke...”

Utan ett ord reser hon sig, tar väskan, går ut i hallen, öppnar ytterdörren och går ut. Hon går nerför garageinfarten och ut på gatan, sätter sig i bilen, tar upp telefonen ur väskan och slår numret till Sofia Zetterlund. Hon behöver någon att prata med.

Inget svar.

Hon hinner bara ut på Nynäsvägen så ringer Åke och berättar att han tar Johan med sig hem till sina föräldrar över helgen. Att det kanske är bra att de tänker över situationen på varsitt håll ett par dar. Att han behöver fundera.

Jeanette förstår att det bara är en förevändning.

Tigandet är ett bra vapen, tänker hon när hon svänger in i rondellen vid Gullmarsplan.

Ett förhalande.

Det liv hon bara några månader tidigare tagit för givet är som bortblåst och just nu vet hon inte ens hur den kommande dagen ska gestalta sig.

Hon slår på bilradion för att slippa höra sina tankar.

Redan nu känner hon ångesten inför att vakna upp ensam i huset.

Hammarby sjöstad

På vägen tillbaka hem från Grisslinge stannar Sofia Zetterlund på Statoilmacken vid Hammarby sjöstad och byter kläder. Inne på toaletten trycker hon ner den dyra, men numera brandskadade klänningen i papperskorgen. Hon fnissar för sig själv när hon tänker på att den har kostat över fyratusen kronor. Hon går tillbaka in i butiken och köper en stor bit chevre, ett paket kex, en burk svarta oliver och en ask jordgubbar.

I samma stund som hon betalar vibrerar telefonen i fickan igen. Den här gången tar hon upp den och ser efter vem som ringer.

Signalerna dör ut i hennes hand medan hon får tillbaka sin växel. Två missade samtal, läser hon på displayen och säger adjö till expediten. Hon ser att Jeanette Kihlberg sökt henne och hon stoppar tillbaka telefonen i fickan.

Senare, tänker hon.

På väg mot utgången får hon syn på ställningen med läsglasögon. Hennes blick fastnar genast på ett par som är identiskt med det hon stulit på nyårsdagens morgon ett drygt halvår tidigare och hon stannar till.

Hon hade åkt in till Centralen och köpt sig en biljett till Göteborg. Tur och retur. Åttatåget hade avgått enligt tidtabellen och hon hade satt sig i den öde restaurangvagnen med en kopp kaffe.

Strax efter avgång hade konduktören kommit in för att klippa biljetten och hon hade visat honom den samtidigt som hon med andra handen avsiktligt välte ut koppen med det heta kaffet över bordet. Hon skrek till och konduktören rusade bort för att hämta något att torka med.

Hon ler vid minnet och plockar ner glasögonen från ställningen. Tar dem på sig och betraktar sig själv i den lilla spegeln.

Konduktören hade hämtat servetter åt henne att torka sig med och hon hade varit noga med att puta med brösten när hon böjt sig fram för att fråga om fläckarna på blusen syntes. Han skulle förhoppningsvis minnas henne om det senare skulle bli aktuellt att kontrollera hennes alibi.

Men hon hade inte ens behövt visa polisen den klippta biljetten som var betald med hennes kreditkort. De hade svalt hennes historia med hull och hår.

När tåget hade stannat vid Södertälje Syd hade hon snabbt smitit in på toaletten, satt upp håret i en stram knut och tagit på sig de stulna glasögonen.

Innan hon klivit av tåget hade hon vänt ut och in på sin svarta kappa och plötsligt hade hon varit klädd i en ljust brun. Hon hade slagit sig ner på en av bänkarna, tänt en cigarett och väntat på pendeltåget tillbaka till Stockholm och Lasse.

Det fanns inget att säga, tänker hon när hon hänger tillbaka läsglasögonen på ställningen.

Ingen förklaring som var tillräckligt bra.

Han hade svikit henne.

Pissat på henne.

Förnedrat henne.

Det fanns helt enkelt inte plats för honom i hennes nya liv. Att bara ha lämnat honom och bett honom dra åt helvete skulle inte ha varit tillfredsställande. Han skulle fortfarande finnas där ute någonstans. Kanske tillsammans med sin riktiga fru, kanske ensam eller tillsammans med ytterligare en kvinna. Det spelade hur som helst ingen roll. Det väsentliga skulle ha varit att han fortfarande existerade.

Hon går ut från macken och bort till bilen och det är först nu hon känner att hennes hår luktar rök, men hon ska ta sig ett bad när hon kommer hem.

Hon öppnar bildörren och tänker på hur hon funnit Lasse utslagen i soffan i vardagsrummet. En nästan tom flaska whisky hade avslöjat att han antagligen var ganska berusad.

NUTID

Att en man, som blivit avslöjad med att i tio års tid ha levt ett dubbelliv, tog livet av sig på fyllan, var antagligen inget uppseendeväckande.

Snarare väntat.

Hon startar motorn. Den börjar spinna och hon lägger i ettans växel och svänger ut från macken.

Han hade snarkat ljudligt med öppen mun och hon hade fått stålsätta sig för att inte följa impulsen att väcka honom och ställa honom till svars.

Hon hade tyst gått ut i badrummet och lossat skärpet från Lasses vinröda morgonrock. Den han stulit från hotellet i New York.

Hon kör in mot stan.

Tvåhundratjugotvåan västerut. Ljusen från gatlyktorna passerar över vindrutan.

Lasse hade legat på sidan med ansiktet inåt och nacken oskyddad. Det var viktigt att knuten hamnade på rätt ställe direkt och inte skapade mer än ett avtryck. Hon hade knutit en strypsnara och varligt fört den över hans huvud.

När knuten varit placerad på exakt rätt ställe och det bara hade varit att dra åt hade hon kommit av sig.

Hon hade tvekat och kalkylerat med riskerna, men inte funnit något som skulle kunna avslöja henne.

När hon var klar skulle hon ta sig tillbaka till Centralen och invänta eftermiddagståget från Göteborg och sen gå och hämta bilen i parkeringsgaraget. Bilen skulle då ha fått en parkeringsbot men när parkeringsvakterna såg hennes giltiga P-biljett skulle de naturligtvis tvingas stryka boten. De skulle samtidigt styrka, om än inte bevisa, hennes berättelse om att hon under dagen varit på ett tåg till och från Göteborg.

Hon svänger höger ner i Hammarbybacken, kör ut på Gamla Skanstullsbron och upp i tunneln under Clarion Hotell.

Disciplin, tänker hon. Man måste vara vaken och inte agera impulsivt, för då kan man bli avslöjad.

Lapplisorna, tågbiljetten och konduktören som sett henne i restaurangvagnen, hade varit tillräckligt för att avskriva henne som misstänkt för något som till syvende och sist var ett självmord. Telefonkatalogerna på golvet nedanför stolen hade varit den sista detaljen som fullbordade bilden av ett självmord.

Hon kör upp för Renstiernas gata, passerar Skånegatan och Bondegatan och tar höger in på Åsögatan.

Hon hade tagit ett stadigt grepp om badrocksskärpet och dragit åt med hela sin styrka. Lasse hade kippat efter andan, men berusningen hade gjort att hans hjärna inte skickat ut de relevanta impulserna.

Han hade aldrig vaknat igen och hon hade hängt upp honom i lampkroken i taket. Hon hade placerat en stol under honom och när hon insåg att fötterna inte nådde ner hade hon fyllt ut tomrummet med telefonkataloger som hon sedan slängt ner på golvet. Ett solklart självmord.

NUTID

Skanstull

Strax före Johanneshovsbron ser Jeanette Kihlberg att den stora, sfäriska klockan vid Skanstull visar tjugo över nio och hon bestämmer sig för att ringa Sofia igen.

Hon slår numret och trycker telefonen mot örat samtidigt som hon hör sirener från ett utryckningsfordon. I backspegeln ser hon tre brandbilar närma sig i hög fart och hon saktar ner.

Signalen går fram, men ingen svarar.

Den första brandbilen passerar. Fortfarande inget svar.

Snälla svara, ber hon för sig själv. Jag behöver träffa dig.

När den sista brandbilen passerar och trafiken återgår till normal hastighet har det gått fram tio signaler och hon lägger på.

Jeanette önskar att hon kunde vara någon annanstans, med ett helt annat liv, och hon minns en dokumentärfilm hon sett som handlade om en man som en dag fått nog.

Istället för att som vanligt åka till sitt arbete på Rigshospitalet i Köpenhamn vände han om och cyklade hela vägen ner till Sydfrankrike. Lämnade fru och barn hemma i Danmark och skaffade sig ett nytt liv som smed i en liten bergsby. När reportageteamet sökte upp honom sa han att han inte ville ha någonting med sitt gamla liv att göra. Han bad allt och alla att fara åt helvete.

Jeanette vet att hon skulle kunna göra samma sak. Lämna allt åt Åke att reda upp.

Den enda försvårande omständigheten var Johan men han skulle ju alltid kunna ansluta senare. Passet har hon alltid i sin väska och egentligen finns det ingenting som hindrar henne. På något underligt sätt är det som om ångesten släpper, som om vetskapen om att hon faktiskt inte sitter fast gör att det inte heller känns lika angeläget att göra sig fri.

Musiken på radion avbryts av ett trafikmeddelande som omber boende i Grisslinge att stänga sina fönster på grund av en häftig villabrand.

Hon kör planlöst vidare.

Faller fritt.

Vita bergen

Sofia Zetterlund finner lägenheten öde och tom. Det syns inte ett spår av Gao och när hon går in i rummet, dolt bakom bokhyllan, ser hon att han har städat och gjort rent. Det luktar numera av skurmedel även om det fortfarande luktar lite urin.

Den grova filten är prydligt lagd över madrassen.

Sprutorna ligger på det lilla bordet bredvid flaskan med Xylocain och hon undrar varför hennes kollega på kontoret, tandläkare Johansson, aldrig saknade dem. Återigen hade slumpen varit hennes vän.

Hon blir irriterad över Gaos självsvåldiga beteende, att han har agerat utan att hon gett honom order. Vad är det som håller på att hända?

Hon känner en okontrollerad rädsla välla upp. Hela situationen är främmande för henne. Plötsligt sker saker hon inte kan påverka och sådant hon inte har makt över är i rörelse.

Utan att hon förstår var det kommer ifrån börjar hon skrika hysteriskt. Tårarna rinner nerför kinderna och hon kan inte sluta vråla. Det är så mycket som på en och samma gång måste ut. Hon bultar i väggarna tills hon tappar känseln i båda armarna.

Anfallet varar i nästan en halvtimme och när hon lugnar ner sig, mest på grund av att hon är fysiskt utmattad, kryper hon ihop i fosterställning på det mjuka golvet.

Röklukten kittlar i näsan.

Hon drömmer om ärren hon har på sin kropp.

Sår som läkt till ljusare märken på huden.

Andedräkter som fått henne att vilja kräkas och gjort att hon nu hade svårt för att kyssas.

Det är erfarenheter som är nödvändiga för minnet. Saker händer, uppfattas och blir till ett minne, men med tiden suddas processen ut och blir till en helhet. Flera händelser blir till en enda. Hon tycker att hennes liv är en stor klump där övergrepp och misshandel blivit till en enda enskild händelse som i sin tur blivit till en erfarenhet, vilken blivit till en insikt.

Det finns inget först och därför heller inget sedan.

Vad har funnits i henne som inte längre finns kvar?

Vad var det hon en gång hade kunnat se men inte längre kan se? Hon hade sökt efter nya möjligheter att utveckla sin personlighet. Inte ett alternativ eller komplement utan ett nytt väsen. Ett antagande utan förbehåll.

Hon skär i den tunna hinna som skiljer henne från vansinnet. Ingenting har börjat med mig, tänker hon. Ingenting har börjat i mig. Jag är död frukt i förvandling mot förruttnelse.

Mitt liv består av en lång rad ögonblick, det ena efter det andra som i en uppräkning, det ena olikt det andra, avgränsade fakta vid sidan av varandra.

Främlingskapets varseblivning och självförståelse.

Stockholm

För första gången i sitt nya land går Gao Lian från Wuhan ensam genom Stockholm. Från lägenheten på Borgmästargatan går han nerför de hala stentrapporna vid Klippgatan, de som leder upp mot Sofia kyrka. Han korsar Folkungagatan och tar trapporna upp mot Ersta sjukhem.

På Fjällgatan sätter han sig på en bänk och ser ut över Stockholm. Nedanför honom ligger stora passagerarfärjor och ute på redden guppar små segelbåtar. Till vänster ser han Gamla stan och slottet.

Svalorna som tjutande dyker genom luften i jakt på insekter är samma fåglar som bott under stugtaket hemma i Wuhan.

Luften är också densamma även om den här är renare.

Han fortsätter sin promenad ner mot Slussen där han går över bron och in i Gamla stan. Nyfiket lyssnar han till det främmande språket och tycker att det låter som om människorna runt omkring honom sjunger fram sina meningar. Det nya språket känns vänligt och utformat till att skapa vacker poesi och han undrar hur det låter när de här människorna är arga.

I flera timmar går han genom myllret av smågator och gränder och efter hand börjar han kunna orientera sig och obehindrat ta sig dit han vill. När skymningen kommer har en glasklar inre karta av den lilla staden som ligger mellan broarna. Hit ska han återvända och ha som utgångspunkt när han senare utforskar andra delar av staden.

Han går hemåt via Götgatan fram till korsningen Skånegatan där han svänger vänster och tar sig raka vägen hem till lägenheten.

Han hittar den ljusa kvinnan inne i det mörka och mjuka rummet. Hon ligger utslagen på golvet och han ser på hennes ögon att hon befinner sig långt borta. Han böjer sig ner och kysser hennes fötter och klär sedan av sig.

Innan han lägger sig ner bredvid henne viker han noggrant och omsorgsfullt kostymen på det sätt som hon så många gånger har visat honom. Han sluter ögonen och väntar på att ängeln ska ge honom instruktioner.

Vita bergen

Sofia Zetterlund är fortfarande blöt i håret när telefonen ringer.

”Victoria Bergman?” frågar en främmande röst.

”Vem är det som undrar?” svarar hon med låtsad misstänksamhet, trots att hon mycket väl vet att de förr eller senare skulle ta kontakt med henne.

”Jag ringer från närpolisen i Värmdö och söker en Victoria Bergman. Är det du?”

”Ja, det är jag. Vad rör det sig om?” Hon spelar så skärrad som hon föreställer sig att folk vanligtvis blir om polisen ringer sent på kvällen.

”Är du dotter till Bengt och Birgitta Bergman i Grisslinge på Värmdö?”

”Ja, det är jag... Men vad är det som har hänt? Vad är det frågan om?” Hon jagar upp sig och för några sekunder känner hon sig orolig på riktigt. Som om hon klev ut ur sig själv och faktiskt inte visste vad som hade hänt.

”Jag heter Göran Andersson och har försökt få tag på dig, men jag kan inte hitta någon adress.”

”Det var konstigt. Vad gäller det?”

”Jag har den tråkiga uppgiften att meddela dig att dina föräldrar med stor sannolikhet har omkommit. Deras hus har brunnit ner ikväll och vi antar att det är kropparna efter dem vi har hittat.”

”Men...” stammar hon.

”Jag ber så mycket om ursäkt att det blir på det här viset, men du är fortfarande skriven ute hos dina föräldrar och jag fick numret av deras advokat...”

”Vad då döda?” Victoria höjer rösten. ”Jag pratade ju med dem för bara några timmar sen och pappa berättade att de var på väg ner i bastun.”

”Ja, det stämmer. Vi fann dina föräldrar i bastun. Av det vi kan se nu så började branden i källaren och en kvalificerad gissning är att det är aggregatet som fattat eld och av någon anledning tog de sig aldrig ut. Dörren kan ha gått i baklås, men det är bara spekulationer än så länge. Det kommer en ordentlig undersökning att visa. En tragisk olycka är det i alla fall.”

Olycka, tänker hon. Om de tror att det var en olyckshändelse kan de rimligen inte ha upptäckt plankan. Hon hade haft rätt när hon antagit att även den skulle brinna upp innan någon hunnit släcka elden.

”Jag förstår om du behöver prata med nån. Du ska få numret till en jourhavande psykolog som du kan ringa.”

”Nej, det behövs inte”, svarar hon. ”Jag är själv psykolog och har egna kontakter. Men tack för visad omtanke.”

”Jaha, på det viset. Vi återkommer i morgon med mer information. Drick nåt starkt och ring en vän. Jag är uppriktigt ledsen för att jag behövde underrätta dig på det här viset.”

”Tack”, säger Sofia Zetterlund och lägger på luren.

Äntligen, tänker hon. Fötterna värker. Men hon känner sig så levande.

Nu finns ingenting kvar.

Hon kan äntligen se slutet.

NUTID

Kvarteret Kronoberg

När Jeanette stänger dörren till huset hör hon de första regndropparna smattra mot fönsterblecket. Det har börjat mulna och i fjärran tycker hon sig höra en åskknall. Hon sätter sig i bilen och lämnar den ödsliga villan i Gamla Enskede samtidigt som sensommarens första storm sveper in över ett gråsvart Stockholm.

Åke har ordnat med skilsmässopappren och Jeanette har tidigare på förmiddagen skrivit under dem utan att säga någonting, även om hon tycker att det är ironiskt att han plötsligt visat sådan handlingskraft.

Väl framme i polishuset städar hon av sitt skrivbord, vattnar blommorna och innan hon lämnar sin arbetsplats går hon in till Jens Hurtig för att önska honom en trevlig semester.

”Har du sett det här?” säger han och räcker henne ett papper.

”Vadå?”

”En försvunnen pojke. Linus Alenius, femton år. Försvann ute på Ekerö. Hans cykel låg slängd i ett dike. Ekerö. Kopplar du?”

”Ekerö. Svartsjölandet. Jag fattar. Men Linus Alenius?” Hon ögnar igenom papperet och konstaterar snabbt att det rör sig om en helt vanlig, svensk pojke.

Nej, det här stämmer inte, tänker hon. Det bryter mot mönstret.

”Än så länge bara försvunnen”, säger Hurtig, ”och alltså inte vårt bord.”

”Just det. Och dessutom har vi ju semester”, säger hon och lägger ifrån sig papperet. ”Vad ska du göra?”

”I övermorgon ska jag ta nattåget upp till Älvsbyn, sen buss till Jokkmokk där morsan kommer och hämtar mig. Ska bara ta det lugnt och fiska lite. Kanske hjälpa farsan med huset."

"Hur är det med honom efter olyckan med vedkapen?" frågar hon och skäms för att hon inte frågat tidigare.

"Han kan i alla fall sköta stråken även om han inte är nåt vidare på fiol, men det känns tragiskt att morsan måste knyta hans skor." Hurtig ser först allvarlig ut, men skiner sedan upp i ett leende. "Och du då? Lugn och ro?"

"Knappast. Gröna Lund med Johan och Sofia. Du vet att jag har lite svårt för höjder, men jag tyckte det vore kul om Sofia fick träffa Johan och hon föreslog just Gröna Lund, så det är väl bara att bita ihop."

Hans leende övergår i ett flin."Prova Nyckelpigan, eller Lustiga huset."

Jeanette skrattar och ger honom en vänskaplig knuff i magen.

"Vi ses om ett par veckor", säger hon utan att ha en aning om att de kommer att träffas om mindre än sjuttiotvå timmar.

Vid den tidpunkten kommer hennes son att ha varit försvunnen i nästan ett dygn.

NUTID

Vita bergen

Sofia Zetterlund vaknar tillsammans med Victoria Bergman och hon känner sig hel.

I två dagar har hon, tillsammans med Gao, legat i sängen och pratat med Victoria.

Sofia har berättat om allt som hänt sedan de skildes åt för över tjugo år sen.

Victoria har mest varit tyst.

Tillsammans har de lyssnat på kassettbanden, om och om igen och varje gång har Victoria somnat. Det har varit det omvända mot tidigare.

Först nu, fyrtioåtta timmar senare, känner sig Sofia redo att möta verkligheten.

Ute i köket laddar hon kaffebryggaren, plockar upp sin laptop, ställer den på köksbordet och knäpper på.

Hon plockar fram en kaffekopp och slår sig ner vid datorn. Genast hon blivit underrättad om föräldrarnas död hade hon surfat in på Fonus hemsida och tagit reda på hur hon på enklast möjliga sätt skulle få det som var kvar av dem i jorden. Detta skulle ske på fredag ute på Skogskyrkogården.

När hon går igenom telefonen och ser att Jeanette har ringt henne att antal gånger känner hon ett sting av dåligt samvete. Hon minns att hon lovat att de ska gå på Gröna Lund tillsammans med Johan och hon ringer genast upp Jeanette.

”Var fan har du varit?” frågar Jeanette oroligt.

”Jag har varit lite krasslig och inte orkat svara i telefon. Så, hur blir det med Gröna Lund?” frågar Sofia.

”Kan du fortfarande på fredag?”

Sofia tänker på urnsättningen ute på Skogskyrkogården.
”Absolut”, svarar hon. ”Var ska vi ses?”
”Vid Djurgårdsfärjan klockan fyra?”
”Jag kommer!”
Nästa samtal är till advokaten som ska sköta bouppteckningen. Han heter Viggo Dürer och är en gammal vän till familjen. Som barn har hon träffat honom några gånger, men Sofia minns honom bara vagt. Old Spice och Eau de Vie.
Akta dig för honom.
Advokat Dürer berättar att hon som ensam arvtagare får allt.
”Allt?” säger hon förvånat. ”Huset har ju brunnit ner...?”
Viggo Dürer berättar att förutom försäkringen på huset, vilken är värd omkring fyra miljoner, har hennes föräldrar ett sparkapital på niohundratusen kronor samt en aktieportfölj som vid en försäljning kommer att inbringa närmare fem miljoner.
Sofia ger advokaten i uppdrag att så fort som möjligt omvandla aktierna till kontanter, vilka ska sättas in på hennes privatkonto. Viggo Dürer försöker övertala henne att låta bli, men hon står på sig och till slut går han med på att göra som hon vill.
När hon räknar efter inser hon att hon snart förfogar över tio miljoner kronor. Hon har blivit en mycket rik kvinna.

Gamla Enskede

Jeanette känner sig glad när hon lägger på luren. Sofia har bara varit lite sjuk och inte orkat svara i telefon. Hon har oroat sig i onödan.

Gröna Lund-besöket gör att hon äntligen har någonting att överraska Johan med och samtidigt får hon träffa Sofia.

Nu när hon till slut fått semester ska hon bara ta det lugnt i några dagar, sedan ska hon fundera över framtiden. Villan är för stor för henne och Johan och hon har tänkt föreslå Åke att de ska sälja den. Hon tänker på Sofias stora lägenhet på Söder och önskar att hon kan få tag på något liknande. Hon hoppas att Johan inte ska vara alltför avog inför idén att flytta in till stan.

Hennes funderingar avbryts av att det ringer på dörren och hon går för att öppna.

Utanför står en uniformsklädd polis hon aldrig sett förut.

”Hej, jag heter Göran”, säger han och sträcker fram handen. ”Är det du som är Jeanette Kihlberg?”

”Göran?” svarar Jeanette. ”Vad gäller det?”

”Andersson”, förtydligar han. ”Göran Andersson och jag jobbar ute i Värmdö.”

”Jaha, och vad kan jag hjälpa dig med?”

”Alltså, så här...” Han harklar sig. ”Jag jobbar på Värmdö och för några dar sen hade vi en häftig brand därute. Två personer omkom i vad som såg ut som en olycka. Ja, de hade badat bastu och...”

”Och...?”

”Ja, paret som brann inne hette Bengt och Birgitta Bergman och det som först såg ut som en olycka är antagligen mer komplicerat.”

Jeanette ursäktar sig och ber honom stiga in.
”Vi sätter oss i köket. Kaffe?”
”Nej, jag ska gå snart.”
”Så... Varför är du här?” Jeanette går in och sätter sig ner vid köksbordet. Polismannen följer efter.
Han slår sig ner och fortsätter.
”Jag kollade upp dom och såg ganska omgående att du förhört Bengt Bergman angående en våldtäkt.”
Jeanette nickade. ”Ja, det stämmer. Men det gav ingenting. Han gick fri.”
”Ja... och nu är han ju död så... När jag ringde upp dottern och berättade vad som hänt reagerade hon, ja vad säger man?”
”Konstigt?” Jeanette tänker på sitt eget samtal med Victoria Bergman.
”Nej. Snarare likgiltigt.”
”Förlåt mig, Göran.” Jeanette börjar bli otålig. ”Varför har du kommit hit?”
Göran Andersson lutar sig fram över bordet och ler.
”Hon finns inte.”
”Vem finns inte?” Jeanette får en obehaglig känsla i kroppen.
”Det var nåt med dottern som gjorde mig nyfiken så jag kollade upp henne.”
”Vad fann du?”
”Ingenting. Noll. Inte ett register, inte ett bankkonto. Nada. Victoria Bergman har inte lämnat ett spår efter sig på över tjugo år.”

Heliga korsets kapell

Egentligen hade en rejäl höststorm varit en mer passande inramning för urnsättningen av Bengt och Birgitta Bergmans kvarlevor, men nu skiner solen och Stockholm visar sig från sin allra bästa sida.

Träden i Koleraparken ståtar i alla tänkbara nyanser från svagt gyllenbrunt till djupaste lila och vackrast är de mörkt gröna lönnlöven.

Från Nynäsvägen svänger hon vänster in på Sockenvägen, fortsätter rakt fram, passerar under bron förbi T-banestationen och blomsteraffären, kör ytterligare hundra meter och till sist svänger hon höger in på Kapellslingan fram till parkeringsplatsen vid Skogskyrkogården.

Ett tiotal bilar står parkerade, men hon vet att ingen av dem tillhör någon som ska delta i ceremonin. Det är bara hon som ska närvara.

Hon slår av motorn, öppnar dörren och stiger ut. Luften är kylig och hon tar några djupa andetag av den friska luften.

En stenlagd gångväg kantad av höga träd leder upp till huskomplexet med krematoriet och monumenthallen. Hon passerar ett äldre par som sitter på en bänk och samtalar lågmält. Till höger om kapellet står ett stort kors och kastar en dystert mörk skugga över gräsmattan.

Redan på håll ser hon prästen.

Allvarsam med huvudet böjt.

En urna med plats för askan efter två personer på marken framför honom.

Mörkrött körsbärsträ. Ett förgängligt material, hade det stått på begravningsbyråns hemsida.

Lite mer än tusen kronor.

Femhundra kronor per person.

Det ska bara vara de. Hon och prästen. Så har hon bestämt.

Ingen dödsannons, ingen nekrolog. Ett stillsamt farväl utan tårar och starka känslor. Inget överslätande tal om försoning eller taffligt försök att upphöja de döda till något de aldrig varit. Inga minnen som förlänar dem dygder de inte ägt och heller inga erinringar som ska få de avlidna att framstå som änglar.

Det ska inte ske något skapande av gudar.

Hon hälsar och prästen förklarar vad som ska ske.

Eftersom hon avböjt begravningsgudstjänsten ska det bara bli de självklara fraserna före nedsänkandet av urnan.

Överlämnandet i Skaparens händer och bönen om att Jesu död och uppståndelse ska fullbordas i den människa som Gud har skapat till sin avbild har skett före kremeringen utan att Sofia varit närvarande.

Av jord är du kommen. Jord skall du åter bli.

Herren Jesus Kristus skall uppväcka dig på den yttersta dagen.

Allt ska vara över på mindre än tio minuter.

De går tillsammans bort, förbi en liten damm och in bland träden som utgör kyrkogården.

Prästen, en kort, tanig man i en ålder som hon har svårt att uppskatta, bär urnan. Hans tunna kropp har den åldrande mannens långsamhet samtidigt som blicken äger en ung pojkes nyfikenhet.

De pratar inte med varandra och hon har svårt att släppa urnan med blicken. Där ligger det som finns kvar av hennes föräldrar.

De brända benen hade efter kremeringen rakats ner i ett kärl för att svalna. Obrända saker, som Bengts höftprotes, hade plockats bort innan skelettdelarna pulvriserades i benkvarnen.

När hennes far dog blev han paradoxalt nog också levande för henne. En dörr har öppnats, som om ett hål hade skurits ut i luften. Den står på vid gavel framför henne och erbjuder befrielse.

Avtryck, tänker hon. Vilka avtryck har de lämnat efter sig? Hon minns en händelse, långt tillbaka i tiden.

NUTID

Hon hade varit fyra år och Bengt hade gjutit nytt golv i ett av rummen i källaren. Frestelsen att trycka handen i den blanka, sega cementen, hade varit starkare än hennes rädsla för det ovett hon vetat att hon skulle få. Det lilla handavtrycket hade funnits kvar ända fram till branden. Antagligen finns det kvar under resterna av det nerbrunna huset.

Men vad finns kvar av honom?

Allt fysiskt han lämnar efter sig är antingen förstört eller avyttrat, spritt för vinden. Förberett för att säljas på auktion. Snart anonyma föremål i någon vilt främmande människas ägo. Saker utan historia.

Avtrycken han gjort inuti henne ska däremot överleva honom i form av skam och skuld.

En skuld hon aldrig ska kunna betala hur tappert hon än försöker.

Den ska bara fortsätta att växa och växa framför henne.

Vad visste jag egentligen om honom? tänker hon.

Vad har dolt sig i djupet av hans själ och vad har han drömt om? Längtat efter?

Han har drivits av en ständig otillfredsställelse, tänker hon. Hur varm han än varit har han ändå skakat av köld och hur han än ätit har hans mage alltid svidit av hunger.

Prästen stannar, ställer ner urnan och böjer huvudet som i bön. Ett grönt tygstycke med hål i mitten ligger utbrett framför gravstenen av röd Vångagranit.

Sjutusen kronor.

Hon söker prästens blick och när han till slut lyfter huvudet ser han på henne och nickar.

Hon tar några steg framåt, går runt tygstycket, böjer sig ner och fattar med båda händerna tag i snöret som är fäst i den röda urnan. Det första som slår henne är hur tung den är och repet skär in i hennes händer.

Försiktigt rör hon sig bort mot hålet, stannar upp och sänker sedan sakta ner urnan i det svarta hålet. Efter en viss tvekan släpper hon taget om snöret, låter det falla och lägga sig på urnans lock.

Det svider i handflatorna och när hon öppnar händerna ser hon ett ilsket rött märke på varje hand.

Stigmata, tänker hon.

Fritt fall

Nöjesparken Gröna Lunds populäraste åkattraktion är ett ombyggt utsiktstorn som är hundra meter högt och kan ses från stora delar av Stockholm. Passagerarna dras sakta upp till en höjd av åttio meter, varpå de hänger där en stund och slutligen störtar mot marken med en hastighet av nästan etthundratjugo kilometer i timmen. Nedfärden tar två och en halv sekund och vid inbromsningen utsätts passagerarna för krafter motsvarande tre och en halv G.

Vid landningen väger alltså en människokropp över tre gånger så mycket som normalt.

Värre är det med kroppsvikten på vägen ner.

En människa som färdas i en hastighet av hundra kilometer i timmen väger över tolv ton.

”Du vet att de stängde Fritt fall förra sommaren?” Sofia skrattar.

”Jaså? Varför då?” Jeanette trycker Johans arm och de tar några steg framåt i kön. Tanken på att Sofia och Johan snart kommer att hänga där uppe gör henne yr.

”Nån fick fötterna avslitna av en vajer på ett nöjesfält i USA. Grönan stängde för att de var tvungna att göra en säkerhetskoll.”

”Fan... sluta nu. Det är väl inte läge att berätta det just när ni ska åka.”

Johan skrattar och knuffar henne i sidan.

Hon ler mot honom. Det är länge sedan hon såg honom så här upplivad.

Under de senaste timmarna har Johan och Sofia avverkat

Kvasten, Bläckfisken, Extreme och Katapulten. Dessutom har de var sitt fotografi av sig själva när de skrikande åker Flygande mattan.

Jeanette har hela tiden stått nedanför och sett på med en klump i magen.

Det blir deras tur och hon kliver åt sidan.

Modet sviker Johan något, men Sofia går upp på plattformen och han följer efter med ett osäkert leende.

En funktionär ser till att säkerhetsbyglarna sitter på plats.

Sedan sker allt mycket snabbt.

Korgen börjar röra sig uppåt och Sofia och Johan vinkar nervöst.

I detsamma som Jeanette ser att deras uppmärksamhet förflyttas till utsikten över staden hör hon ljudet av glas som krossas alldeles bakom henne.

Tre män är fullt inbegripna i ett slagsmål.

Det tar Jeanette tolv minuter att avstyra bråket.

Sjuhundratjugo sekunder.

Sen är allt slut.

Popcorn, svett och aceton.

Dofterna gör Sofia förvirrad. Hon har svårt att förstå vilka som är riktiga och vilka som är inbillade och när hon passerar radiobilarna är luften kvävande elektrisk.

En inbillad lukt av bränt gummi blandar sig med en verklig sötsliskig vindpust från herrtoaletterna.

Det har börjat bli mörkt, men kvällen är ljum och himlen har klarnat. Asfalten är fortfarande blöt efter det plötsliga skyfallet och de blinkande, kulörta lamporna som reflekteras i vattenpölarna sticker i ögonen. Ett plötsligt skrik från berg- och dalbanan får henne att rycka till, hon tar ett steg tillbaka. Någon knuffar henne bakifrån och hon hör hur någon svär.

”Vad fan håller du på med?”

Hon stannar och blundar. Försöker sortera bort intrycken från rösten i huvudet.

Vad tänker du göra nu? Sätta dig ner och gråta?
Var har du gjort av Johan?
Sofia ser sig omkring och upptäcker att hon är ensam.

"... han var minsann inte höjdrädd men när skyddsräcket fälldes ner började det regna och när de satt fast kände hon hur han darrade av rädsla och när vagnen började röra sig så sa han att han ångrade sig och ville ner..."

Någon slår henne i ansiktet. Kinden svider och hon känner att den är våt och salt. Det hårda gruset skaver under ryggen.

"Vad är det för fel på henne?"

"Kan någon kalla på sjukvårdspersonal?"

"Vad är det hon pratar om?"

"Är det nån här som är sjukvårdskunnig?"

"... och han grät och var rädd och först försökte hon trösta honom när de åkte högre och högre upp och kunde se hela Uppsala och alla båtarna i Fyrisån och när hon sa det till honom slutade han gnälla och sa att det var Stockholm och att det var Djurgårdsfärjorna man såg..."

"Jag tror hon säger att hon är från Uppsala."

"... och högst uppe började det åska och blixtra och så blev allt stilla och människorna nedanför var som prickar och om man ville kunde man knäppa dem mellan fingrarna som små flugor..."

"Jag tror att hon är på väg att svimma."

"... och precis då åker magen upp i halsen och allt kommer farande emot en och det är precis som man vill att det ska vara..."

"Släpp fram mig!"

Hon känner igen rösten men kan inte riktigt placera den.

"Flytta på er, jag känner henne."

En sval hand mot den heta pannan. En doft hon känner igen.

"Sofia, vad är det som har hänt? Var är Johan?"

Victoria Bergman sluter ögonen och minns.

Tack till:
Inte en jävel.

Pocketförlagets utgivning i urval

Alfredsson, Karin: Klockan 21:37 978-91-86067-88-5
Anderson, Chris: Free: radikalt pris - ny ekonomisk modell 978-91-86369-06-4
Aneröd, Renzo: Fiender 978-91-86369-54-5
Annorlunda - Unga tankar i text och bild 978-91-86675-12-7
Appelqvist, Kristina: Den svarta löparen 978-91-86369-75-0
Asher, Jay: Tretton skäl varför 978-91-86675-18-9
Barclay, Linwood: Utan ett ord 978-91-86369-15-6
Björkelid, Anders: Ondvinter 978-91-86369-99-6
Carlsson, Christoffer: Fallet Vincent Franke 978-91-86675-02-8
Coben, Harlan: Mästaren 978-91-86369-38-5
Coben, Harlan: Spelaren 978-91-86369-37-8
Condé, Maryse: Desirada 978-91-86369-22-4
Cohn/Levithan: Naomi och Elys kyssförbudslista 978-91-86675-01-1
Dawkins, Richard: Illusionen om Gud 978-91-85625-86-4
Des Barres, Pamela: Jag är med bandet 978-9186369-78-1
Dobyns, Jay: En mot hundra - Jag infiltrerade Hells Angels 978-91-86369-41-5
Drama Queens: Drama Queens - I ett liv nära dig 978-91-86369-35-4
Ebervall & Samuelson: Ers Majestäts Olycklige Kurt 978-91-86067-02-1
Eriksson/Axlander Sundquist: Kråkflickan 978-91-86675-06-6
Elliott, Jane: Den lilla fången 978-91-86675-11-0
Engleheart, Murray: AC/DC: Den ultimata historien 978-91-86369-68-2
Englund, Peter: Stridens skönhet och sorg 978-91-86067-75-5
Engvall, Caroline: 14 år till salu 978-91-86067-39-7
Ferriss, Timothy: 4 timmars arbetsvecka 978-91-86369-83-5
Fowley, Dana: Hur kunde hon? 978-91-86675-04-2
Gerhardsen, Carin: Mamma, pappa, barn 978-91-86067-10-6
Gerhardsen, Carin: Vyssan lull 978-91-86067-11-3
Greene, Graham: Brighton Rock 978-91-86369-98-9
Gucci, Jenny: Guccikrigen 978-91-86369-05-7
Gustafsson, Raine: Raines dagbok 978-91-86369-59-0
Guillou, Jan: Men inte om det gäller din dotter 978-91-86067-57-1
Guillou, Jan: Ordets makt och vanmakt 978-91-86369-47-7
Haag, Martina: Fånge i hundpalatset 978 91-86675-15-8
Hanif, Mohammed: Mangon som sprängdes 978-91-86675-17-2

Holt, Anne: Frukta inte 978-91-86369-40-8
Holt, Anne: 1222 över havet 978-91-86067-19-9
Jaggers, Vicky: I det tysta 978-91-86369-55-2
Janouch, Katerina: Orgasmboken 978-91-8562526-0
Janouch, Katerina: Systerskap 978-91-86369-48-4
Jeremy, Ron: Hårdaste mannen i showbiz 978-91-86067-07-6
Jersild, PC: Edens bakgård 978-91-86369-50-7
Jonasson, Jonas: Hundraåringen som klev ut...978-91-86369-27-9
Jones, Sherry: Medinas juvel 978-91-86369-56-9
Kadefors, Sara: Borta bäst 978-91-86369-44-6
Kallentoft, Mons: Höstoffer 978-91-86067-61-8
Kallentoft, Mons: Sommardöden 978-91-85625-94-9
Kernick, Simon: Mord för mord 978-91-86369-97-2
Kiedis, Anthony: ScarTissue 978-91-86369-77-4
Kilmister, Lemmy: White Line Fever 978-91-86067-58-8
Kjaerstad, Jan: Jag är bröderna Walker 978-91-86369-65-1
Leeb, Jenny: På grund av Leon 978-91-86369-03-3
Levengood & Lindell: Gamla tanter + Gud som haver 978-91-85625-31-4
Levithan, David: Ibland bara måste man 978-91-86369-10-1
Lindell, Unni: Honungsfällan 978-91-86067-03-8
Lindell, Unni: Orkestergraven 978-91-8562514-7
Lundholm, Lars Bill: Gamla Stan-morden 978-91-86067-68-7
Lundholm, Lars Bill: Södermalmsmorden 978-91-9758886-7
Malmsten, Bodil: De från norr kommande leoparderna 978-91-86067-41-0
Malmsten, Bodil: Hör bara hur ditt hjärta bultar i mig 978-91-85625-80-2
Mankell, Henning: Den orolige mannen 978-91-86369-43-9
Mankell, Henning: Kinesen 978-91-86067-55-7
Marklund, Liza: En plats i solen 978-91-86067-06-9
Marklund/Patterson: Postcard killers 978-91-86369-74-3
McNeil/McCain: Please kill me 978-91-86369-69-9
Moström. Jonas: Hjärtats mörker 978-91-85625-95-6
Moström, Jonas: Rymd utan stjärnor 978-91-86067-72-4
Munro, Alice: Nära hem 978-91-86369-64-4
Naumann, Cilla: Kulor i hjärtat 978-91-86369-73-6
Nemert, Elisabet: Ödets hav 978-91-86067-79-3
Nesbø, Jo: Djävulstjärnan 978-91-8562549-9
Nesbø, Jo: Fladdermusmannen 978-91-85625-45-1

Nesbø, Jo: Frälsaren 978-91-8562544-4
Nesbø, Jo: Kackerlackorna 978-91-8562546-8
Nesbø, Jo: Pansarhjärta 978-91-86675-03-5
Nesbø, Jo: Rödhake 978-91-8562547-5
Nesbø, Jo: Smärtans hus 978-91-85625-48-2
Nesbø, Jo: Snömannen 978-91-86067-05-2
Nilsson, Henrik B: Den falske vännen 978-91-86369-70-5
Nilsson, Johanna: Janis den magnifika 978-91-86369-24-8
Noble. Elizabeth: Vad mina döttrar bör veta 978-91-86369-57-6
Norberg, Liam: Insidan: brotten, pengarna, tiden 978-91-85625-66-6
Nunstedt, Carina: 12 steg till ett skönare mammaliv 978-91-86369-49-1
O´Flanagan, Sheila: Den jag ville ha 978-91-86067-08-3
O´Flanagan, Sheila: Den perfekte mannen 978-91-86369-89-7
O´Flanagan Sheila: Inte han! 978-91-85625.-53-6
O'Flanagan, Sheila: Luftslott 978-91-97588-80-5
O'Flanagan, Sheila: Syskonkärlek 978-91-86067-81-6
Ohlsson, Kristina: Askungar 978-91-86369-18-7
Ohlsson, Kristina: Tusenskönor 978-91-86675-16-5
Ono, Yoko: Minnen av John Lennon 978-91-86369--95-8
Patterson, James: Dubbelspel 978-91-86369-79-8
Pihl, Emma: Vinnare i din egen tävling 978-91-86369-17-0
Priftis, Marcus: Gå på djupet 978-91-86369-82-8
Pringle, Heather: Härskarplanen 978-91-86675-00-4
Rambe, Lars: Spåren på bryggan 978-91-86067-30-4
Reading, Mario: Nostradamus försvunna profetior 978-91-86369-93-4
Roman, Andreas: Mörkrädd 978-91-86067-64-2
Roman, Andreas: Någon i din säng 978-91-86067-85-4
Roslund & Hellström: Edward Finnigans upprättelse 978-91-85625-20-8
Roslund & Hellström: Flickan under gatan 978-91-85625-68-0
Roslund & Hellström: Tre sekunder 978-91-8636926-2
Rostoff, Meg: Justin Case 978-91-86369-36-1
Sæterbakken, Stig: Osynliga händer 978-91-86369-16-3
Scarrow, Simon: Centurion 978-91-86369-32-3
Scarrow, Simon: Erövringen 978-91-86675-13-4
Scarrow, Simon: Legionären 978-91-86369-76-7
Schön, Bosse: Berlins sista timmar 978-91-86369-63-7
Sennerteg, Niclas: Nionde arméns undergång 978-91-86369-02-6

Shooman, Joe: Bruce Dickinson - biografin 978-91-86067-97-7
Singh, Simon: Salvekvick och kvacksalveri 978-91-86369-02-6
Sjölund/Gners: Slipsboken 978-91-86369-42-2
Sixx, Nikki: The Heroin Diaries 978-91-86067-70-0
Slash & Bozza, Anthony: Slash - biografin 978-91-86067-50-2
Smith, L.J: The Vampire Diaries: Uppvaknandet & Kampen 978-91-86369-71-2
Smith, L.J: The Vampire Diaries: Vreden & Återkomsten 978-91-86369-72-9
Sortland, Bjørn: Vad är så skört att det bryts om du säger dess namn
Strauss, Neil: Att älska som en porrstjärna 978-91-85625-83-3
Strauss, Neil: Marilyn Manson: Den långa vägen ut ur helvetet 978-91-86067-47-2
Strauss, Neil: The Dirt 978-91-85625-82-6
Sundström, Lena: Världens lyckligaste folk 978-91-86369-46-0
Swärd, Anne: Till sista andetaget 978-91-86369-61-3
Thomas, Scarlett: Slutet på mr Y 978-91-86369-91-0
Thompson, Hunter S: Skräck & avsky i Las Vegas 978-91-86369-31-6
Tosches, Nick: Hellfire 978-91-86369-20-0
Tursten, Helen: Det lömska nätet 978-91-86067-74-8
Voors, Barbara: Emmy Moréns dubbla liv 978-91-86675-14-1
Wahlberg, Karin: Sigrids hemlighet 978-91-86067-64-9

Läs mer om våra böcker på www.pocketforlaget.se